EL
CUARTO
ARMARIO

EL CUARTO ARMARIO

SCOTT CAWTHON
KIRA BREED-WRISLEY

Traducción de Elia Maqueda

Rocaeditorial

Five nights at freddy`s. El cuarto armario

Titulo original: *five nights at Freddy`s, The Fourth Closet*

Primera edición en España: junio de 2020
Primera edición en México: marzo de 2021
Primera reimpresión: noviembre de 2021
Segunda reimpresión: abril de 2022
Tercera reimpresión: agosto de 2022

D. R. © 2018, Scott Cawthon

Publicado bajo acuerdo con Scholastic Inc.,
557 Broadway, Nueva York, NY100112, EE.UU.

◼SCHOLASTIC

D. R. © de esta edición: Roca Editorial de Libros, S. L.,
Av. Marqués de I`Argentera, 17, pral. 08003, Barcelona.
info@rocaeditorial.com
www.rocaeditorial.com

D.R. © 2020, Elia Maqueda, por la traducción
D. R. © de la foto estática de televisión: Klikk / Dreamstime

ISBN: 978-841-801-413-0

Impreso en México - *Printed in Mexico*

—¡*C*harlie!

John trepó por los escombros hasta donde estaba ella, al borde del ahogo por el polvo de la explosión. El cascajo se movió bajo sus pies, tropezó con un bloque de cemento y estuvo a punto de caerse; se destrozó las manos agarrándose desesperadamente a la superficie rota. Llegó hasta donde debía estar ella; notaba su presencia debajo de él. Eligió un inmenso bloque de concreto y lo empujó con todas sus fuerzas. Consiguió hacer que se balanceara en lo alto del montón de escombros y lo derribó. Cayó con un golpe seco, haciendo vibrar el suelo bajo sus pies. Una viga de acero crujió y tembló sobre su cabeza.

—¡Charlie!

John gritó el nombre de ella nuevamente mientras empujaba otro bloque de concreto.

—¡Charlie, ya voy!

Aspiraba bocanadas de aire mientras removía los restos de la casa con una fuerza desesperada fruto de la adrenalina; sin embargo, se iba quedando sin energía. Apretó la mandíbula y siguió empujando. Las palmas de las manos se le resbalaron al tratar de empujar el siguiente bloque, y de pronto se dio cuenta, aturdido, de que sus manos iban dejando regueros de sangre allá donde las ponía. Se las secó en los jeans e hizo un nuevo intento. Esta vez el concreto resquebrajado se movió. John se lo apoyó en los muslos y lo alejó tres pasos para después soltarlo sobre un montón de escombros. Cayó sobre éste y rompió las rocas y los cristales que había debajo, provocando una pequeña avalancha, y entonces, bajo el estruendo, la oyó susurrar:

—*John...*

—*Charlie...*

El corazón dejó de latirle al susurrar ese nombre, y de nuevo los escombros se movieron bajo sus pies. Esta vez se cayó al suelo de espaldas, y el golpe lo dejó sin aliento. Hizo un enorme esfuerzo para meter aire en sus pulmones, que de pronto parecían inútiles, hasta que comenzó a respirar entrecortadamente. Se incorporó, mareado, y vio lo que el derrumbe había dejado a la vista: estaba en el cuarto oculto de la casa donde había crecido Charlie. Frente a él había una pared de metal liso. En el centro había una puerta.

Sólo era una silueta, sin bisagras ni manija, pero John sabía lo que era porque Charlie se lo había contado cuando ella dejó de correr a mitad de su huida y apoyó la mejilla en la superficie llamando a alguien o algo en el interior.

—John... —susurró su nombre de nuevo.

El sonido parecía venir de todas partes, rebotaba en las paredes de la habitación. John se puso de pie y apoyó sus manos en la puerta; estaba fría al tacto. Recargó la mejilla contra ella como había hecho Charlie, y entonces la notó aún más fría, como si le sustrajera el calor de la piel. John se apartó y se frotó la cara helada sin dejar de mirar la puerta, que empezó a apagarse ante sus ojos. El color se fue yendo hasta que la propia puerta empezó a esclarecerse: la solidez del material se desvaneció hasta adquirir la apariencia de un cristal esmerilado, y entonces John vio una sombra detrás del cristal, la silueta de una persona. La figura se acercó, y la puerta se aclaró hasta que casi se podía ver a través de ella. Él también se acercó hasta colocarse a la altura de la figura del otro lado. Tenía rostro, suave y pulido, y los ojos parecían los de una estatua, esculpidos y desprovistos de la capacidad de ver. John miró a través de la puerta que los separaba y su aliento empañó la barrera traslúcida. En ese momento, los ojos de la silueta se abrieron de par en par.

La figura estaba quieta ante él, con los ojos fijos en el vacío. Estaban nublados e inmóviles... inertes. Alguien profirió una risa: un sonido frenético y afligido que resonó en la pequeña habitación cerrada. Enloquecido, John miró a su alrededor, buscando de dónde provenía. La risa se tornó más aguda y cada vez más intensa. John se tapó los oídos; el sonido era penetrante e insoportable.

—¡¡Charlie!! —volvió a gritar.

ϒ

John se despertó sobresaltado y con el corazón a mil por hora: la risa continuaba, como si lo hubiera perseguido fuera del sueño. Desorientado, recorrió la habitación con la mirada y encendió la televisión, donde el rostro maquillado de un payaso ocupaba la pantalla completa, con un ataque de risa convulsa. John se incorporó y se frotó la mejilla; se había dormido con la cara apoyada sobre el reloj. Miró la hora y respiró aliviado: aún tenía tiempo para llegar al trabajo a tiempo. Se sentó y se tomó unos minutos para recuperar el aliento. En la pantalla de la televisión, un reportero del noticiero local sostenía un micrófono frente a un hombre disfrazado de payaso, con la cara pintada, una nariz roja y una peluca multicolor. El cuello de su traje parecía sacado de un cuadro renacentista, y el resto del atuendo era amarillo con pompones rojos a modo de botones.

—Y cuénteme —dijo el reportero con entusiasmo—: ¿Tenía ya este disfraz o se lo mandó a hacer especialmente para la inauguración?

John apagó la televisión y se dirigió a la regadera.

Llevaba todo el día oyéndolo, pero el sonido seguía resultándole insoportable: un repiqueteo metálico estruendoso interrumpido por los gritos y el ruido ensordecedor de los martillos mecánicos. John cerró los ojos para bloquearlo, pero las vibraciones le resonaban en el pecho, lo inundaban por completo, y entre el ruido, de repente, el sonido de una risa desesperada resonó en sus oídos. La figura del sueño volvió a su encuentro, pero no la veía, y sintió que si giraba la cabeza en la dirección adecuada, podría ver el rostro tras la puerta...

—¡John!

El chico volteó: Luis estaba a un metro de distancia y lo miraba perplejo.

—Es la tercera vez que te hablo —dijo.

John se encogió de hombros e hizo un gesto señalando el caos que reinaba a su alrededor.

—Oye, algunos de los muchachos van a tomar algo después. ¿Vienes? —preguntó Luis. John titubeó—. Vamos, te hará bien... Lo único que haces es trabajar y dormir.

Soltó una risotada afable y le dio una palmada en el hombro a John.

—Bueno, mejor para mí —John le sonrió y luego miró al suelo mientras el gesto se desvanecía—. Es que tengo mucho trabajo.

Intentó sonar convincente.

—Ya veo, mucho trabajo. Bueno, si cambias de opinión, me dices.

Le dio otra palmada en el hombro y se dirigió de regreso al montacargas. John lo observó alejarse a grandes zancadas. No era la primera vez que declinaba una invitación de sus compañeros; ni la segunda, ni la tercera. Pensó que, llegado un punto, dejarían de invitarlo. Que llegaría un momento en el que todo el mundo lo daría por imposible. Quizá sería lo mejor.

—¡John! —le habló otra voz.

«¿Y ahora qué?»

Era el jefe de la construcción, que le gritaba desde la puerta de su oficina independiente, un tráiler que habían instalado temporalmente mientras durara la obra y que se balanceaba de forma precaria sobre una plataforma de tierra.

John atravesó el terreno a duras penas y se agachó para pasar por debajo del panel de vinilo que funcionaba como la puerta del tráiler. Unos instantes después, estaba de pie frente al jefe de obra; sólo los separaba una mesa plegable cuya tabla de formica casi rozaba las paredes que los rodeaban.

—Un par de personas ya me ha dicho que andas distraído.

—Sólo estoy concentrado en mi trabajo, eso es todo —repuso John, forzando una sonrisa e intentando evitar que se le notara la frustración.

Oliver sonrió sin mucha convicción.

—Concentrado —lo imitó Oliver.

John borró la sonrisa de la cara, sorprendido.

Oliver suspiró.

—Mira, te di una oportunidad porque tu primo me dijo que eras muy trabajador. Ignoré el hecho de que te hayas largado de tu último empleo sin decir ni mu. ¿Tú sabes que me estoy arriesgando por ti?

John tragó saliva.

—Sí, señor. Lo sé.

—Deja ya de decirme «señor». Escúchame bien.

—Yo sólo hago lo que me dicen. No entiendo el problema.

—Eres lento; parece que estás siempre soñando despierto. No trabajas en equipo.

—¿Cómo?

—Esto es una obra activa. Si estás en la luna o no estás pensando en la seguridad de los demás mientras trabajas, alguien puede resultar herido o morir. No digo que tengas que contarle tus secretos a nadie ni que tengan que hacerse amigos del alma; sólo digo que tienes que formar parte del equipo. Tienen que confiar en que no vas a dejarlos tirados en los momentos cruciales —John asintió—. Éste es un buen trabajo, John. Y creo que hay buenos tipos ahí afuera. No es fácil conseguir trabajo hoy en día, y necesito que estés al cien por ciento aquí. Porque la próxima vez que te vea con la cabeza en otra parte… Bueno, no me pongas en ese dilema. ¿Entendido?

—Sí, entendido —dijo John como adormecido. No se movió. Permaneció de pie sobre la alfombra café desgastada que hacía juego con la oficina portátil, como esperando a que le levantaran el castigo.

—Muy bien. Puedes irte.

John se fue. La reprimenda había ocupado los últimos minutos de su jornada; ayudó a Serguéi a guardar parte de las herramientas y luego se encaminó hacia su coche despidiéndose en voz baja.

—¡Ey! —le habló Serguéi. John se detuvo en seco—. ¡Última oportunidad!

—Es que… —John se interrumpió al ver de reojo a Oliver—. Quizá la próxima vez —dijo.

Serguéi insistió.

—Vamos, es mi excusa para no tener que ir a ese sitio nuevo con los niños… Mi hija lleva toda la semana suplicando que vayamos. La va a llevar Lucy, porque a mí los robots no me gustan para nada.

John hizo una pausa y el mundo se quedó en silencio a su alrededor.

—¿Qué sitio? —preguntó.

—Entonces, ¿vienes? —insistió su compañero.

John retrocedió unos pasos, como si se hubiera acercado demasiado a un precipicio.

—Otro día —dijo, y caminó con decisión hacia su coche.

Era viejo y de color rojo, estaba muy bien para cuando iba a la escuela. Ahora no era más que un recordatorio de que seguía siendo un chico que no había madurado, un distintivo que se había convertido en algo vergonzoso en tan sólo un año. Se sentó, y una nube de polvo salió disparada de los costados del asiento del coche cuando se dejó caer sobre él. Le temblaban las manos. «Tranquilízate —cerró los ojos y se aferró al volante para calmarse—. Ésta es tu vida ahora, tú puedes —susurró. Luego abrió los ojos y suspiró—. Qué tontería, eso podría haberlo dicho mi padre.» Giró la llave del auto.

El trayecto a casa era de diez minutos, pero escogió una ruta de casi media hora para evitar atravesar la ciudad. Si no pasaba por el centro, no corría el riesgo de encontrarse con gente con la que no quería hablar. Y lo más importante: no se arriesgaría a encontrarse con gente con la que sí quería hablar. «Tienes que trabajar en equipo.» No podía reprocharle nada a Oliver. A John no se le daba bien trabajar en equipo. Ya no. Durante casi seis meses había estado yendo y viniendo del trabajo a casa como un tren sobre rieles, parando a comprar comida de vez en cuando, pero nada más. Sólo hablaba cuando era necesario; evitaba el contacto visual. Se sobresaltaba cuando la gente le hablaba, ya fueran sus compañeros de trabajo para saludarlo o un desconocido que le preguntaba la hora. Mantenía conversaciones, pero cada vez se le daba mejor hablar a la vez que se alejaba. Siempre era educado, pero dejaba claro que tenía que irse, idea que reforzaba dando media vuelta, en caso de ser necesario. A veces percibía que se estaba desvaneciendo, y se estremecía y se sentía decepcionado cuando algo le recordaba que seguía siendo visible.

Se estacionó en su cajón, en un edificio de dos plantas de departamentos que en realidad no estaba pensado para estancias largas. Había luz en la ventana de la oficina del casero: se había pasado un mes intentando averiguar el horario de apertura, pero había desistido después de concluir que no había ningún patrón lógico.

Sacó un sobre de la guantera y fue hacia la puerta. Tocó y no obtuvo respuesta, aunque adentro se oían ruidos. Volvió a tocar y esta vez la puerta se abrió un poco: una anciana cuya piel denotaba que llevaba toda la vida fumando se asomó.

—Hola, Delia —John sonrió. Ella no le devolvió la sonrisa—. El pago de la renta —le extendió el sobre—. Ya sé que voy atrasado. Ayer pasé, pero no había nadie.

—¿En horario laboral? —Delia comprobó el sobre con cautela, como si sospechara del contenido.

—La luz estaba apagada, así que...

—Entonces no fue en horario laboral —Delia enseñó los dientes, pero no era una sonrisa de verdad—. Vi que colgaste una planta —dijo de pronto.

—Ah, sí —John miró por encima del hombro hacia su departamento, como si pudiera verlo desde donde estaban—. Siempre está bien tener algo que cuidar, ¿no? —John intentó sonreír de nuevo, pero desistió, sepultado en una avalancha de reprobación que no dejaba lugar a la conversación ligera—. Se puede, ¿no? ¿Tener una planta?

—Sí, se puede tener una planta —Delia dio un paso atrás y se dispuso a cerrar la puerta—. Lo que pasa es que la gente no suele instalarse aquí. Normalmente, uno tiene una casa, luego una esposa, y después ya viene la planta.

—Bueno —John se miró los zapatos—. Es que ha sido un... —empezó a decir, pero la puerta se cerró con un golpe firme—... año duro.

John contempló la puerta durante unos instantes y luego se dirigió a su departamento en la planta baja del edificio, que ya era suyo durante un mes más. Tenía una recámara, un baño completo y media cocina. Cuando no estaba, dejaba las persianas arriba para que se viera que no tenía nada: la zona era proclive a los robos, así que le había parecido conveniente dejar claro que allí no había nada que robar.

Una vez dentro, John cerró la puerta tras de sí y echó el pasador con cuidado. El departamento era fresco y oscuro, además de silencioso. Suspiró y se frotó las sienes; el dolor de cabeza seguía allí, pero se estaba acostumbrando a él.

El lugar estaba amueblado austeramente, con los muebles que venían por defecto; el único toque personal que tenía la sala era una pila formada por cuatro cajas de cartón llenas de libros pegada a la pared, de debajo de la ventana. Las miró con una sensación tristemente familiar. Fue a la recámara y se sentó en la cama; los resortes chirriaron bajo su peso. No se molestó en encender la luz, aún entraba luz natural suficiente por la lóbrega y pequeña ventana que estaba sobre la cama.

John miró la cómoda, desde donde una cara familiar le devolvió la mirada: era la cabeza de un conejo de peluche cuyo cuerpo había desaparecido.

—¿Qué has hecho hoy? —dijo John, mirando al peluche a los ojos como si esperara que lo reconociera. Theodore mantenía la mirada al frente, con sus ojos negros e inertes—. Tienes una pinta horrible; peor que yo, si eso es posible.

John se puso de pie y se acercó a la cabeza del conejo; no podía ignorar el olor a naftalina y a tela sucia. Su sonrisa se desvaneció. Tomó la cabeza por las orejas y la sostuvo en el aire. «Es hora de tirarte a la basura.» Lo pensaba casi a diario. Apretó la mandíbula, dejó el juguete con cuidado sobre la cómoda y dio media vuelta; no quería seguir mirándolo.

Cerró los ojos. Seguramente no podría dormir, pero tenía esperanzas. No había dormido bien la noche anterior, ni la de antes. Ahora temía el momento de irse a la cama y lo aplazaba todo lo posible: daba paseos nocturnos hasta muy tarde, volvía a casa e intentaba leer o se quedaba mirando la pared. La familiaridad resultaba frustrante. Tomó la almohada y volvió a la sala. Se tumbó en el sofá y puso las piernas sobre el brazo para caber mejor. El silencio que reinaba en el departamento empezaba a atronarle en los oídos, así que agarró el control remoto y encendió la televisión. La pantalla se veía en blanco y negro, la señal era malísima: apenas se distinguían las caras entre las rayas de la estática, pero el sonido de lo que parecía un programa de variedades era rápido y animado. Bajó el volumen y volvió a tumbarse mirando al techo, escuchando a medias las voces de la televisión hasta que, lentamente, se fue quedando dormido.

El brazo le colgaba, flácido, por fuera del traje metálico retorcido. La sangre le corría en riachuelos rojos por la piel y formaba charcos en el suelo. Charlie estaba sola. Podía oír su voz de nuevo si se esforzaba: «¡No me sueltes! ¡John!». Me llamó por mi nombre. Y entonces aquella cosa... Se estremeció al volver a oír el sonido del traje del animatrónico rompiéndose y triturándose. Contempló el brazo inerte de Charlie como si el mundo a su alrededor hubiera desaparecido y, mientras el ruido reverberaba en su cabeza, los recuerdos acudieron a su mente sin pedir permiso: el sonido de algo triturándose eran sus huesos. Lo que se rompía era todo lo demás.

John abrió los ojos sobresaltado. A pocos metros de distancia, el público reía en el set de grabación; miró la televisión mientras la estática y la palabrería lo devolvían al mundo real.

Se incorporó y movió el cuello para desentumecerlo: el sofá era demasiado pequeño y tenía la espalda hecha un desastre. Le dolía la cabeza y se sentía agotado, pero inquieto, con la descarga de adrenalina recorriéndole aún el cuerpo. Salió, cerró la puerta con energía detrás de sí y respiró el aire de la noche.

Bajó por la carretera que llevaba a la ciudad en busca de cualquier lugar que encontrara abierto. Las luces de la carretera estaban lejos y no había acotamiento, sólo una zanja de tierra. No pasaban muchos coches, pero, cuando lo hacían, aparecían a la vuelta de las curvas o los desniveles, y lo cegaban con los faros antes de pasar a su lado con tanto ímpetu que a veces temía que se lo llevaran por delante. Había notado que cada vez se pegaba más a la carretera mientras caminaba, jugándose la vida con desgano. Cuando veía que estaba demasiado cerca, daba varios pasos deliberados de vuelta a la cuneta, y siempre lo hacía con una secreta decepción y el corazón encogido.

A medida que se aproximaba a la ciudad, unas luces atravesaron la oscuridad de nuevo y él se protegió los ojos con la mano y se alejó un poco de la carretera. El vehículo ralentizó la marcha al pasar a su lado y frenó en seco. John dio media vuelta y caminó hacia él mientras la ventanilla del conductor descendía.

—¿John? —dijo alguien.

El coche dio marcha atrás y se estacionó en la cuneta de cualquier manera; John se apartó para abrirle paso. Una chica salió y se acercó a él con pasos rápidos, como si fuera a abrazarlo, pero John se quedó plantado donde estaba, con los brazos rígidos a ambos lados, y ella se detuvo a pocos metros de distancia.

—¡John, soy yo! —exclamó Jessica con una sonrisa que se borró enseguida—. ¿Qué haces aquí? —preguntó. Llevaba manga corta y se frotaba los brazos por el aire fresco de la noche mientras miraba a un lado y a otro de la carretera casi desierta.

—Bueno, podría preguntarte lo mismo —contestó como si ella lo hubiera acusado de algo.

Jessica señaló por encima del hombro de John.

—Gasolina —esbozó una amplia sonrisa y él no pudo evitar devolvérsela, aunque más leve. Casi se le había olvidado la capacidad que tenía Jessica de esparcir benevolencia y entusiasmo a su alrededor como si fuera un aspersor—. ¿Cómo estás? —preguntó con cautela.

—Bien. Trabajando, no hago mucho más —se señaló el polvoriento overol de trabajo que no se había molestado en quitarse—. ¿Y tú, qué es de tu vida? —preguntó, consciente de pronto de lo absurdo de la conversación, mientras los coches pasaban a su lado como una exhalación—. Tengo que irme. Que pases buena noche —dio media vuelta y echó a andar sin darle oportunidad de decir nada más.

—Extraño verte más seguido —gritó Jessica—. Y ella también.

John se detuvo y removió la tierra con un pie.

—Oye —Jessica avanzó un poco para alcanzarlo—. Carlton va a estar por aquí un par de semanas; son las vacaciones de Pascua. Nos reuniremos todos —aguardó expectante, pero él no respondió—. Está que se muere por demostrarnos lo cosmopolita que se ha vuelto —añadió con entusiasmo—. Cuando hablé con él por teléfono la semana pasada, se puso a fingir el acento de Brooklyn a ver si me daba cuenta —forzó una risita.

John sonrió fugazmente.

—¿Quién más estará? —preguntó, mirándola directamente por primera vez desde que se había bajado del coche.

Jessica entrecerró los ojos.

—John, tienes que hablar con ella en algún momento.

—¿Por qué? —repuso con brusquedad, y se puso a caminar de nuevo.

—¡Espera, John!

Detrás de él, John oyó que Jessica se acercaba corriendo. Lo alcanzó enseguida y bajó el ritmo para trotar a su lado, igualándole el paso.

—No puedo estar así todo el día —le advirtió.

John no contestó.

—Tienes que hablar con ella —repitió Jessica.

Él le dirigió una mirada lacerante.

—Charlie está muerta —dijo con aspereza. Las palabras le rasparon la garganta; llevaba mucho tiempo sin decirlas en voz alta. Jessica se paró de golpe. Él siguió andando.

—John, al menos habla conmigo.

Él no respondió.

—Le estás haciendo daño —añadió. John detuvo el paso—. ¿No entiendes lo que supone esto para ella? ¿Después de todo lo ocurrido? Es de locos, John. No sé qué te pasó aquella noche, pero sí sé lo que le sucedió a Charlie. ¿Y sabes qué? Creo que nada le duele más que el hecho de que tú te niegues a hablar con ella. Que digas que está «muerta».

—Es que la vi morir —John dejó vagar la mirada entre las luces de la ciudad.

—No, eso no es cierto —repuso Jessica, y luego titubeó—. Escucha, estoy preocupada por ti.

—Yo sólo estoy perdido —John volteó hacia ella—. Y después de lo que me ha pasado, después de lo que nos ha pasado, no es una reacción irracional —esperó un momento a que ella contestara y luego apartó la mirada.

—Lo entiendo. De verdad. Yo también creía que estaba muerta —John abrió la boca para hablar, pero ella continuó—. Creía que estaba muerta hasta que apareció viva —Jessica jaló el hombro de John hasta conseguir que la mirara de nuevo—. La he visto —dijo con voz quebradiza—. He hablado con ella. Es ella. Y esto… —le soltó el hombro e hizo un gesto con la mano como si le estuviera lanzando un hechizo—. Esto que estás haciendo la está matando.

—No es ella —susurró John.

—Muy bien —le espetó Jessica, que giró sobre sus talones.

Volvió al auto y, unos instantes después, salió de nuevo a la carretera e hizo un cambio de sentido derrapando con las llantas. Pasó junto a él como una exhalación y luego detuvo el auto en seco, con un chirrido de los frenos; de nuevo dio marcha atrás hasta donde estaba John.

—Nos reuniremos en casa de Clay el sábado —dijo con voz cansada—. Por favor.

Él la miró; no estaba llorando, pero tenía los ojos brillantes y la cara roja. Hizo un gesto de asentimiento.

—A lo mejor.

—Con eso me basta. ¡Allí nos vemos! —dijo Jessica, y se alejó sin decir nada más, sólo con el rugido del motor rompiendo el silencio de la noche.

—Dije que a lo mejor —murmuró John a la oscuridad.

CAPÍTULO 2

El lápiz chirriaba contra el papel a medida que el hombre del mostrador rellenaba con esmero el formulario que tenía enfrente. Se detuvo de pronto cuando empezó a marearse. Las letras se veían borrosas. Se ajustó los anteojos para ver de cerca; la cabeza le daba vueltas. No notó ningún cambio con los lentes, así que se los quitó y se frotó los ojos. Entonces, tal y como había empezado, la sensación se le pasó: la habitación se enderezó y las palabras escritas sobre la página volvieron a ser legibles. Se rascó la barba, aún desconcertado, y empezó a escribir sin detenerse. Sonó un timbre y la puerta principal se abrió.

—Dígame —ladró sin levantar la vista.

—Me gustaría echar un vistazo —la voz de la mujer provocaba un ligero eco.

—Oh, claro, señora —el hombre levantó la mirada y sonrió brevemente para luego volver a su formulario, en el que siguió escribiendo mientras hablaba—. Cincuenta centavos por el kilo de chatarra. Puede ser más si busca algo en concreto, pero lo veremos cuando vuelva. Dese una vuelta; tiene que traer sus propias herramientas, pero podemos ayudarle a cargarlo todo cuando se vaya.

—Busco algo en concreto —la mujer lo miró fijamente y se detuvo en el gafete con el nombre del empleado—. Bob —añadió después.

—Pues no sé qué decirle —dejó el lápiz sobre la mesa, se reclinó en la silla y cruzó los brazos por detrás de la cabeza—. Es un vertedero —se rio—. Intentamos separar al menos los coches viejos de las latas, pero lo que ve es lo que hay.

—Bob, en esta fecha y desde este lugar de origen llegaron varios camiones de chatarra —la mujer depositó un trozo de papel sobre el formulario en el que había estado trabajando Bob. Él lo tomó, se ajustó los lentes para leer y luego volvió a mirar a la señora.

—Bueno, como le decía, es un vertedero —repitió despacio, inquietándose más a medida que pasaban los segundos—. Puedo indicarle en qué dirección buscar. Pero realmente, no catalogamos el material.

La mujer rodeó la mesa por un lado y se situó justo detrás de la silla de Bob, quien se irguió en el asiento, nervioso.

—Escuché que hubo un alboroto anoche —dijo como si nada.

—Ningún alboroto —Bob frunció el ceño—. Se metieron unos niños. A veces pasa.

—Eso no fue lo que me dijeron —la mujer estudió una foto que había en la pared—. ¿Son tus hijas? —preguntó con ligereza.

—Sí. Dos y cinco años.

—Muy guapas —hizo una pausa—. ¿Las tratas bien? —a Bob la pregunta lo tomó por sorpresa.

—Por supuesto que sí —repuso, intentando disimular su indignación. Hubo una larga pausa; la mujer inclinó la cabeza sin dejar de mirar la foto.

—Escuché que llamaste a la policía porque creías que había alguien atrapado entre la chatarra ahí afuera —dijo. Bob no contestó—. Escuché también —prosiguió la mujer, acercándose más a la foto— que te pareció oír a alguien gritando y ruidos de angustia y pánico. Había algo atrapado; un niño atrapado, pensaste. Quizá varios.

—Mire, nuestro negocio es legal y gozamos de buena reputación.

—No estoy poniendo en tela de juicio tu reputación. Más bien al contrario. Creo que lo que hiciste te honra: acudir al rescate de quienquiera que fuera en plena noche, arañándote las piernas con los trozos de metal mientras corrías a ciegas por el depósito.

—Pero ¿cómo…? —la voz de Bob tembló y dejó de hablar. Movió las piernas debajo de la mesa en un intento por ocultar las vendas que sobresalían bajo el pantalón.

—¿Qué encontraste? —preguntó la mujer.

Él no contestó.

—¿Qué había? —insistió—. Cuando te pusiste a cuatro patas y te arrastraste entre las barras y los cables, ¿qué había?

—Nada —susurró—. No había nada.

—¿Y la policía? ¿No encontraron nada?

—No, nada. No había nada. Volví a salir hoy para… —estiró las palmas de las manos sobre la mesa para controlar los nervios—. Éste es un buen negocio —dijo con firmeza—. No me siento cómodo hablando de esto. Si me metí en algún tipo de problema, creo que…

—No te has metido en ningún problema, Bob, siempre y cuando puedas hacerme un favor.

—¿Qué favor?

—Es muy sencillo —la mujer se inclinó hacia él y se apoyó en los brazos de la silla, de forma que sus caras casi se rozaron—. Llévame hasta allí.

John entró al estacionamiento de la obra y enseguida vio a Oliver de pie frente a la puerta del enrejado. Tenía los brazos cruzados y masticaba algo con gesto serio. Cuando se hizo evidente que no iba a apartarse para dejarlo pasar, John detuvo el coche y salió.

—¿Qué pasa? —preguntó.

Oliver siguió masticando lo que quiera que tuviera en la boca.

—Tengo que despedirte —dijo por fin—. Llegas tarde otra vez.

—No llego tarde —protestó John, y luego miró el reloj—. Bueno, no mucho —se corrigió—. Vamos, Oliver. No volverá a ocurrir, lo siento mucho.

—Yo también —repuso Oliver—. Buena suerte, John.

—¡Oliver! —lo llamó John.

Oliver franqueó la reja y miró atrás una última vez antes de alejarse. John se apoyó en el coche un momento. Había varios compañeros mirándolo, pero apartaron la vista cuando John se fijó en ellos. Se metió al coche y regresó por el mismo camino.

Una vez de vuelta en su departamento, John se sentó en el borde de la cama y enterró la cara en las manos.

—¿Y ahora qué? —se preguntó en voz alta mientras miraba la habitación. Sus ojos se fijaron en el único objeto decorativo—. Sigues teniendo una pinta horrible —le dijo a la cabeza sin cuerpo de Theodore—. Y sigues estando peor que yo.

La idea de ir a la fiesta aquella noche lo asaltó de repente. El hecho de sólo pensarlo le produjo una sensación extraña en el estómago, aunque no estaba seguro de si era ansiedad o emoción. «Yo también creía que estaba muerta —había dicho Jessica la noche anterior—. La he visto. He hablado con ella. Es ella.»

John cerró los ojos. «¿Y si es ella?» Lo visualizó de nuevo, justo el momento que siempre recordaba: el traje trémulo, Charlie atrapada dentro mientras crujía y se sacudía… Y luego la mano… y la sangre. «No pudo sobrevivir a algo así.» Pero otra imagen lo asaltó por sorpresa… Dave, o Springtrap: él había sobrevivido a algo similar a lo que le había ocurrido a Charlie. Se había puesto el disfraz amarillo de conejo como si fuera una segunda piel y había pagado por ello en dos ocasiones: las cicatrices que le cubrían el torso como una repugnante camisa de encaje daban testimonio de que por poco y no lograba huir, y la segunda… Charlie lo mató al cortar los resortes, o eso creyeron todos. No había forma de sobrevivir a lo que vieron. Pero volvió. Por un instante, John se imaginó a Charlie, destrozada y llena de cicatrices, pero milagrosamente viva.

—Pero eso no tiene nada que ver con la persona que vio Jessica —John le habló directamente a Theodore—. Alguien destrozado y lleno de cicatrices no tiene nada que ver con lo que describió Jessica —Sacudió la cabeza—. Ésa no es la persona a la que vi en la cafetería.

«Al día siguiente… estaba como una rosa.» John se recompuso y sacudió la cabeza para intentar centrarse en el presente. No sabía lo que le había pasado a Charlie. Sintió que se acercaba hacia el borde de un acantilado donde brillaba un destello de esperanza. «A lo mejor estaba equivocado. A lo mejor ella tiene razón —eso deseaba… eso deseaba cualquiera que se viera preso por la agonía del duelo—. Que no haya pasado. Que todo esté bien.» El precario saliente se hizo tierra firme y John sintió que se quitaba un peso de encima; el cuello y los hombros relajaron la postura contracturada que no era consciente de tener. La fatiga de todos aquellos meses de dormir mal le sobrevino de golpe.

Miró a Theodore; estaba apretando la cabeza del conejo con tanta fuerza que tenía los nudillos blanquecinos. Soltó el muñeco despacio y lo dejó caer sobre la almohada.

—No voy a ir —le dijo—. En realidad, nunca me lo llegué a plantear, sólo quería que Jessica me dejara en paz

—aguantó la respiración y luego dejó escapar un suspiro—. ¿Verdad? —preguntó, con un tono cada vez más agitado—. ¿De qué voy a hablar con toda esa gente?

Theodore lo miró con sus ojos inexpresivos.

—Maldición —John suspiró de nuevo.

El aleteo del estómago de John se intensificó a medida que se acercaba a casa de Clay. Miró el reloj del tablero: apenas eran las seis. «Igual no ha llegado nadie todavía», pensó, pero, al bajar la carretera serpenteante hasta la casa, vio que los coches estacionados ocupaban ambos lados de la calle a lo largo de más de media cuadra. John estacionó el coche entre una camioneta y un sedán oxidado casi tan hecho polvo como el suyo, bajó y se encaminó hacia la casa.

Todas las ventanas de la construcción de tres plantas estaban prendidas, lo que la hacía destacar entre los árboles como un faro. John se quedó atrás para mantenerse fuera de la zona iluminada. Oía la música que salía del interior, y también risas; el sonido de estas últimas lo hizo resistirse. Se obligó a recorrer el resto del trayecto hasta la puerta, pero volvió a detenerse al llegar a ella: entrar allí le parecía una decisión vital, algo que lo cambiaría todo. Pero irse también lo era.

Levantó la mano para tocar el timbre, pero titubeó; antes de poder decidirse, la puerta se abrió ante él. John pestañeó a causa de la luz inesperada y se encontró de bruces con Clay Burke, que parecía tan sorprendido como él.

—¡John! —Clay estiró los brazos y tomó a John de los suyos, lo atrajo hacia sí y le dio un abrazo, para luego devolverlo al lugar inicial y darle una palmadita en la espalda—. ¡Pasa, anda!

Clay retrocedió para abrirle paso y John lo siguió al interior, mirando a su alrededor con precaución. La última vez que había estado allí, la casa entera estaba patas arriba, plagada de indicios de que quien la habitaba era un hombre destrozado. Ahora los montones de ropa sucia y documentos forenses habían desaparecido; los sillones y el suelo estaban despejados, y el propio Clay lucía una sonrisa sincera. Miró a John a los ojos y la sonrisa se disipó.

—Las cosas han cambiado mucho —sonrió como si le leyera la mente a John.

—¿Betty vol…? —John había hablado de más. Sacudió la cabeza—. Disculpa, no quería…

—No, no ha vuelto —dijo Clay con tono equilibrado—. Ojalá volviera; quizá lo haga algún día, pero la vida sigue —añadió con una sonrisa fugaz.

John asintió, sin saber qué decir.

—¡John!

Marla lo saludó con la mano desde las escaleras y bajó de un salto con su ímpetu habitual para envolverlo en un abrazo sin dejarlo decir ni hola. Jessica salió de la cocina.

—Hola, John —dijo, más tranquila, pero con una sonrisa radiante.

—Me alegro mucho de verte, hace un montón que no nos veíamos —dijo Marla, soltándolo al fin.

—Sí —repuso él—. Demasiado —intentó pensar en algo más que decir.

Marla y Jessica cruzaron una mirada. Jessica abrió la boca, pero cuando estaba a punto de hablar, la interrumpió Carlton, que bajó las escaleras emocionado.

—¡Carlton! —exclamó John, esbozando la primera sonrisa sincera de la noche. Carlton levantó la mano en señal de respuesta y se unió al grupo.

—Hola —dijo.

—Hola —repitió John mientras Carlton le revolvía el pelo.

—¿Qué eres, mi abuelo? —John hizo un ademán desganado de arreglarse el pelo mientras escudriñaba a la multitud.

—Me sorprende que hayas venido —dijo Carlton. Marla le dio una palmada en la espalda—. ¡Pero, claro, cómo no ibas a venir! —se corrigió Carlton—. ¡Es que sé que estás muy ocupado! Muchas novias, ¿verdad?

—¿Qué tal en Nueva York? —preguntó John, buscando algún tema del cual hablar mientras se alisaba la ropa.

—¡Genial! La universidad, la ciudad, estudiar, los amigos… Fui a una obra de teatro sobre un caballo. Está increíble —asintió repetidas veces con la cabeza—. Marla también va a la uni.

—En Ohio —intervino Marla—. Estoy haciendo el propedéutico para entrar a Medicina.

—Qué bien —John sonrió.

—Sí, es duro, pero vale la pena —dijo alegremente, y John empezó a relajarse, cayendo poco a poco en el patrón familiar de su amistad. Marla seguía siendo Marla; Carlton seguía siendo hermético.

—¿Lamar no está por aquí? —preguntó Carlton, mirándolos a todos de uno en uno.

Marla negó con la cabeza.

—Le llamé cuando… hace unos meses —dijo—. Se graduará pronto.

—¿Y no va a venir? —insistió Carlton.

Marla sonrió levemente.

—Dijo que mientras viviera nunca jamás volvería a poner un pie en esta ciudad, nunca, nunca más, y que yo tampoco debería. Pero también me dijo que estamos invitados por si queremos ir a visitarlo.

—¿A Nueva Jersey? —Carlton puso cara escéptica y luego centró su atención en Jessica—. Jessica, ¿tú qué tal? Oí que ahora tienes la habitación de la residencia para ti sola.

John se puso rígido al darse cuenta de repente de lo que Carlton estaba preguntando en realidad; las luces empezaron a resultarle demasiado brillantes, el ruido demasiado fuerte. Jessica miró a John, pero él no se dio cuenta.

—Sí —dijo, volviéndose hacia los demás—. No sé qué pasó, pero un día llegué a casa después de… hace unos seis meses, y estaba haciendo las maletas. Dejó el resto de sus cosas para que John y yo las recogiéramos. Si no hubiéramos entrado en aquel momento, creo que ni me habría dicho que se iba.

—¿Dijo adónde iba? —preguntó Marla con el ceño fruncido.

Jessica negó con la cabeza.

—Me dio un abrazo y me dijo que me iba a echar de menos, pero que tenía que irse. No me dijo adónde.

—Bueno, podemos preguntárselo —dijo Carlton.

John lo miró sobresaltado.

—¿La has visto?

Carlton negó con un gesto.

—Todavía no, llegué hoy en avión, pero va a venir esta noche. Jessica dice que parece que está bien.

—Claro —dijo John.

Todos lo miraron como si vieran lo que estaba pensando: «Parece que está bien, pero no parece Charlie».

—¡John, ven a la cocina a ayudarme! —gritó Clay.

Aliviado, John se separó del grupo, perfectamente consciente de que no podía hacer mucho en la cocina.

—¿Qué pasa? —preguntó. Clay se apoyó en el fregadero y lo miró de arriba abajo—. ¿Necesitas que te abra el bote de cátsup? —preguntó John, cada vez más nervioso—. ¿En el estante de arriba?

Clay suspiró.

—Sólo quería asegurarme de que estabas bien ahí afuera.

—¿Qué quieres decir?

—Pensé que podrías estar nervioso; sé que llevas tiempo sin hablar con Charlie.

—También llevo tiempo sin hablar contigo —repuso John, incapaz de no sonar hiriente.

—Bueno, eso es distinto, y lo sabes —dijo Clay en tono seco—. Pensé que quizá necesitabas palabras de ánimo.

—¿Unas palabras de ánimo? —replicó John.

Clay se encogió de hombros.

—¿Las necesitas o no? —Clay le dirigió una mirada firme pero amable.

John se tranquilizó.

—¿Te lo contó Jessica? —preguntó.

Clay inclinó la cabeza a un lado.

—Algo. Probablemente, no todo. Toma —Clay abrió la puerta del refrigerador en el que había estado apoyado y le ofreció un refresco a John—. Intenta relajarte, estás con tus amigos. Esa gente de ahí afuera te quiere —añadió con una sonrisa.

—Lo sé —dijo John, dejando la lata en la cubierta a su lado.

La contempló un segundo, pero no la agarró. Sentía que si se la bebía, sería como estar cediendo, como aceptar todo lo que le habían dicho. Sería como tragarse la pastilla que todo el mundo parecía haberse tomado.

John miró fijamente la puerta trasera.

—Ni lo sueñes —dijo Clay atropelladamente. John no intentó disimular que aquello era justo lo que estaba pensando. Clay suspiró—. Sé lo duro que esto debe de ser para ti.

—¿Lo sabes? —respondió John, mordaz, pero Clay no cambió el gesto.

—Quédate y habla con ella. Creo que se lo debes a ella y te lo debes a ti.

Los ojos de John seguían fijos en la puerta.

—Todo este drama por el que estás pasando no puede ser lo que quieres —Clay se hizo a un lado para invadir el campo de visión de John.

—Tienes razón —dijo John. Se irguió y miró a Clay a los ojos—. Esto no es lo que quiero.

Se acercó a la puerta trasera, la abrió y bajó los escalones de cemento a la carrera por si Clay lo seguía; luego rodeó la casa por un costado hacia donde estaba su coche; el corazón le latía con fuerza. Estaba un poco aturdido y no sabía si estaba tomando la decisión correcta.

—¡John! —le habló alguien detrás de él.

Aquella voz familiar hizo que le recorriera un escalofrío. Se detuvo y cerró los ojos un segundo. Oyó los tacones repiqueteando en el camino de piedra y luego el sonido se amortiguó cuando empezaron a cruzar el pasto hacia donde estaba. Abrió los ojos y se giró hacia la voz; estaba de pie a pocos metros de él.

—Gracias por detenerte —dijo Charlie. Parecía nerviosa y se abrazaba el cuerpo con los brazos como si tuviera frío, aunque hacía muy buen tiempo.

—Es que olvidé mi chamarra —dijo John, intentando sonar despreocupado al soltar aquella mentira evidente.

La miró de arriba abajo. Ella no se movió, como si supiera lo que John estaba haciendo y por qué. «No es ella.» Podía ser una prima impresionante de Charlie, pero no era ella. No era la niña rara de cara redonda y pelo encrespado que conocía de toda la vida. Lucía más alta, más delgada, tenía el pelo más largo y oscuro. Su cara era asombrosamente distinta, aunque no habría sabido explicar en qué. Su postura, incluso allí de pie abrazándose a sí misma presa de los nervios, era en cierto modo elegante. Mientras la miraba, la primera impresión de reconocimiento se convirtió en una repulsión extrema;

dio un paso atrás involuntariamente. «¿Cómo va a creer alguien que es ella? —pensó—. ¿Cómo va a pensar alguien que ésta es "mi" Charlie?»

Ella se mordió el labio.

—John, di algo —le pidió con voz suplicante.

Él se encogió de hombros y levantó ambas manos en señal de resignación.

—No sé qué decir —admitió.

Ella asintió. Descruzó los brazos como si acabara de darse cuenta de que los tenía así y empezó a morderse las uñas.

—Me alegro muchísimo de verte —dijo, aunque por su tono de voz parecía al borde de las lágrimas.

John sintió que se ablandaba, pero se resistió.

—Yo también —repuso él con voz monótona.

—Te he echado de menos —empezó a decir, escudriñando el rostro de John en busca de algo. Él no tenía ni idea de qué cara debía de tener, pero la sentía dura como una piedra—. Tuve que... irme una temporada —prosiguió sin mucha convicción—. John, aquella noche pensé que me moría.

—Yo creía que habías muerto —dijo mientras intentaba tragarse el nudo de la garganta.

Ella titubeó.

—¿Crees que no soy yo? —preguntó con suavidad al fin.

Él se miró los pies un momento; era incapaz de decírselo a la cara.

—Me lo contó Jessica. No pasa nada, John —agregó—. Sólo quiero que sepas que no pasa nada —tenía los ojos empañados.

A él se le estremeció el corazón y, en cuestión de un instante, el mundo cambió de foco.

Miró a la chica que tenía enfrente intentando contener los sollozos. De pronto, las notables diferencias que había detectado en ella le parecieron nimiedades que tenían una explicación sencilla. Traía tacones, por eso parecía más alta. Llevaba un vestido ajustado en lugar de su habitual uniforme de pantalón y playera, por eso parecía más delgada. Vestía ropa elegante y sus ademanes eran seguros, sofisticados, pero probablemente sólo era que Jessica la había obligado a arreglarse, como llevaba años amenazando con hacerlo. Quizá todo se debiera a que Charlie había crecido.

«Todos hemos crecido.»

John pensó en el camino que siempre —o, al menos, hasta aquella misma mañana— recorría de casa al trabajo, en cómo evitaba pasar frente a la casa de Charlie o cerca de Freddy Fazbear's. Quizás ella también evitaba cosas. Tal vez sólo quería sentirse diferente.

«Quizás quería cambiar, igual que tú. Si piensas en aquel momento, en cómo te afectó… ¿Cómo crees que le afectó a ella? ¿Qué clase de pesadillas tienes tú, Charlie?» De pronto, lo asaltó un deseo repentino y visceral de preguntárselo, y se permitió mirarla a los ojos por primera vez. El estómago le dio un vuelco y el corazón se le aceleró. Ella le sonrió con cautela y él le devolvió la sonrisa inconscientemente; sin embargo, algo helado se retorció en su interior. «Ésos no son sus ojos.»

John apartó la mirada con una calma repentina; Charlie pareció confundida por un momento.

—Charlie —dijo John muy despacio—. ¿Recuerdas lo último que te dije antes de que... el traje te atrapara?

Ella le sostuvo la mirada un momento y luego sacudió la cabeza.

—Lo siento, John —contestó ella—. Apenas recuerdo nada de aquella noche, tengo... lagunas. Recuerdo estar dentro del traje... Perdí el conocimiento, creo que durante horas.

—Entonces, ¿no te acuerdas? —repitió él con gravedad. Le parecía imposible que lo hubiera olvidado. «A lo mejor no me oyó»—. ¿Te dolió? —preguntó con brusquedad.

Ella asintió con la cabeza en silencio, mientras los ojos se le llenaban de lágrimas de nuevo, y volvió a abrazarse; en ese momento no parecía que tuviera frío, sino como si le doliera algo. Quizás era así. John se acercó un paso más a ella; sentía el impulso desesperado de decirle que todo iba a estar bien. Pero entonces ella volvió a mirarlo a los ojos. Él se detuvo y retrocedió. Charlie le tendió una mano, pero John no la tomó y ella volvió a rodearse el cuerpo con los brazos.

—John, ¿quieres que nos veamos mañana? —preguntó de un tirón.

—¿Por qué? —respondió él antes de poder detenerse, pero ella no reaccionó.

—Sólo quiero hablar. Dame una oportunidad —la voz sonaba más aguda y temblorosa.

John asintió.

—Claro. Sí, nos vemos mañana —hizo una pausa—. En el sitio de siempre, ¿está bien? —añadió con cautela, esperando a ver qué contestaba ella.

—¿El italiano? ¿El de nuestra primera cita? —dijo Charlie sin esfuerzo, y a continuación esbozó una sonrisa amable. Las lágrimas parecían haberse detenido—. ¿A las seis?

John dejó escapar una bocanada de aire.

—Sí.

La miró de nuevo sin apartar los ojos, dejándose caer en los de ella por primera vez aquella noche. Ella le devolvió la mirada sin moverse un ápice, como si temiera asustarlo. John asintió, dio media vuelta y se marchó sin decir palabra. Volvió caminando deprisa a su coche, luchando por mantener un ritmo uniforme. Sentía que había hecho algo maravilloso, y a la vez que había cometido un terrible error. Se sentía raro, como con una descarga de adrenalina, y mientras conducía en la oscuridad, recordó el rostro de Charlie.

«Ésos no eran sus ojos.»

Charlie lo observó alejarse, anclada al suelo como si fuera el único lugar en el que hubiera estado en su vida. «No me cree.» Jessica no había querido hablarle de la extraña pero inflexible convicción de John, pero su negativa a hablar con ella ahora, su rechazo a admitir su presencia aquel día en la cafetería, era todo demasiado raro como para ignorarlo. «¿Cómo puede pensar que no soy yo de verdad?»

Las luces traseras del coche de John se desvanecieron al dar vuelta en la curva. Charlie se quedó con la mirada perdida en la oscuridad, donde antes estaba el vehículo; no quería volver a la ruidosa y animada casa. Carlton le contaría un chiste; Jessica y Marla la consolarían igual que hicieron en la cafetería aquel día, cuando volvió para demostrarles que, por imposible que pareciera, había sobrevivido. El trayecto en el coche que le había pedido prestado a la tía Jen, el que la condujo hasta la cafetería, se le hizo eterno. Tenía el estómago encogido por los nervios, pese a que estaba segura de que se alegrarían de verla. ¿Cómo no iban a alegrarse? Cada paso que daba era torpe, vacilante; cada vez que se movía le dolía: el cuerpo entero le dolía desde el día anterior, aunque no tenía marcas que lo demostraran. Hasta respirar le resultaba cansado y extraño, y todo el tiempo tenía la sensación de que si se olvidaba de hacerlo, se detendría y moriría asfixiada allí mismo, en el pavimento, a menos que se lo recordara a sí misma: «Inhala, exhala». Los veía por la ventana mientras caminaba hacia la fachada de la cafetería. El corazón le latía a mil por hora. Y entonces la vieron y todo fue como ella esperaba: Marla y Jessica corrieron a la puerta empujándose a ver quién la abrazaba primero, llorando por verla con vida. Ella se dejó envolver en la calidez de su alivio, pero antes de que la soltaran ya estaba buscando a John.

Cuando lo vio, de espaldas a la puerta, estuvo a punto de gritar su nombre, pero algo la detuvo. Dijo una cosa que ella no oyó desde donde se encontraba, mientras observaba, incrédula, que en lugar de acercarse a ella se quedaba donde estaba, apretando una cuchara en la mano como si fuera un arma.

—¡John! —le habló por fin.

Pero él no volteó a verla. Marla y Jessica la empujaron fuera del restaurante emitiendo sonidos tranquilizadores que debían de ser palabras, y Charlie se estiró para mirar por la ventana: no se había movido. «¿Cómo puede fingir que no estoy aquí?»

Una descarga de dolor la asaltó de repente, devolviéndola al presente. Charlie se abrazó con fuerza, pese a que no era de gran ayuda: estaba por todas partes, agudo y caliente. Apretó la mandíbula, dispuesta a no emitir sonido alguno. A veces cedía hasta convertirse en un dolor que podía arrumbar en un rincón de su conciencia; otras veces desaparecía durante días, pero siempre volvía.

«¿Te dolió?», le había preguntado John, en una señal (la única) de que quizás aún le importaba, y ella había sido incapaz de contestar. «Sí —tendría que haberle dicho—. Sí, me dolió y todavía me duele. A veces creo que podría morir de dolor, y lo que siento ahora sólo es un eco de lo que era antes. Es como si tuviera todos los huesos rotos; es como si tuviera todas las vísceras retorcidas y destrozadas; es como si se me hubiera abierto la cabeza y del interior salieran cosas, y se repite una y otra vez.» Apretó los dientes y se obligó a inhalar y exhalar hasta que, muy despacio, el dolor empezó a ceder.

—¿Charlie? ¿Estás bien? —preguntó Jessica en voz baja a su lado en el camino de entrada a casa de Clay.

Charlie asintió.

—No te escuché venir —dijo con voz ronca.

—No quería lastimarte. Es que está...

—Traumatizado —espetó Charlie—. Lo sé —Jessica suspiró y Charlie sacudió la cabeza—. Perdona. No quise ser grosera.

—Ya lo sé —repuso Jessica.

Charlie suspiró y cerró los ojos. «No fue él quien murió... porque aquello fue como morirse.» Sólo recordaba aquella noche a trozos; sus pensamientos eran fragmentos y susurros confusos y desordenados, y todo daba vueltas despacio alrededor de un punto central: el chirrido inconfundible de los resortes. Charlie se estremeció y notó la mano de Jessica sobre su hombro. Abrió los ojos y miró a su amiga con un gesto de impotencia.

—Creo que sólo necesita tiempo —dijo Jessica con suavidad.

—¿Cuánto tiempo? —preguntó Charlie, y las palabras sonaron duras como una piedra.

CAPÍTULO 3

—*E*stá listo —una voz suave resonó en la oscuridad.

—Yo te diré cuando esté listo —repuso el hombre que estaba despatarrado en un rincón observando atentamente un monitor—. Súbelo unos grados más —susurró.

—Hace un rato dijiste que quizás era demasiado —dijo ella desde el rincón opuesto, inclinada sobre una mesa. La luz perfilaba su figura mientras examinaba lo que tenía enfrente.

—Hazlo —ordenó el hombre. La mujer tocó una perilla y luego retrocedió de repente.

—¿Qué pasa? —preguntó él sin apartar los ojos del monitor—. Súbelo dos grados más —exhortó elevando la voz. La estancia se quedó en silencio. Al cabo de un momento, el hombre volteó hacia la mesa—. ¿Algún problema?

—Creo que se está… —la mujer dejó la frase a medias.

—¿Qué?

—Moviendo —terminó.

—Por supuesto que se está moviendo. Se están moviendo.

—Parece como si le… ¿doliera? —susurró.

El hombre sonrió.

—Sí.

Una luz parpadeó con violencia a la vez que un sonido repentino surgía del centro de la habitación. Se proyectó una secuencia de luces rojas, verdes y azules, y una voz animada salió de los altavoces empotrados en las paredes y llenó la estancia con una melodía.

Todas las luces iluminaron al oso blanco y morado. Sus articulaciones crujían con cada movimiento; los ojos se movían de un lado a otro aleatoriamente. Medía casi un metro ochenta, tenía las mejillas rosadas como dos bolas de algodón de azúcar brillante, y sostenía un micrófono con una esfera similar a una bola de discoteca.

—¡Apaga esa cosa! —gritó el hombre despatarrado, levantándose a duras penas. Se desplazó lentamente hasta el centro de la habitación apoyándose en su bastón—. ¡Quítate, lo haré yo! —exclamó, y la mujer se retiró a la mesa del rincón.

Haciendo palanca, el hombre abrió una tapa de plástico blanco en el pecho del oso cantarín y metió la mano en la abertura; extendió el brazo por completo y jaló lo que iba encontrando allí adentro. A medida que fue desconectando los cables, primero los ojos dejaron de girar, luego los párpados se detuvieron, la boca paró de cantar y la cabeza se quedó quieta. Finalmente, tras un último empellón, los párpados se cerraron y la cabeza cayó hacia un lado, inerte. El hombre retrocedió y la pesada tapa en el pecho del oso se cerró con un fuerte sonido metálico, mientras el animatrónico se volvía un nudo de ruidos de motores y engranajes, rotos y desconectados, ya incapaces de moverse ni funcionar. De las articulaciones del cuerpo salían hilitos de aire que indicaban que los compresores fallaban.

El sonido se fue apagando, aunque el eco permaneció un rato hasta que se detuvo del todo. El hombre dirigió la atención de nuevo hacia la mesa y se aproximó a ella dando tumbos. Bajó la vista para estudiar un momento la figura que se retorcía. La superficie de la mesa era de un anaranjado resplandeciente y el metal caliente chisporroteaba. Le quitó una jeringa de la mano a la mujer y la clavó en el amasijo con fuerza. Levantó el émbolo y mantuvo la aguja inmóvil mientras la jeringa se llenaba de una sustancia derretida, y al final la sacó de un tirón. Se alejó a tropezones y volvió con el oso.

—A ver qué hacemos contigo —le dijo a la jeringa fluorescente.

El hombre volvió a abrir la pesada placa del pecho del oso roto, introdujo la jeringa con cuidado en la cavidad y apretó el émbolo. La tapa se cerró de golpe; pesaba demasiado para que la sostuviera aquel hombre tan frágil, que se cayó de espaldas agarrándose el brazo. La jeringa fue a parar al suelo, aún casi llena. La mujer se apresuró a arrodillarse junto a él y le palpó el brazo en busca de posibles fracturas.

—Estoy bien —gruñó, mirando al oso, aún inmóvil—. Hay que calentarlo más.

El sonido continuó mientras la figura rotaba sobre la mesa, levantando nubes de vapor al girar sobre la superficie caliente.

—No podemos calentarlo más —dijo la mujer—. Los destruirás.

El hombre levantó la vista hacia ella con una sonrisa cálida y volvió a mirar al oso, que ahora los observaba con los ojos abiertos de par en par, siguiendo hasta el menor de sus movimientos.

—Ahora sus vidas tendrán un propósito —dijo el hombre con satisfacción—. Se convertirán en algo más, igual que tú.

Observó a la mujer arrodillada junto a él y ella le devolvió la mirada. Sus lustrosas mejillas pintadas reflejaron la luz.

John entró a su departamento y le echó el pasador; incluso puso la cadena por primera vez desde que se había mudado allí. Fue hasta la ventana y jugueteó con las persianas, pero se detuvo y trató de ahuyentar el impulso de cerrarlas y aislarse por completo del mundo exterior. Al otro lado del cristal, el estacionamiento estaba tranquilo y en silencio, envuelto en la luz inquietante que proyectaban un único farol y el azul fosforescente de un lote de autos seminuevos que estaba cerca. Se oía un zumbido extraño, y John observó el estacionamiento un rato, sin saber muy bien qué esperaba ver. El sonido paró pronto y él fue al baño a echarse agua en la cara. Cuando volvió a su recámara, se quedó helado: era el mismo sonido otra vez, sólo que más fuerte... Venía de la habitación donde estaba.

John aguantó la respiración y aguzó el oído. Era un sonido bajo, como de algo moviéndose; sin embargo, resultaba demasiado regular, demasiado mecánico para ser un ratón. Encendió la luz: el sonido continuó y él se dio la vuelta despacio, tratando de averiguar de dónde procedía, hasta que vio a Theodore.

—¿Eres tú? —preguntó.

Se aproximó y tomó la cabeza sin cuerpo del conejo. Se la acercó a la oreja para oír mejor el extraño sonido que salía del interior del animal de peluche. De pronto, sonó un clic y el ruido se paró. John esperó, pero el juguete seguía en silencio. Dejó a Theodore de nuevo sobre la cómoda y esperó un momento a ver si volvía a sonar.

—No estoy loco —le dijo al conejo—. Y no pienso dejar que ni tú ni nadie me convenzan de lo contrario.

Fue hasta la cama y metió la mano debajo del colchón sin perder de vista al conejo de peluche; de pronto, se sintió observado. Sacó el cuaderno que tenía allí escondido y se sentó en la cama a mirar la portada blanca y negra. Era el típico cuaderno escolar, de esos que tienen un recuadro en la cubierta para poner tu nombre y la asignatura. John había dejado el recuadro en blanco y ahora pasaba los dedos por encima de las líneas vacías, sin muchas ganas de abrir aquella libreta que llevaba casi tres meses olvidada debajo del colchón.

Finalmente, suspiró y la abrió por la primera página.

—No estoy loco —volvió a decirle al conejo—. Sé lo que vi.

«Charlie.» La primera página estaba llena de datos y estadísticas de los cuales recordaba muy poco. Conocía al padre de Charlie, pero no a su madre. Su hermano seguía siendo un misterio. Ni siquiera sabía si había nacido en New Harmony o si había habido alguna otra ciudad antes de Fredbear's, el restaurante que habían descubierto la primera vez que volvieron todos juntos a Freddy's. Había escrito su historia con meticulosidad: su niñez en Hurricane, luego la tragedia en Freddy's y, por último, el suicidio de su padre. Después de eso, se mudó con su tía Jen. Mientras escribía, John se había dado cuenta de que no sabía dónde vivían Charlie y Jen. Tenía que ser lo suficientemente cerca de Hurricane como para haber venido en coche y no en avión a la ceremonia en memoria de Michael, hacía casi dos años. Pero era raro que nunca hubiera mencionado el nombre de la ciudad donde vivía (entonces y ahora).

Pasó las páginas; a medida que avanzaba el relato, eran menos telegráficas, cada vez había más detalles. Había garabateado recuerdos enteros: como cuando le pegó un chicle en el pelo pensando que sería gracioso. Charlie le había dirigido una mirada traviesa mientras la profesora de primero le cortaba el mechón de pelo con unas tijeras infantiles de color azul. Luego se las había arreglado para recuperar de la basura el mechón de pelo con el chicle pegado cuando nadie la veía y se lo había llevado al recreo. En cuanto salieron por la puerta,

Charlie le sonrió a John. «Quiero devolverte el chicle», le dijo, y se pasaron la tarde persiguiéndose por el patio de la escuela mientras Charlie intentaba meterle el chicle lleno de pelos en la boca a John. No lo consiguió: los descubrieron y los castigaron. John sonrió al leer la versión de la historia que había escrito en el cuaderno. Parecía importante empezar por su infancia, aferrarse a la Charlie de entonces, y también al John de entonces. Suspiró y siguió pasando hojas de su cuaderno.

En las páginas siguientes había intentado resumirlo todo sobre ella: cómo se movía, cómo hablaba. Era difícil; cuanto más tiempo pasara, aquellas imágenes se corresponderían cada vez más con lo que John recordaba de Charlie y no con la propia Charlie, así que había escrito todo lo que había podido, y todo lo deprisa que le había sido posible, a partir del tercer día después de aquella noche. Había descrito su forma de andar: caminaba segura de sí misma hasta que veía que alguien la miraba. Había contado las incongruencias que soltaba cada vez que se ponía nerviosa, lo cual ocurría a menudo. Había rememorado esas veces que parecía sumergirse en sí misma, como si discurriera otra realidad dentro de su cabeza y saliera un momento de ella para ir a un lugar adonde él no podía seguirla nunca. Suspiró. «¿Cómo se comprueba algo así?» Le dio la vuelta al cuaderno: por el otro lado, había empezado a anotar cosas distintas.

«¿Qué le pasó a Charlie?»

Si la chica de la fiesta de Carlton, la chica que había aparecido sin previo aviso en la cafetería, no era Charlie, ¿quién era? La respuesta más obvia sería, claro, su gemela. Charlie siempre hablaba de un niño, pero Sammy podía ser el diminutivo de Samantha. Además, lo que Charlie le contó de que habían sacado a Sammy del armario podría ser la historia de un secuestro y no de un asesinato. ¿Y si la gemela de Charlie seguía viva? ¿Y si Springtrap, por aquel entonces William Afton, no sólo la había secuestrado, sino que también la había criado? ¿Y si ese psicópata la había educado a imagen y semejanza de Charlie durante diecisiete años, sumado a todo lo que Springtrap sabía de la vida de ella, y ahora la había enviado a ocupar su lugar? «Pero ¿por qué? ¿Qué sentido tenía eso?» La obsesión de Afton por Charlie era perturbadora, pero no le parecía capaz de algo tan elaborado... Ni mucho menos de ocuparse de una niña durante el tiempo suficiente como para lavarle el cerebro.

Había escrito una docena de hipótesis, pero al releerlas ahora ninguna le parecía factible: o bien se venían abajo al analizarlas a profundidad, o bien, como la historia de la Samantha imaginaria, no tenían ni pies ni cabeza. Y en todos los casos, ninguna coincidía con la Charlie que había visto aquella noche. Su tristeza y su desorientación parecían reales; al recordar su rostro, sintió que un dolor sordo le crecía en el pecho. John cerró el cuaderno e intentó imaginarse la situación a la inversa: Charlie, su Charlie, rechazándolo, insistiendo en que él no era él... en que él, el John de verdad, estaba muerto. «Me hundiría.» Se habría sentido como Charlie aparentaba sentirse aquella noche: suplicante, abrazándose a sí misma como si fuera lo único que pudiera hacer para mantenerse entera. Se tumbó en la cama y se puso el cuaderno sobre el pecho, donde cayó como un peso muerto. Cerró los ojos y se aferró a la libreta como si fuera un muñeco. Mientras se sumía en el sueño, volvió a oír el ruido de la cabeza de Theodore: el zumbido y luego el clic.

Al día siguiente, John se despertó tarde e invadido por un miedo incomprensible. Miró el reloj y se dio cuenta horrorizado de que llegaba tarde al trabajo, y casi al mismo tiempo recordó que ya no había tal, algo que pronto tendría consecuencias, aunque no de inmediato. Lo único que tenía que hacer aquel día era ver a Charlie. Con sólo pensarlo su miedo volvió a crecer. Suspiró.

Aquella tarde, mientras revolvía los cajones de la cómoda en busca de una camisa presentable, alguien tocó la puerta. John miró a Theodore.

—¿Quién será? —susurró John.

El conejo no contestó.

John fue hasta la entrada; a través de la ventana vio a Clay Burke, quien tenía la mirada fija en la puerta e ignoraba educadamente el hecho de que podía ver el interior del departamento de John si quería. John suspiró, quitó la cadena del pasador, y luego abrió.

—Clay, hola. Pasa.

Clay titubeó en el umbral y echó un vistazo al interior, demasiado austero como para verse desordenado. John se encogió de hombros.

—Antes de que digas algo, recuerda que he visto tu casa mucho peor que esto —dijo.

Clay sonrió.

—Cierto —concedió, y entró.

El ruido de la cabeza de Theodore empezó a sonar de nuevo, pero John decidió ignorarlo.

—¿Qué es eso? —preguntó Clay pasados unos segundos.

John esperó antes de responder, consciente de que el sonido se detendría pronto, cosa que sucedió pasados unos instantes, con el mismo clic de las otras veces.

—Es la cabeza del conejo —John sonrió.

—Ah, claro —Clay miró hacia la cómoda y luego otra vez a John, como si no le extrañara en absoluto. Teniendo en cuenta todo lo que habían vivido en el pasado, en realidad no le extrañaba.

—¿Qué puedo hacer por ti? —preguntó John antes de que ocurriera algo más raro.

Clay se balanceó sobre los talones un momento.

—Quería saber qué tal estás —dijo como si nada.

—¿En serio? ¿No hablamos de eso ayer? —repuso John con sequedad. Se puso de pie, sacó una camisa limpia de la cómoda y se metió al baño para cambiarse.

—Sí, bueno, pero uno nunca sabe —dijo Clay, levantando la voz para hacerse oír. John abrió la llave del lavabo—. John, ¿qué sabes tú de la tía de Charlie, Jen?

John se apresuró a cerrar la llave y decidió hacerse el tonto.

—¿Cómo dices?

—Dije que qué sabes de la tía de Charlie.

John se puso la camisa rápidamente y volvió a la habitación.

—¿La tía Jen? No la conozco.

Clay lo traspasó con la mirada.

—¿Nunca la has visto?

—Yo no dije eso —repuso John—. ¿Por qué me lo preguntas?

Clay vaciló.

—Charlie pareció muy interesada en volver a verte cuando le mencioné que viste a Jen aquella noche —dijo. Parecía escoger las palabras con esmero.

—¿Por qué iba a importarle a Charlie que yo viera o no a Jen? ¿Y por qué te importa a ti?

John pasó junto a Clay para tomar un cinturón que estaba a los pies de la cama y empezó a pasarlo por las trabillas de sus jeans.

—Es que eso hizo que me diera cuenta de que hay muchas cosas que ignoramos de aquella noche —dijo Clay—. Creo que tu conversación de hoy con Charlie puede ayudar a llenar esas lagunas, si le haces las preguntas correctas.

—¿Quieres que la interrogue? —John soltó una risa sardónica.

Clay suspiró. Un sentimiento de frustración contaminaba su calma habitual.

—No te lo digo por eso, John. Lo único es… que si la tía de Charlie estaba allí aquella noche, me gustaría hacerle un par de preguntas.

John miró a Clay, quien le devolvió una mirada plácida, a la espera. El chico tomó un par de calcetines y se sentó en la cama.

—¿Por qué acudes a mí así, de repente? —preguntó—. Hasta ahora, nadie ha creído ni una sola palabra de lo que he contado.

—Es por lo que encontramos en el terreno —contestó Clay, con menos dificultades de lo que John esperaba.

Se irguió.

—El terreno... ¿Te refieres a la casa del padre de Charlie?

Clay lo miró como si lo estuviera sopesando.

—Creo que ambos sabemos que era más que una simple casa —dijo.

John se encogió de hombros y no dijo nada, a la espera de que prosiguiera.

—Algunas cosas que encontraron entre los escombros eran... No tenían mucho sentido para nadie más, pero lo que yo vi... Algunas de las cosas que vi allí abajo daban bastante miedo, a pesar de que la mayoría estaba enterrada bajo el cemento y el metal.

—¿Miedo? ¿A esa conclusión llegó el equipo entero o sólo tú? —preguntó John sin preocuparse en disimular el sarcasmo. Clay no parecía oirlo, tenía la mirada fija en un punto entre ambos—. ¿Clay? —dijo, alarmado—. ¿Qué encontraste? ¿Qué quieres decir con que daban mucho miedo?

Clay parpadeó.

—No se me ocurre otra forma de describirlo —repuso.

John sacudió la cabeza.

—Te voy a decir una cosa —prosiguió Clay con brusquedad—. No estoy preparado para cambiar de página con respecto a Dave-William Afton-comoquiera que se hiciera llamar...

—Springtrap —dijo John en voz baja.

—No estoy preparado para cerrar ese caso —terminó Clay.

—¿Qué significa eso? ¿Crees que sigue vivo?

—Simplemente creo que no podemos dar nada por sentado —repuso Clay.

John volvió a encogerse de hombros. No tenía paciencia, casi ni interés. Estaba harto de intrigas: Clay se guardaba información para protegerlos... Como si los secretos los hubieran protegido alguna vez.

—¿Qué quieres que le pregunte? —dijo John con franqueza.

—Sólo quiero que consigas que hable contigo. Es maravilloso tenerla de vuelta, no me entiendas mal, pero parece como si escondiera algo. Es como si...

—¿Como si no fuera ella? —preguntó John con un poco de ironía.

—No iba a decir eso. Pero creo que puede saber algo que no nos ha contado todavía... Quizá no se haya sentido lo suficientemente cómoda como para contarlo.

—¿Y crees que se va a sentir cómoda para confesarse conmigo?

—A lo mejor.

—Eso me parece moralmente ambiguo —repuso John, desganado. Desde la cómoda, el zumbido empezó de nuevo—. ¿Ves? Theodore piensa lo mismo —dijo señalando al conejo.

—¿Siempre hace eso?

Clay estiró la mano para tomar la cabeza del conejo, pero, antes de que pudiera tocarla, la mandíbula de Theodore se abrió y la cabeza empezó a moverse. John se sobresaltó. Clay dio un paso atrás. Ambos se quedaron mirando, atónitos, mientras el ruido seguía sonando, aunque la cabeza no volvió a moverse. El sonido que hacía se fue convirtiendo en un murmullo distorsionado que se intensificaba y se suavizaba, y a veces parecía incluso formar palabras, aunque John no podía descifrarlas de ningún modo. Unos minutos después, se quedó en silencio de nuevo.

—Nunca había hecho eso antes —dijo John. Clay se inclinó sobre la cómoda y acercó la nariz a la de Theodore hasta casi tocarla, como si pudiera ver dentro de él—. Tengo que irme pronto —continuó John sin prestar atención a Clay—. No quiero llegar tarde, ¿okey?, a esta nueva relación abierta y honesta que voy a empezar con ella —cruzó una mirada acusadora y fugaz con Clay, y se dirigió rápido a la puerta.

—¿No tienes que guardarlo? —preguntó Clay cuando John pasó a su lado.

—Da igual.

Todavía era de día cuando John llegó a St. George. Miró el reloj del tablero y vio que llegaba con más de una hora de antelación. Se acomodó en el estacionamiento del restaurante y salió, agradecido por tener tiempo para dar un paseo y liberar los nervios. Todos aquellos meses había evitado pasar por St. George, el pueblo donde Charlie y Jessica iban a la universidad. «Seguramente Jessica aún asista a las clases —pensó con una punzada de culpabilidad—. Debería saber cosas tan básicas como ésa.»

Pasó frente a varios edificios, dirigiéndose casi inconscientemente al cine al que había ido con Charlie la última vez que estuvo allí. «Quizá podamos ir a ver una peli. Después de la cena-interrogatorio.» John se detuvo en seco sobre la banqueta: el cine había desaparecido. En su lugar, dos caras de payaso gigantes le sonreían desde las ventanas de un restaurante nuevo y reluciente. Las caras eran casi tan grandes como la enorme puerta de entrada y estaban pintadas a cada lado. Encima había un letrero con foquitos en forma de letras rojas y amarillas que rezaba así: CIRCUS BABY'S PIZZA. Las luces fosforescentes estaban encendidas, brillando sin sentido bajo el sol. John se quedó allí plantado, incapaz de moverse, como si sus tenis se hubieran fundido con el suelo del estacionamiento. Un grupo de niños pasó junto a él de camino al local y un adolescente chocó con John, sacándolo de su ensimismamiento.

—Sigue caminando, John —se dijo en voz baja, y dio media vuelta para alejarse, pero se detuvo de nuevo tras dar unos pocos pasos—. Que sigas caminando —se repitió, terco, y se giró para enfrentarse al restaurante con gesto desafiante.

Se acercó a la puerta y la abrió. Daba paso a un vestíbulo vacío, una zona de espera, donde unas versiones más pequeñas de los payasos del exterior sonreían con cara de locos desde las paredes. Había una segunda puerta con un letrero escrito con letra cursiva donde podía leerse: ¡*BIENVENIDOS*! El olor era familiar: una mezcla de goma, sudor y pizza en el horno.

John abrió la puerta y el ruido lo asaltó como una explosión. Pestañeó, desorientado por las luces fluorescentes. Había niños por todas partes, gritando, riéndose y corriendo, y las melodías y los pitidos de las máquinas de videojuegos sonaban en disonancia por todo el lugar. Había juegos infantiles, algo parecido a un gimnasio de barras a la izquierda y una alberca de pelotas enorme a la derecha, donde dos niñas pequeñas le estaban lanzando bolas de colores a una tercera, que gritaba algo que John no consiguió entender.

Había mesas en el centro del lugar, donde vio a cinco o seis adultos hablando entre ellos. Cada cierto tiempo miraban por encima del hombro el caos que los rodeaba y el escenario que estaba al fondo con el telón rojo cerrado. Un escalofrío le recorrió la columna vertebral, y volvió a mirar a su alrededor a los niños que jugaban y a los complacientes padres con una terrible sensación de *déjà vu*.

Se encaminó al escenario, aunque tuvo que detenerse dos veces, ambas justo a tiempo para evitar tropezarse con un juguete. El telón era nuevo, el terciopelo rojo y mullido brillaba a la luz de los focos fluorescentes, ribeteado con cordones y flecos dorados. John redujo el paso a medida que se acercaba, con un miedo antiguo y familiar en la boca del estómago. El suelo del escenario le llegaba a la cintura. Se detuvo junto al borde y miró a su alrededor. Con cuidado, tomó el pesado telón y empezó a descorrerlo.

—Disculpe, señor —dijo una voz de hombre detrás de él.

John se puso tieso como si acabara de tocar un fogón caliente.

—Lo siento —volteó y descubrió a un hombre con una playera polo amarilla y gesto tenso.

—¿Está aquí con sus hijos? —preguntó levantando las cejas. En su playera decía: CIRCUS BABY'S PIZZA; en el gafete, su nombre: STEVE.

—No, yo… —John hizo una pausa—. Sí. Varios niños. Cumpleaños, ya sabes. Con primos y más primos, ¿qué se le va a hacer?

Steve seguía mirándolo con las cejas arqueadas.

—Debo irme, tengo una cita… en otro sitio —dijo John.

Steve le señaló la puerta.

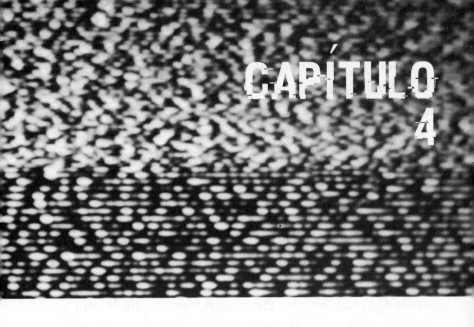

CAPÍTULO 4

—¡No! —exclamó Jessica, apurada, mientras forcejeaba para sacar las llaves del bolsillo de unos jeans demasiado ajustados, según marcaban los cánones de la moda.

Se le cayó una manzana de la bolsa de papel que luchaba por sostener con la cadera; salió rodando por el descanso y fue a parar al tapete de su peor vecino, un hombre de mediana edad capaz de detectar el menor ruido y, acto seguido, quejarse de ello. De hecho, desde que se había mudado al departamento hacía seis meses, tras dejar la habitación de la residencia universitaria que compartía con Charlie, el hombre había tocado su puerta en tres ocasiones para quejarse del radio. Dos de las veces ni siquiera lo tenía encendido. En general, se limitaba a mirarla mal cuando se cruzaban en la entrada. A Jessica no le molestaba esa hostilidad; era un poco como volver a estar en casa, en Nueva York. Dejó la manzana donde estaba.

En cuanto consiguió abrir la puerta, dejó las bolsas en la cubierta de la cocina y miró a su alrededor con silenciosa satisfacción. No es que fuera un departamento muy sofisticado, pero era suyo. Cuando se mudó, hizo limpieza general y restregó a conciencia la mugre que debía de estar pegada a las molduras desde que habían construido el edificio, hacía cincuenta años por lo menos. Se había pasado casi dos semanas frotando, entre las clases y los trabajos de la universidad, y todas las noches se acostaba con los brazos adoloridos como si pasara el día haciendo pesas. Pero ahora el departamento estaba lo suficientemente limpio para los exigentes estándares de Jessica.

Empezó a sacar la despensa de las bolsas, alineando todos los productos sobre la cubierta antes de colocarlos en su sitio.

—Crema de cacahuate, pan, leche, plátanos… —murmuró para sí, y luego se quedó callada.

«Algo no está bien.» Miró a su alrededor con cautela, pero no había nadie y todo parecía estar donde lo había dejado. Volvió a sus bolsas del supermercado.

Al cerrar la puerta del refrigerador, se le erizó el vello de la nuca. Dio media vuelta como si esperara encontrar a un ladrón con las manos en la masa. El corazón le bombeaba adrenalina, pero la habitación estaba en silencio. Para asegurarse, se acercó hasta la puerta: estaba cerrada, como esperaba. Se quedó en silencio un momento, escuchando los sonidos distantes del edificio de departamentos (el zumbido de una máquina de aire acondicionado afuera, una sopladora de hojas al otro lado de la calle), pero nada parecía salirse de lo habitual.

Volvió con cuidado a la cubierta y terminó de colocar la despensa, y luego se dirigió a su habitación. Dio vuelta en la esquina para ir hacia el pasillo y se le escapó un grito: había una figura en la oscuridad bloqueándole el paso.

—¿Jessica? —dijo una voz familiar.

Jessica tanteó la pared hasta dar con el interruptor, dispuesta a salir corriendo. La luz vaciló antes de encenderse del todo: era Charlie.

—¿Te asusté? —dijo Charlie con voz vacilante—. Lo siento. La puerta no estaba cerrada con llave… Tenía que haberte esperado afuera —añadió mientras se miraba los zapatos—. Es que pensé que como antes compartíamos habitación…

—Charlie, casi me matas de un susto —respondió Jessica fingiendo regañarla—. ¿Qué estás haciendo aquí?

—¿Te conté que voy a cenar con John? —preguntó.

Jessica asintió.

—¿Me prestas algo de ropa? Podrías ayudarme a decidir qué ponerme…

Charlie parecía titubeante, como si le estuviera pidiendo un favor inmenso. Jessica frunció el ceño, perpleja.

—Pues claro, amiga —intentó tranquilizarse—. Pero… bueno, últimamente no necesitas mi ayuda para vestirte.

Jessica señaló con un gesto la ropa de Charlie: llevaba sus botas militares de siempre (o un modelo un poco más elegante), pero las había combinado con una falda negra a la rodilla y una blusa color vino de cuello redondo. Charlie se encogió de hombros y movió los pies.

—Es que creo… que quizá le guste más si me ayudas tú a elegir algo, en lugar de vestirme yo, ¿sabes? A John no parece gustarle mi nuevo look.

—Mira, Charlie… —Jessica hizo una pausa para elegir las palabras con cuidado—. Fingir que nada ha cambiado no les hará bien a ninguno de los dos —dijo con firmeza—. Ve con la ropa que traes, te ves guapísima.

—¿Tú crees? —preguntó Charlie dudosa.

—Sí —repuso Jessica.

Dejó atrás a Charlie y se dirigió a su recámara, yendo con cuidado al pasar a su lado. Charlie la siguió, aunque se quedó en el umbral como un vampiro que espera a que lo inviten a entrar. Jessica miró a Charlie y, de repente, se sintió totalmente cómoda, como si su amistad nunca se hubiera interrumpido. Le sonrió.

—Bueno, ¿estás nerviosa? —preguntó mientras tomaba un peine de la cómoda.

Charlie entró y se sentó en la cama.

—Siento como si tuviera que demostrarle algo, pero no estoy segura de qué es —repuso ella, recorriendo con el dedo el dibujo floreado del edredón de Jessica—. Tenías razón, por cierto.

Jessica se dio la vuelta mientras se peinaba el cabello, abstraída.

—Quiere verte esta noche, yo creo que es un buen comienzo —tanteó—. Deja que se quede un rato contigo. La ha pasado muy mal. Recuerda que, según él, te vio morir ante sus ojos.

Charlie se rio con un sonido suave y forzado, y luego se quedó en silencio.

—Es que estoy preocupada por él. Y no puedo ayudarlo, porque... —la voz se le quebró—. Jessica, ¿recuerdas si me dijo algo importante aquella noche?

Algo en su tono de voz cambió; fue muy sutil, una tensión mínima. Jessica se mantuvo impasible, fingiendo no haberse dado cuenta.

—¿Algo importante? —preguntó.

—Algo... que debiera recordar. Que tendría que recordar.

Mantuvo los ojos fijos en el edredón, recorriendo el dibujo con el dedo como si estuviera intentando memorizarlo. Jessica titubeó. Aún podía verlo, tan vívido como si estuviera pasando en aquel momento, tanto que le generaba una náusea en la boca del estómago. Charlie estaba atrapada en el traje destrozado y retorcido de Freddy, que sólo le dejaba libre un brazo; John le sostenía la mano... Jessica se estremeció al rememorar el eco de aquellos terribles chasquidos tan peculiares.

—¿Jessica? —dijo Charlie.

—Disculpa —carraspeó tras asentir con energía—. No lo sé, John y tú estuvieron solos varios minutos. No sé qué te dijo. ¿Por qué?

—Creo que es importante para él que me acuerde —repuso Charlie, y volvió a trazar el estampado del edredón.

Jessica la observó un momento, incómoda de repente en su propia habitación. Como si lo notara, Charlie se puso de pie y la miró a los ojos.

—Gracias, Jessica —dijo—. Perdóname por haber entrado sin tocar. Bueno, no es eso, es que la puerta no estaba cerrada con llave... tú me entiendes.

—No pasa nada, sólo… La próxima vez avísame antes de venir, ¿okey?

Jessica sonrió. Sintió una oleada de cariño por su amiga. Abrazó a Charlie en la puerta para despedirse. Ella avanzó unos pocos pasos y recogió la manzana del suelo para devolvérsela a Jessica.

—Creo que esto es tuyo.

Charlie sonrió y dio media vuelta para irse. En cuanto cerró la puerta, Jessica suspiró. La ansiedad que la había invadido cuando Charlie estaba en su recámara aún no se había evaporado. Se apoyó en la puerta y reprodujo lo que acababa de ocurrir. «¿Por qué quiere John que Charlie recuerde lo último que le dijo?» Lanzó la manzana al aire y luego la atrapó con la mano.

—La está poniendo a prueba —dijo Jessica al departamento vacío.

Una vez fuera del edificio de Jessica, Charlie se detuvo en el estacionamiento, frustrada. «¿Qué había dicho John que fuera tan importante?» Cruzó el pavimento caliente hasta su coche. Se subió y cerró la puerta con más fuerza de la necesaria. Miró el volante, malhumorada. «Me están mintiendo —pensó—. Me siento como si fuera una niña pequeña a la que todos los adultos le estuvieran ocultando secretos. Como si estuvieran decidiendo qué puedo y qué no puedo saber.»

Consultó su reloj de pulsera; el del coche marcaba una hora menos o una más, y nunca conseguía acordarse de cuál de las dos opciones era. Aún faltaban veinte minutos para su cita con John.

—No puedo llegar antes de tiempo —dijo como si fuera una obviedad—, si no, en verdad no va a creer que soy yo.

Tratando de ignorar su mal humor, Charlie puso en marcha el coche y salió del estacionamiento.

Cuando llegó al restaurante, vio a John desde la ventana, sentado en la misma mesa en la que habían estado la última vez, al fondo del local. Tenía la mirada perdida, como si estuviera concentrado en sus pensamientos o en las nubes. Una mesera la acompañó a la mesa, y hasta que estuvo de pie al lado de John, él no pareció reparar en su presencia. Cuando lo hizo, se apresuró a levantarse. Charlie hizo el ademán de acercarse, pero él se sentó de nuevo, así que rodeó la mesa por el costado para hacer lo propio.

—Hola —dijo con una sonrisa incómoda.

—Hola, Charlie —contestó él en voz baja, y de pronto sonrió—. Te ves mucho más guapa que la última vez que estuvimos aquí.

—Supongo que será porque esta vez no estoy llena de polvo y sangre —dijo Charlie como si nada.

—Claro.

John se rio, pero Charlie notó una sombra de evaluación en sus ojos. «Eso era una prueba.» Al pensar eso, sintió una oleada de frío glacial subiéndole desde el estómago. Sabía que aquello pasaría, pero saberlo no hacía más sencillo que sus ojos, que solían ser tan cálidos, la miraran de forma tan calculada.

—¿Qué película vimos? —preguntó John, balbuceando un intento de respuesta—. La última vez que vine a verte fuimos al cine de abajo, ¿no? Lo tengo en la punta de la lengua.

—*¡Zombis contra zombis!* —exclamó Charlie.

—Eso es. Sabía que era una de zombis —dijo John, pensativo.

—¿Y qué has hecho desde entonces? —preguntó Charlie, intentando cambiar de tema—. ¿Sigues trabajando en la construcción?

—Sí —contestó John, y luego bajó la mirada a la mesa—. Bueno, en realidad no. Me acaban de despedir.

—Uy —dijo Charlie—. Lo siento.

Él asintió.

—Sí. La verdad es que fue culpa mía. Llegaba tarde y, bueno, había otras cosas, pero me gustaba el trabajo. Por lo menos... era un empleo.

—Seguro que hay más obras —dijo Charlie.

—Sí, supongo —la miró inquisitivo.

Ella le devolvió la mirada intentando no encogerse ante su escrutinio. «Créeme —suplicó en silencio—. ¿Qué tengo que hacer para que me creas?»

—Echaba de menos esto —dijo en lugar de lo que estaba pensando.

Él asintió y sus ojos se suavizaron por un instante.

—Yo también —repuso John con suavidad, aunque ella sabía que era sólo una verdad a medias.

—Sabes que no me fui por... No fue por ti —dijo Charlie—. Lamento si pareció eso; es que necesitaba alejarme de todo y de todos. Yo...

—¿Ya saben lo que van a tomar? —preguntó la mesera animadamente.

John se enderezó y carraspeó. Charlie miró la carta, contenta por la interrupción, pero las fotos de los platos le resultaban extrañas, como si hubiera oído hablar de la comida pero nunca la hubiera visto.

—¿Señorita? —la mesera la miraba expectante.

—Tomaré lo mismo que él —dijo rápidamente Charlie, y luego cerró la carta.

La chica frunció el ceño, confundida.

—Eh, mm… okey. Supongo que tengo que pedir yo primero entonces —John se rio.

—Cualquier cosa —dijo Charlie con tono paciente—. Ahora vuelvo, ¿okey? —se levantó de la mesa a toda prisa y se dirigió al baño, dejando que John se encargara de todo.

Al entrar al baño, la asaltó una poderosa sensación de *déjà vu*. «Ya estuve aquí antes. Encerrada en una caja, estaba encerrada en una caja… —Charlie cerró la puerta y echó el pasador—. Ahora no estoy encerrada.» Se peinó con los dedos, aunque no le hacía ninguna falta, y se lavó las manos; estaba haciendo tiempo, ahorrándose un rato del escrutinio de John. Cada vez que le dirigía aquella mirada fría y desconfiada, se sentía expuesta.

—Soy Charlie —le dijo a su reflejo mientras se alisaba el pelo de nuevo, nerviosa—. No tengo que convencer a John de que soy yo —las palabras sonaron frágiles en la pequeña estancia—. ¿Quién iba a ser, si no?

Se lavó las manos de nuevo, enderezó los hombros y se dirigió hacia la mesa. Se sentó y se puso la servilleta de papel en el regazo, y luego miró a John directamente a los ojos.

—Sigo sin acordarme —dijo de forma abrupta, invadida por la terquedad.

John levantó las cejas.

—¿Qué?

—Que no me acuerdo de lo que me dijiste aquella noche. Sé que es importante para ti… Sé que quizá por eso piensas lo que crees sobre mí, pero es que… no me acuerdo. No puedo cambiarlo.

—Está bien —deslizó las manos por el borde de la mesa y las dejó caer sobre el regazo—. Ya… ya sé que… Mmm… Pasaron muchas cosas aquella noche. Ya lo sé —suspiró un momento, pero luego esbozó una sonrisa casi tranquilizadora. Charlie se mordió el labio.

—Si es tan importante, ¿por qué no me lo dices y ya? —preguntó cuidadosamente.

Enseguida vio que no tenía que haber dicho eso. John endureció el gesto; se apartó un poco de la mesa.

Ella bajó la mirada a la servilleta que tenía sobre las piernas; había estado rompiéndola de la esquina sin darse cuenta.

—Da igual —dijo en apenas un susurro, y dejó pasar varios minutos—. Olvídalo —levantó la vista, pero John no contestó.

—Discúlpame un minuto. Vuelvo enseguida —John se levantó y se alejó de la mesa.

Ella se quedó mirando la silla vacía. La mesera se acercó y carraspeó; Charlie la oyó, pero no se movió. No estaba segura de poder moverse. «Esto está yendo fatal.

Quizá me quede aquí sentada para siempre. Seré una estatua de mí misma, un monumento a la Charlie que fui. A la Charlie que nunca volveré a ser.»

—¿Señorita? —el tono de preocupación de la mesera bastó para que Charlie hiciera un esfuerzo descomunal y girara la cabeza—. ¿Todo bien? —preguntó la mesera, y Charlie tardó un momento en descifrar la pregunta.

—Sí —dijo al fin—. ¿Podría traerme otra servilleta? —levantó la que tenía, medio destrozada, para demostrarle por qué necesitaba otra, y la mesera se fue.

Charlie nuevamente miró la silla vacía de John.

Él volvió a entrar en su campo visual y se sentó.

—¿Todo bien? —preguntó.

Ella asintió.

—La mesera va a traerme otra servilleta —Charlie hizo un gesto vago hacia la dirección por la que se había ido la mesera.

—Okey —abrió la boca para seguir hablando, pero, antes de que pudiera hacerlo, la mesera volvió con la servilleta de Charlie y la comida. Guardaron silencio mientras dejaba los platos en la mesa, y John le sonrió—. Gracias —dijo.

Charlie miró su plato: era algún tipo de pasta. Tomó el tenedor con cuidado, pero no empezó a comer.

—¿Te puedo preguntar una cosa? —dijo John por fin.

Charlie asintió con entusiasmo y volvió a dejar el tenedor en la mesa.

Él respiró hondo.

—Aquella noche... ¿cómo conseguiste sobrevivir? Es que... había muchísima sangre... —se detuvo, incapaz de encontrar las palabras.

Charlie miró aquel rostro tan familiar, sin saber cómo se había puesto en su contra. Había estado intentando armar una historia para él, pero, llegado el momento, se arrancó a hablar.

—No lo sé —dijo—. Es que... tengo lagunas; cuando intento recordarlo es como si mi mente... parpadeara, como si chocara contra algo afilado —la distancia en los ojos de John disminuía poco a poco a medida que hablaba—. Ya había estado dentro de un traje varias veces —prosiguió—. Supongo que averigüé cómo salir, o al menos cómo colocarme —lo observó ansiosa y él aguzó la mirada.

—Pero no lo entiendo. ¿Cómo conseguiste salir... ilesa? —la miró de arriba abajo, otra vez como examinándola.

Charlie sintió que se ahogaba, y apartó la mirada para contemplar el estacionamiento a través de la ventana.

—No lo conseguí —dijo con voz tensa.

John no contestó. Parecía buscar en el rostro en escorzo de Charlie un atisbo de algo reconocible... o irreconocible. Estaba diciendo lo que tenía que decir y cómo tenía que decirlo, y sus insinuaciones (más que insinuaciones) acerca del trauma insalvable por el que había pasado aquella noche hicieron que se le encogiera el estómago. Charlie tenía la mirada perdida a lo lejos y la mandíbula apretada; parecía estar resistiéndose a algo, y a John lo asaltó el impulso de acudir a ella, de estirar la mano y ofrecerle ayuda. En lugar de eso, tomó el tenedor y empezó a comer mirando al plato, en lugar de a Charlie. «Sabe lo que estoy haciendo —pensó mientras masticaba con tristeza—. Me está diciendo lo que quiero oír. Soy un verdadero detective de pacotilla.» John dio otro bocado y la miró fugazmente; ella seguía observando el estacionamiento. Tragó y carraspeó.

Antes de que pudiera hablar, Charlie volteó hacia él.

—Después de aquella noche tuve que irme —dijo. Tenía la voz ronca y el rostro tenso, lo que la hacía mostrar unos rasgos más duros que antes—. Tuve que dejarlo todo atrás, John. Todo. Lo que pasó aquí me persigue, los dos últimos años… e incluso antes de eso. Toda la vida —lo miró a los ojos brevemente y luego apartó la vista. Pestañeó varias veces como si estuviera aguantándose las lágrimas—. Quería ser otra persona; era eso o volverme loca. Sé que es un cliché pensar que puedes transformar tu vida sólo cambiando de peinado y de ropa —esbozó una media sonrisa irónica y se echó la melena por detrás de los hombros—, pero no podía ser tu Charlie para siempre, esa niña inocente que le tenía miedo a su propia sombra; que vivía en una sombra. La verdad es que no sé qué viste en aquella chica tan egoísta, tan atolondrada, tan patética —aquellas últimas palabras sonaron tan mordaces que casi tembló al pronunciarlas; su mirada era tan amarga como si el desprecio por su yo del pasado la poseyera.

—Nunca he pensado que seas nada de eso que dices —afirmó John en voz queda, y luego bajó la mirada. Pasó el tenedor por el borde del plato sin saber qué decir. Se obligó a levantar la vista; el rostro de Charlie se había suavizado y ahora parecía ansiosa.

—Pero sigo siendo yo —se encogió de hombros y la voz se le resquebrajó. Él no podía contestar; no sabía por dónde empezar. Charlie se mordió el labio—. Sigues pensándolo, ¿verdad? —dijo pasados unos instantes.

John se removió incómodo en la silla, avergonzado, pero Charlie insistió.

—John, por favor, no lo entiendo. Si crees que no soy yo, entonces… ¿qué es lo que crees? ¿Quién piensas que soy? —parecía tremendamente desconcertada.

John se sintió flaquear de nuevo.

—Creo que… —hizo un gesto como tratando de atrapar el aire—. Charlie, ¡sé lo que vi…! —exclamó, y luego se detuvo en seco al recordar que estaban en público. Observó a su alrededor, pero nadie los miraba: el restaurante no se encontraba muy lleno, pero todo el mundo estaba ocupado; los comensales hablaban con sus acompañantes y los meseros charlaban entre sí—. Te vi morir —dijo, bajando la voz—. Cuando entraste a aquella cafetería al día siguiente, Charlie, quise creer que era cierto… Sigo queriendo creerlo, pero es que yo… te vi morir —terminó con impotencia.

Charlie sacudió la cabeza despacio.

—Te estoy diciendo que estoy viva, ¿cómo es posible que no sea suficiente? Si quieres creerme, ¿por qué no lo haces? —el dolor en su voz le hizo sentir una punzada de culpabilidad, pero le dirigió una mirada serena.

—Porque prefiero saber la verdad a creer algo sólo porque pueda hacerme feliz.

Charlie lo miró inquisitiva.

—¿Y cuál crees que es la verdad? ¿Quién…? —tragó saliva y volvió a empezar—. ¿Quién crees que soy… si no soy yo?

John suspiró.

—Lo he pensado mucho —dijo por fin—. Casi constantemente, la verdad.

Charlie asintió casi imperceptiblemente; apenas movió la cabeza, como si tuviera miedo de asustarlo.

—He pensado muchas cosas, supongo… Teorías… Eh…

—¿Como cuál? —preguntó Charlie con suavidad.

—Pues… —John notaba que el calor le subía a las mejillas. «No tenía que haber accedido a verla.»

—¿John?

—Pues… Llegué a pensar que podías ser Sammy —murmuró.

Ella lo miró desorientada, como si no lo hubiera oído bien; luego abrió los ojos como platos.

—Sammy está muerto —dijo con voz tensa.

John miró al techo y se llevó las manos a las sienes.

—Lo sé —repuso, y la miró a los ojos de nuevo—. Pero, Charlie, yo eso no lo sé con seguridad. Y tú tampoco. ¿Qué es…? ¿Qué es lo último que recuerdas de Sammy?

—Ya sabes la respuesta a esa pregunta —contestó en voz baja y monótona.

—Viste cómo se lo llevaban —dijo John pasado un momento—. Ella no respondió. Viste cómo lo secuestraba, no cómo lo mataba. Dave o Afton... Springtrap. ¿Y si no lo mató? ¿Y si a Sammy lo crio William Afton? ¿Y si ese psicópata lo manipuló para que ocupara tu lugar, para que ocupara el lugar de Charlie tras su muerte? Además, Sammy podría ser el diminutivo de Samantha. Se me había olvidado esa parte. Siempre pudo haberse tratado de una niña —Charlie estaba inmóvil al otro lado de la mesa; apenas parecía respirar—. Sé cómo suena al decirlo en voz alta —añadió John apresuradamente—. Por eso no suelo hacerlo.

Charlie se había tapado la cara con una mano y le temblaban los hombros. Cuando levantó la vista, John se quedó sin habla: estaba riéndose. Era una risa algo histérica, como si pudiera pasar al llanto en cualquier momento. Aun así, John intentó sonreír.

—Ay, John —dijo por fin—. Es que no... Sabes que eso es una locura, ¿no?

—¿Más que cualquiera de las cosas que hemos visto? —repuso sin demasiada convicción.

—John, tú mismo me llevaste a ver la tumba, ¿te acuerdas?

John hizo una pausa, confundido por un momento, tratando de descifrar lo que acababa de oír.

—Me llevaste tú, a la tumba de Sammy.

—Te llevé al cementerio, pero nunca vi la tumba de Sammy, ni tampoco la de tu padre —la corrigió John.

—Pues ve a verlas cuando quieras —había impaciencia en la voz de Charlie.

John se sintió ridículo.

—Mi tía Jen me advirtió que no volviera a Hurricane —Charlie bajó la vista a la mesa—. Y tenía toda la razón. ¿Sabes algo de ella, por cierto?

—¿De tu tía? —preguntó John, desconcertado por el repentino cambio de tema—. Creía que estabas viviendo con Jen desde que dejaste la habitación con Jessica.

—Sí —dijo Charlie.

—¿Estabas viviendo con ella?

—¿La has visto?

—¿Cómo voy a haberla visto? —preguntó John despacio, sintiéndose un poco perdido de repente. Había visto a Jen dos veces: una cuando era niño, y la segunda, aquella terrible noche, agachada junto al traje roto y retorcido de Freddy sobre un charco de sangre de Charlie. Sin embargo, Charlie lo ignoraba—. Ya sabes que nunca he coincidido con ella —dijo, observando el rostro de Charlie.

La chica había adoptado un gesto pensativo que no cambió.

—Es que pensé que podría haber intentado ponerse en contacto contigo —añadió Charlie, absorta.

—Pues no. ¿Quieres que te lo diga si lo hace? —le ofreció John.

—Sí, por favor —contestó Charlie—. Hace tiempo que no la veo. Fue ella quien me rescató aquella noche —dijo—. Me llevó a su casa, me limpió y se aseguró de que estuviera bien —le dedicó una media sonrisa fugaz a John, quien se la devolvió con cautela.

—Creía que habías dicho que no recordabas nada de aquella noche —dijo, haciendo un esfuerzo para que sus palabras no sonaran como una acusación.

—Dije que hay muchas cosas de las que no me acuerdo. De todas formas, eso es lo que me contó Jen. La verdad es que lo primero que recuerdo es a ella despertándome a la mañana siguiente y pidiéndome que me pusiera el vestido que tenía para mí —Charlie hizo una mueca—. Ella siempre había querido que me vistiera más femenina. Parece una broma de mal gusto: resulta que después de unas pocas experiencias cercanas a la muerte, lo que más deseaba en el mundo era un cambio de look.

John sonrió y ella pestañeó exageradamente. Él se rio a su pesar.

—Entonces, ¿crees que pueda estar buscándote? —hizo una pausa, sin saber cómo plantear lo que iba a decir a continuación—. ¿Y tú quieres que te encuentre? —preguntó por fin.

Ella se encogió de hombros.

—Me gustaría saber dónde está.

—¿No está en la casa donde vives? ¿Cuándo se fue?

—Todo el mundo se va tarde o temprano —dijo Charlie con tono sarcástico, y él volvió a reírse, con menos entusiasmo esta vez.

«No has contestado a mi pregunta.»

Charlie miró el reloj; era más pequeño y femenino que el que traía antes (como todo lo que usaba ahora).

—Hay una peli de zombis bastante buena que empieza dentro de quince minutos, creo —dijo alegremente—.

El cine nuevo no está lejos de aquí. ¿Qué, probamos a repetir la vieja fórmula?

«¿Qué significa eso?» John contuvo una sonrisa.

—No puedo ir al cine —dijo—. Tengo que ir a otro sitio.

—¿Otro día? —preguntó Charlie.

John asintió.

—Sí, puede ser.

De camino a su coche, John se dio cuenta de que había una muchedumbre delante de la pizzería nueva. «Supongo que a todo el mundo le gusta el circo», pensó. Se acercó un poco mientras intentaba ver hacia dónde había ido Charlie, pero no la encontraba por ninguna parte. De repente, como si se fijara de pronto en unas siluetas ocultas en una foto, John se dio cuenta de que entre la multitud que tenía alrededor había un montón de payasos: caras maquilladas, disfraces con cuellos blancos fruncidos, narices de todas las formas y colores. Estaban por todos lados. Se apartó del gentío, pero tropezó con un gran zapato de payaso y casi se cae de la banqueta.

Una vez liberado de la marabunta, John respiró hondo y miró de nuevo el restaurante. Entonces vio por primera vez el letrero que habían colgado de la puerta de entrada, entre las dos caras gigantes de los payasos sonrientes: GRAN INAUGURACIÓN: ¡VEN DISFRAZADO DE PAYASO Y COME GRATIS! Echó un vistazo a su alrededor. Llegaba más gente, muchos disfrazados, y John sintió que se le erizaba el vello de la nuca. Miró tras de sí, pero no había nada siniestro, aparte de los payasos. Se obligó a observarlos uno por uno: la gente se había disfrazado con distintos grados de entusiasmo... Algunos llevaban petos, pelucas y enormes zapatos; otros sólo se habían pintado la cara y vestían playeras de lunares. Con todo, no consiguió deshacerse de la sensación de inquietud.

«Sólo es gente disfrazada», se regañó a sí mismo, y luego comenzó a reírse de repente, sobresaltando a una mujer que tenía cerca.

—Gente disfrazada. Como si eso me hubiera supuesto algún problema en la vida —murmuró entre dientes mientras se alejaba de la multitud, hacia el coche.

Mientras conducía de vuelta a casa, se notó agitado; en dos ocasiones miró el velocímetro y vio que había superado con creces el límite de velocidad sin darse cuenta. Se puso a dar golpecitos nerviosos con los dedos en el volante, pensando en el día siguiente. «¿Y ahora qué?» Ver a Charlie lo había perturbado más de lo que creía. Tras meses de cavilaciones solitarias, leyendo y releyendo sus extravagantes teorías, se había obligado a poner a prueba sus convicciones, a hacerle preguntas y a observar sus respuestas, así que era momento de cuestionarse: «¿Eres ella? ¿Eres mi Charlie?». Ahora que había pasado todo, le resultaba irreal, como un sueño de esos que permanecen latentes de forma desagradable una vez despierto. Cuando se aproximaba a la salida que lo llevaría hacia su casa, aceleró y la dejó atrás.

Se estacionó varias cuadras antes de llegar a casa de Clay Burke. Sacó las llaves del contacto y jugueteó con ellas en la mano durante un minuto; luego abrió la puerta con decisión y salió. Cuando llegó a la casa, vio que las luces estaban apagadas, excepto la de una ventana, que creía que era la del estudio de Clay. «Me pregunto si Carlton habrá vuelto a la universidad», pensó, sin saber si prefería que su amigo estuviera allí o no.

Tocó la puerta con los nudillos y esperó; más tarde, tocó el timbre. Un buen rato después, Clay abrió.

—John. Bien —dijo. Asintió, no parecía que su presencia lo hubiera sorprendido. Se hizo a un lado para dejarlo pasar y lo guio hasta el estudio—. ¿Quieres un café? —preguntó, señalando una taza que estaba en el escritorio.

—Es un poco tarde para mí —rehusó John—. Luego no hay quien me duerma.

Clay asintió con la cabeza.

—Estoy sustituyendo los vicios menores —se limitó a decir.

John miró la habitación a su alrededor. La última vez que había estado allí, usaron el escritorio como barricada contra un ejército de animatrónicos enojados.

—Arreglaste la puerta —advirtió.

—Arreglé la puerta —concedió Clay—. Madera de roble. Blindada. ¿Qué te trae por aquí?

—Vi a Charlie —Clay arqueó las cejas, pero no dijo nada—. Dijo algo que me llamó la atención: me preguntó si sabía algo de... —John se detuvo, con la sensación repentina de que alguien lo observaba.

Clay tenía la cabeza inclinada a un lado, como si también notara algo. En silencio, se acercó a la ventana cerrada, se situó detrás de una de las largas cortinas verde claro y miró hacia fuera por la rendija.

—Todo el mundo está un poco alterado por culpa de esos frikis que van por ahí con la cara pintada —dijo sin levantar la voz. Cerró las cortinas y volvió junto a John—. Siéntate —le ofreció; había dos sillones tapizados de verde oscuro y un sofá a juego contra una de las paredes. John se sentó ahí. Clay tomó la silla de oficina y la arrastró por la alfombra para estar más cerca de él—. ¿Qué te preguntó Charlie? —dijo Clay.

John miró por la ventana de nuevo; sentía como si de ella emanaran oleadas de terror que se extendieran por la estancia como una niebla invisible. Clay volvió a mirar por encima del hombro, pero sólo un segundo. John carraspeó.

—Me preguntó por su tía Jen. Que si la había visto. Pensé que quizá tú sabrías algo —añadió con cierta inseguridad.

Clay parecía perdido en sus pensamientos, y John llegó a preguntarse si debía repetir lo que había dicho.

—No —dijo Clay por fin—. ¿Te dijo Charlie por qué te preguntaba eso?

John negó con la cabeza.

—Sólo me dijo que quería saber si yo había tenido noticias sobre ella. No sé por qué pensó que yo podría saber algo, la verdad —repuso. Elegía su vocabulario con esmero, como si pronunciar las palabras correctas en el orden correcto pudiera desbloquear una puerta en la cabeza de Clay y convencerlo de que le contara lo que sabía. Pero su amigo se limitó a asentir, pensativo—. ¿Tú la conoces? —preguntó John.

—Nunca me la han presentado —dijo Clay—. Es más grande que Henry, creo —se quedó callado un momento y movió la taza de un lado a otro, haciendo girar las últimas gotas del fondo—. Cuando se mudó aquí, Henry apenas salía; lo único que sabíamos era que había perdido a un hijo —Clay se incorporó despacio—. No los veíamos mucho, ni siquiera a Charlie, pero luego... —dejó escapar un doloroso suspiro—. Jen estuvo aquí cerca de un año, y era ella quien se encargaba de la niña. Jen no se separaba del lado de Charlie. Supongo que Henry ya no se fiaba de nadie, y no lo culpo.

—Siempre me dio la sensación... —John hizo una pausa, escogiendo sus palabras otra vez—. Charlie siempre me dio la sensación de que era una persona fría.

—Bueno, como ya dije, después de algo así... —dijo Clay—. Me sorprendió que Jen adoptara a Charlie tras la muerte de Henry —continuó.

—¿Y la madre de Charlie? —preguntó John con tono vacilante.

Le parecía que se estaba metiendo donde no lo llamaban, más aún sin Charlie presente: se sentía como si estuvieran hablando de ella a sus espaldas.

—No, la madre de Charlie se marchó antes de que ella y su padre se mudaran a Hurricane —contestó Clay—. Henry nunca dijo una mala palabra sobre ella. La verdad es que más bien no hablaba de ella; sin embargo, un día le pregunté, sólo por curiosidad. Quizás era el detective que habita en mí; no pude evitarlo. Se quedó mucho rato pensando antes de contestar; luego me miró con tristeza y dijo: «Ella no sabría qué hacer con mi niña». No volví a sacar el tema después de eso. O sea, sabía que habían perdido a su otro hijo. Supongo que asumí que la madre de Charlie había tenido una depresión o algo así, o que, simplemente, se había visto incapaz de cuidar de una criatura que se parecía tanto a la que había perdido. Aunque he de decir, y el mérito de esto es de Jen, que Charlie salió bien —sonrió y asintió con la cabeza—. Es un poco rara, pero es una buena chica.

—Es única, eso está claro —apostilló John.

—Eso, única —dijo Clay con tono inexpresivo.

Las paredes temblaron un instante debido a una fuerte ráfaga de viento que azotó la casa. John miró la habitación, incómodo, y entonces advirtió algo familiar en un rincón, escondido entre el extremo de una repisa y el muro.

—¿Ésa es Ella? —preguntó John, señalando el objeto.

Clay pareció quedarse en blanco un momento.

—¿La muñeca? Apareció entre los escombros de la vieja casa de Charlie. El resto se lo llevaron, pero yo me quedé con esto.

—Se llama Ella —dijo John—. La hizo el padre de Charlie; antes avanzaba por un riel y traía un juego de té.

—Le pregunté a Charlie si la quería —dijo Clay—. No pareció interesada.

—¿No pareció interesada? —repitió John, alarmado.

Clay sacudió la cabeza con aire ausente.

—Me cuesta creer eso —dijo John con incredulidad mientras sostenía el juguete entre los brazos.

Clay volvió en sí.

—Bueno, dile que está aquí por si la quiere recuperar.

—Lo haré —dijo John, dejando la muñeca en su sitio. Clay miró hacia la ventana de nuevo. Parecía preocupado—. ¿Pasa algo? —preguntó John.

—Nada —repuso Clay.

John arqueó las cejas.

—¿Seguro?

Clay suspiró.

—Secuestraron a una niña esta mañana.

—¿Qué?

—Una niña pequeña, desapareció en algún momento entre la medianoche y las seis de la mañana —Clay lo miraba impertérrito; John se afanó en buscar algo que decir, sin éxito—. Es la segunda en este mes —añadió Clay en voz baja.

—No había oído nada —dijo John. Miró la ventana cuando el viento empezó a aullar afuera y luego volvió a observar a Clay; enseguida notó aquel nudo de miedo detrás de su cabeza, otra vez—. ¿Alguna pista? —John hizo la primera pregunta que se le vino a la mente.

Clay no contestó. Al cabo de un rato de silencio, John lanzó la siguiente pregunta:

—¿Crees que tiene algo que ver con...? No sé, niños desaparecidos... no es la primera vez que pasa aquí.

—No, no lo es —Clay tenía la mirada perdida en el espacio que los separaba como si viera algo allí en medio—. Pero no sé qué relación pudiera tener; ya demolieron Freddy's.

—Bueno —dijo John—. Entonces, ¿no tienes ninguna pista?

—Hago lo que puedo —Clay bajó la cabeza y se pasó las manos por el pelo; luego se enderezó—. Lo siento. Esto me tiene con los nervios de punta. Es como si reviviera aquellos días: niños, la misma edad que mi hijo… la misma edad que ustedes cuando… los secuestraron uno tras otro, y entonces tampoco pude hacer nada para detenerlo.

—Michael —dijo John en voz baja.

—Michael. Y los demás. En este mundo, el mal nunca descansa.

—Pero para eso te tenemos a ti, ¿no? —John sonrió.

Clay resopló.

—Bueno. Ojalá fuera tan sencillo.

—¿Dices que hay dos niños desaparecidos? —preguntó John, y su atención se fue de nuevo hacia el sonido del viento, que empujaba ramas y hojas contra las paredes de la casa.

Clay se levantó, fue hacia la ventana con aire casi desafiante y la abrió de par en par. John se sobresaltó al oír el ruido del vidrio separándose del marco. Desde donde estaba, le pareció que Clay inspeccionaba la zona mientras fingía respirar una bocanada de aire.

Pasado un rato, volvió al interior y cerró la ventana; luego, las cortinas.

—Puede que la cosa no sea tan fea como parece ahora, John. Suele haber una explicación lógica, y la mayoría de los niños aparecen de un modo u otro. Pasó hace dos semanas con un niño llamado Edgar… nosequé. Dos años y medio.

—¿Qué pasó?

—Sus padres llevaban más de un año disputándose la custodia. El padre acabó perdiendo la batalla… Sólo podía ver al niño una vez al mes, en visitas supervisadas, y por una buena razón. Edgar desapareció. Sorpresa, sorpresa. Lo encontraron unos días más tarde, sano y salvo. Se había ido de viaje improvisado con su padre. En la mayor parte de los casos, los secuestros los perpetra uno de los progenitores.

—¿Eso es lo que crees que está pasando ahora? —preguntó John, escéptico.

—No —se apresuró a contestar Clay—. No, no —repitió con gravedad. Respiró hondo y se inclinó hacia delante—. Y no ayuda que la ciudad entera esté obsesionada con ese nuevo restaurante, todos disfrazados de payasos… Para mis agentes es una pérdida de tiempo tener que estar controlando a las masas… o a los payasos.

—¿Puedo hacer algo? —preguntó John, aunque no sabía qué ayuda podía proporcionar él.

—Tal vez —repuso Clay—. Si estoy en lo cierto, puede que te necesite. Y voy a necesitar… —hizo una pausa.

—Charlie —dijo John—. Vas a necesitar a Charlie.

Clay asintió.

—No es justo pedirle algo así —se disculpó Clay—. Después de todo lo que le ha pasado. Pero lo haré si es necesario.

—Claro —dijo John. Clay estaba mirando otra vez el hueco entre ambos. De repente, John sintió que sobraba—. Se está haciendo tarde.

—Sí, bueno, ten cuidado ahí afuera —dijo Clay, quien se puso de pie apresuradamente—. ¿Quieres llevarte mi pistola? —añadió como si nada.

Sonrió, pero tenía el rostro tenso, como si una parte de él quisiera que se la llevara.

—No la necesito —John le devolvió la sonrisa—. Tengo esto —levantó un puño cerrado en el aire y amenazó a la habitación antes de salir.

—Muy bien, hombre rudo, nos vemos pronto —dijo Clay con gesto adusto.

John emprendió el camino de vuelta hacia su coche. Ya había caído por completo la noche; en realidad, ya estaba así desde que había llegado, pero apenas se daba cuenta. El alumbrado público no iluminaba lo suficiente; los charcos de luz bajo sus pies se perdían a pocos metros. Sus pasos resonaban con fuerza y no parecía haber manera de acallarlos. El rugido distante de la carretera era demasiado débil para taparlos, y el viento ahora estaba en calma, como si se estuviera escondiendo temporalmente. Algo se movió a unos metros de él. John se detuvo en seco: por la calle se acercaba otra persona disfrazada, pero ésta tenía algo raro. Se dirigía hacia él caminando por el centro de la calle a paso constante. John se quedó donde estaba, entre dos de los árboles altos y delgados que estaban plantados en la banqueta, con los ojos fijos en la figura que se aproximaba.

A medida que se aproximaba, un escalofrío recorrió la espalda de John: los movimientos del payaso eran femeninos, pero algo no cuadraba. Su andar era algo así como mecánico, aunque grácil. Se le cortó la respiración. La payasa se deslizaba hacia él como un espectro. La criatura mantuvo la mirada al frente al pasar a su lado; John aguardó, con la esperanza de mantenerse fuera de su campo visual. Pero cuando pasó junto a él, la mujer movió los ojos hacia su dirección, girando la cabeza casi imperceptiblemente, como si sólo quisiera dejar constancia de que lo había visto.

John también la vio, primero para admirar la elegante y controlada belleza de su rostro, que lucía una hendidura en el centro por arte de algún tipo de maquillaje. John dio un paso atrás instintivamente (ya había visto monstruos antes) y se preparó para salir corriendo o para pelear si era necesario. Sin embargo, cuando el corazón empezó a latirle con fuerza en el pecho, ella apartó la mirada y se deslizó en la oscuridad con la misma gracilidad con la que había aparecido. John se quedó observándola un momento y luego siguió su camino hacia el coche. Se asomó por el espejo retrovisor, pero no había nadie. Mientras conducía, miró el retrovisor más a menudo de lo necesario. No podía dejar de pensar en aquellos ojos relucientes y penetrantes: la payasa lo había mirado como si lo conociera, como si pudiera ver a través de él.

—Tranquilízate —le dijo al coche vacío—. Sólo era una tipa rara disfrazada.

Pero decirlo en voz alta no lo hacía más convincente.

ϒ

Clay volvió a su estudio y se acercó a la ventana. Abrió una rendija en las cortinas para asegurarse de que John daba vuelta en la esquina y desaparecía de su vista. Suspiró, se sentó en su escritorio, tomó la carpeta que contenía el archivo del caso del segundo niño desaparecido y se puso a revisarlo. La información que necesitaba no estaba allí, pero eso no le impidió repasarlo una y otra vez. Los agentes habían hecho su trabajo con diligencia: habían ido adonde había que ir, habían hablado con quien había que hablar y habían hecho las preguntas equivocadas. «Pero es que ellos no saben lo que yo sé.»

Se oyó un ruido en el pasillo, un crujido nítido. Clay levantó la vista y dejó la carpeta con cuidado sobre el escritorio.

—¿John? —dijo, pero no obtuvo respuesta.

Con una calma muy ensayada, Clay llevó la mano a la pistola que guardaba en un estuche debajo de su escritorio y quitó el seguro. Se acercó a la puerta del estudio y se detuvo, aguzando el oído, en espera de otro ruido proveniente del vestíbulo a oscuras. No oyó nada. Cerró la puerta y echó el pasador.

Retrocedió hasta el centro de la habitación y se quedó allí de pie, escuchando. Tras un rato sin oír nada, bajó la vista y relajó los hombros, más tranquilo, pero de repente volvió a levantar los ojos y apretó la mandíbula. Dio un paso atrás, con la vista fija en el centro de la puerta que tenía enfrente. Alzó la pistola y apuntó. Pasaron varios minutos, pero Clay no se movió. Había algo en el descanso.

ϒ

John dejó que la puerta se cerrara tras él con un fuerte portazo y tiró las llaves sobre la cubierta de la cocina. Se dejó caer pesadamente en el sofá y echó la cabeza hacia atrás, vencido por el cansancio. Tan sólo un minuto después, levantó la cabeza de nuevo: de su habitación provenía otra vez aquel ruido extraño. Se escuchaba un poco como el sonido que había estado haciendo la cabeza de conejo, pero había algo distinto, aunque no podía discernir qué. Parecía una voz, y luego estática, una voz y luego estática. Repetía algo.

La puerta de la habitación estaba casi cerrada por completo. John se levantó del sofá y se acercó despacio por un lado, poniendo un pie tras otro en silencio, apenas rozando el piso con las suelas de goma de sus zapatos. Abrió la puerta con cuidado: el ruido sonaba más fuerte, más claro; la voz era continua, confusa y amortiguada. John encendió la luz y fue hacia donde estaba la cabeza de Theodore. Se inclinó hasta que sus ojos estuvieron a la altura de los ojos de plástico del conejo y escuchó. La cabeza le devolvió la mirada, masculló unas palabras, emitió estática de nuevo, y un instante después las repitió. John tomó un cuaderno y un bolígrafo de la cama y cerró los ojos para concentrarse en los sonidos.

Un minuto después, empezó a oír unas palabras.

—¿Estrella? —susurró John—. Reluciente... Estrella... ¿de plata?

Siguió escuchando, pero no conseguía descifrar el resto. John rechinó los dientes y abrió los ojos para lanzarle una mirada furibunda a la cabeza de peluche, la cual seguía repitiendo su cantaleta incoherente. Inhaló profundamente y dejó salir el aire, tratando de aliviar la tensión del cuello, de la mandíbula, de la espalda. Se sentó en la cama, dejó el bolígrafo y el papel y cerró los ojos de nuevo. «Escucha.» Los sonidos se repetían una y otra vez. De repente, los entendió, como las letras de las canciones después de oírlas mil veces. John comprendió.

—¿Estrella reluciente? Nosequé... de plata. ¿Arrecife? ¿Arrecife de plata? Estrella reluciente, arrecife de plata.

—Estrella reluciente, arrecife de plata —repitió Theodore.

John se puso de pie y acercó la oreja a la nariz de Theodore en un intento por comprobar que lo había entendido bien.

—Estrella reluciente, arrecife de plata... —entonó el conejo.

John salió corriendo para volver a meterse al coche y salir pitando.

Cuando llegó a casa de Clay de nuevo, John se detuvo en seco: la puerta de la calle estaba abierta y la luz iluminaba el patio desde el interior. Subió los escalones gritando:

—¡Clay! Clay, ¿estás aquí? —entró corriendo y sin dejar de gritar, se dirigió al estudio de Clay, que estaba a pocos metros del vestíbulo de entrada—. ¡Clay!

John cayó de rodillas junto a Clay; estaba en el suelo, con un lado de la cara salpicado por su propia sangre y un charco de ésta debajo de la cabeza. Tenía los ojos cerrados. John le tomó la muñeca y presionó los dedos sobre las venas con la esperanza de encontrar pulso: tras unos segundos frenéticos, lo detectó; sintió un gran alivio, aunque sólo momentáneamente.

—¿Clay? —repitió John, moviéndolo con cuidado.

Clay no contestó. John miró a su alrededor, alarmado; la puerta nueva, la que Clay había descrito como «blindada», estaba hecha pedazos. Lo que quedaba en pie colgaba de la bisagra superior. John se apresuró a arrastrar a Clay hasta el vestíbulo como pudo.

Volvió a mirar el estudio: la silla estaba volcada en el suelo y todo lo que había sobre el escritorio estaba desperdigado por la alfombra. Le dio una palmadita en el hombro a Clay.

—Te pondrás bien —dijo con voz ronca.

Entró al estudio, levantó el auricular del teléfono y marcó el 911. Mientras esperaba a que lo atendiera un operador, miró nervioso la puerta destrozada. Otra ráfaga de viento sopló desde la puerta principal y salió por la ventana abierta como si se llevara con ella el terrible acontecimiento que había tenido lugar allí.

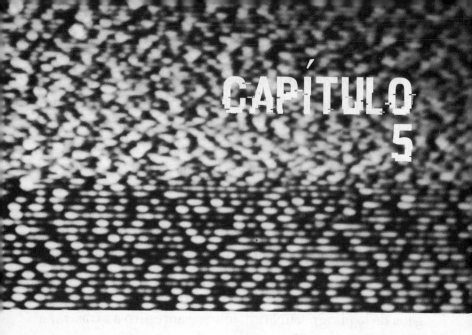

CAPÍTULO 5

*E*l silbido continuó; no había dónde esconderse de él. El dolor era aleatorio, no seguía ningún patrón lógico, y ellos se amontonaban confundidos.

—No se muevan —dijo una voz, y todos temblaron de miedo, porque conocían bien aquella voz terrorífica. Inmóvil como un animal asustado, tratando de esconderse pero completamente expuesto; gritos internos y sangrientos al mundo. La sombra bloqueó la luz que venía de arriba—. Si continúan moviéndose, seguiré arrancándoles las partes móviles del cuerpo —gruñó la voz. El silbido se hizo más fuerte y, con un chasquido repentino y una descarga de dolor estremecedor, la sombra se retiró con algo entre las manos—. Volveré pronto.

ϒ

—No tardé ni una hora en volver —dijo John en voz baja, acercándose para que Jessica pudiéra oírlo por encima del ruido de la televisión de la sala de espera del hospital—. Volví y estaba allí tirado. Si me hubiera quedado un poco más…

Las palabras se le apagaron y Jessica le dirigió una mirada compasiva. Él tomó su mochila del suelo y se la puso en el regazo. Tocó el bolsillo frontal para asegurarse de que la cabeza de Theodore seguía donde la había metido.

—¿Tú crees que fue un ajuste de cuentas sin más? —preguntó, y, acto seguido, se sonrojó—. No me refiero a «sin más» como si no importara, lo que quiero decir es que seguramente Clay tiene más de uno y más de dos enemigos al ser el jefe de la policía. Quizá no tenga nada que ver con… —miró alrededor y bajó la voz—. Nada que ver con nosotros.

John volvió a mirar la mochila en su regazo.

—La puerta… estaba destrozada, Jess.

Jessica miró hacia el pasillo con nerviosismo, como si le preocupara que Clay pudiera oírlos.

—Bueno, sea como sea, no es culpa tuya.

Un pesado silencio se instaló entre ellos, sólo interrumpido por las voces enloquecidas que salían de la televisión, donde se veía un *collage* de caras de payasos espantosos. Por un momento, John se perdió en la imagen, en busca de un indicio de la aparición con la que se había cruzado en silencio en la calle, pero no parecía estar entre la multitud.

—La gente se ha vuelto loca este fin de semana —dijo Jessica llamando la atención de su amigo—. Todos con esos disfraces… ¿Supiste lo del niño al que secuestraron?

—Sí —contestó John—. Me lo dijo Clay. De hecho, cuando fui a verlo... —se interrumpió al ver que una enfermera se dirigía hacia ellos.

—¿John, Jessica? —dijo, como si ya supiera la respuesta.

—Sí, somos nosotros —contestó Jessica con un rastro de ansiedad en la voz.

La enfermera le sonrió.

—El jefe Burke quiere verlos. He tratado de decirle que las visitas se deberían limitar exclusivamente a la familia ahora mismo, pero, bueno, son órdenes del jefe de policía.

La habitación estaba tan sólo a unas puertas de distancia por el pasillo, pero las luces deslumbrantes y las superficies grisáceas y resbaladizas desorientaban un poco. John entrecerró los ojos para protegerse del potente resplandor. Jessica iba delante de él y chocó con ella antes de darse cuenta de que se había detenido ante la puerta de Clay.

—¿Qué pasa? —preguntó, confundido, sin entender por qué no se movía.

Ella se dio la vuelta y se acercó para susurrarle al oído:

—¿Puedes entrar tú primero?

—Sí, claro —contestó en tono comprensivo—. No está tan mal, Jess, te lo prometo.

—Bueno, pero...

Con gesto de preocupación, dio un paso atrás para que John pudiera acercarse al umbral.

La puerta estaba abierta y se veía a Clay, aparentemente dormido. Llevaba una bata de hospital y le habían limpiado la sangre de la cara; tenía la piel cetrina. Una línea de puntos de sutura negros le recorría la frente hasta el pómulo, cruzándole la ceja por la mitad.

—Estuvo a punto de perder ese ojo.

Jessica dio un brinco. Al parecer, la enfermera los había seguido.

—No parece que esté muy consciente —dijo John en voz baja—. ¿Está segura de que quería hablar con nosotros?

—Está en una especie de duermevela —contestó la enfermera a un volumen normal—. Pasen, no le hará mal charlar un ratito.

—Hola, Clay —dijo John, no sin cierta extrañeza, acercándose a la cama—. Carlton y Marla vienen en camino. Llegarán enseguida.

Jessica miró a la anciana que estaba dormida en la cama de al lado, y la enfermera pasó junto a ella y cerró la cortina que separaba a ambos pacientes.

—Un poco de privacidad, si es que puede llamarse así —dijo la enfermera con tono seco, y luego se fue cerrando la puerta tras de sí.

En cuanto la enfermera estuvo fuera de la habitación, Clay abrió los ojos.

—Bien —dijo. Sólo le salió un hilo de voz y no levantó la cabeza de la almohada, pero en sus ojos brillaba una mirada aguda—. No me desconecten todavía, que sigo aquí —dijo con tono burlón.

John esbozó una sonrisa irónica.

—Okey, todavía no —concedió.

—¿Cómo estás? —preguntó Jessica.

—Toma mi abrigo —dijo Clay, señalando la única silla que había en la estancia, sobre cuyo respaldo estaba un saco gris oscuro.

Jessica se apresuró a tomarlo y Clay lo manipuló un minuto antes de extraer un sobre blanco y largo del bolsillo interior. Se lo extendió a John, incorporándose un poco; éste lo agarró y Clay volvió a dejarse caer sobre la almohada, respirando con pesadez.

—Tranquilo —dijo John, alarmado.

Clay asintió con gesto débil y los ojos cerrados.

—Debe de tener un alcance —murmuró.

—¿Cómo? —Jessica se inclinó hacia John y ambos intercambiaron una mirada de preocupación.

—Debe de tener un alcance máximo —la cabeza de Clay se balanceó hacia un lado y su respiración se ralentizó: parecía que estaba perdiendo la consciencia otra vez.

—¿Llamamos a la enfermera?

Jessica miró a John, quien estudió el monitor y luego sacudió la cabeza.

—Sus signos vitales están bien.

—¡No eres médico, John!

—¿Cerramos la puerta un poco más? —preguntó John, ignorándola.

Jessica obedeció a regañadientes, dejándola apenas entreabierta unos centímetros. John le dio la vuelta al sobre: no tenía dirección ni estaba cerrado, y pesaba. Lo abrió y algo pequeño cayó del interior: era un grupo de fotografías de al menos un centímetro de grosor. En la primera aparecían Charlie y él en el restaurante de la noche anterior. Parecía como si la hubieran tomado desde el exterior del local, a través de la ventana. John siguió pasando las fotos: repasaban su cita con Charlie, hasta que se habían separado; en una estaban comiendo, en otra saliendo del restaurante, en otra despidiéndose... Todas estaban tomadas desde lejos. Algunas estaban descuadradas; en otras, las figuras estaban desenfocadas... El fotógrafo no se había esmerado demasiado en la composición. Había una última instantánea en la secuencia: Charlie se alejaba hacia la multitud reunida frente a la nueva pizzería; John distinguió su propia cabeza de espaldas en la esquina inferior de la foto. La puso rápidamente detrás de las otras y siguió mirándolas. La secuencia siguiente mostraba a Jessica y a Charlie en una tienda de ropa, entrando y saliendo de un probador con distintos modelos, charlando y riéndose. Las fotografías parecían haber sido tomadas desde el lado opuesto de la tienda... En los bordes de algunas se apreciaba un trozo de tela, como si la persona las hubiera tomado escondida detrás de un perchero.

John sintió un ramalazo de repulsión e ira. Las fotografías del restaurante eran malas, pero éstas resultaban mucho más invasivas, una intromisión en la intimidad. Miró a Jessica; se había acercado a la ventana y levantaba algo con la mano de forma que le diera la luz. John se dio cuenta tras un instante de que era un negativo. Intentó mirar por encima del hombro de Jessica, pero ella bajó la pequeña película y se dio la vuelta.

—En todas estas fotos salimos nosotros —dijo en voz baja.

Él levantó el montón de fotografías.

—Y en éstas también.

Jessica extendió la mano en silencio: él le pasó la mitad y ambos se pusieron a mirarlas con atención. Abarcaban varios momentos: había unas pocas de Jessica y Carlton reunidos con Charlie en un café; John le enseñó una a Jessica y ella asintió.

—Ésa es de cuando Charlie volvió —dijo. Frunció el ceño y levantó una fotografía de Charlie, Marla y ella saliendo de un edificio—. Ahí está mi casa —dijo con voz tensa—. John, es como si alguien hubiera contratado a un detective privado para seguirnos a todos. ¿Cómo las tomaron? ¿Y por qué?

—No lo sé —repuso John despacio.

Volvió a mirar la foto que tenía entre las manos, la última del montón. La habían tomado de noche, al aire libre, pero las figuras se distinguían con claridad: el propio John estaba mirando a la cámara, con las manos metidas en los bolsillos. El abatimiento era evidente incluso desde tan lejos. Charlie estaba de espaldas a la cámara; se abrazaba con tanta fuerza que se distinguía cómo los dedos sujetaban la parte trasera del vestido, en un intento contorsionado e inútil de encontrar consuelo. «Charlie.» Sentía tensión en la cabeza y le dolía el pecho. John dobló la foto con gesto reflexivo y se la guardó en el bolsillo; luego giró la cabeza para asegurarse de que nadie se había dado cuenta. Jessica no dijo nada.

John carraspeó.

—Fui a ver a Clay porque quería enseñarle algo.

—¿Qué? —Jessica se acercó.

John fue hasta la puerta y echó una ojeada afuera, y luego se asomó tras la cortina para mirar a la anciana. Seguía dormida. Se quitó la mochila y sacó a Theodore. Jessica soltó un gritito y luego se tapó la boca con la mano.

—¿De dónde lo sacaste? —preguntó.

John dio un paso atrás, sobresaltado por aquel repentino tono suspicaz.

—¿Por qué? ¿Qué te pasa? —preguntó.

—Es raro. Siempre he odiado esa cosa —Jessica movió la mano junto a su cara—. Los experimentos robóticos de Charlie siempre me han dado miedo, pero la verdad me alegro de verlo.

—Bueno, éste tiene un secreto interesante.

—No dejes que Charlie lo vea; ha estado tirando cachivaches, cualquier cosa relacionada con su padre. Seguramente sea por la aceptación del duelo y todo eso, pero, aun así…

—No, no se lo voy a enseñar. Va a sonar muy loco, pero Theodore ha estado… hablándome, y ayer…

No necesitó continuar. Un sonido confuso y lleno de estática emergió de la cabeza del conejo, y Jessica hizo una mueca. Antes de que pudiera decir algo, el sonido cambió.

Ahora que sabía lo que decía, las palabras le sonaban clarísimas; Jessica inclinó la cabeza hacia un lado escuchando con atención.

—¿Dice «arrecife de plata»? —preguntó.

—Y «estrella reluciente». Estrella reluciente, arrecife de plata —Theodore seguía repitiendo la frase, pero John lo metió de nuevo a la mochila y lo tapó con una playera medio limpia para amortiguar el sonido. Se acordó de las fotos, las puso en el sobre y lo guardó también en la mochila antes de deslizar el cierre—. Lo descifraste más rápido que yo —le dijo a Jessica.

Ella asintió con gesto ausente y la mirada perdida.

—Arrecife de plata… —repitió.

—¿Te dice algo? —preguntó John con una chispa de esperanza.

—Hay una ciudad muy cerca de Hurricane que se llama Silver Reef… Arrecife de plata —explicó Jessica.

—¿La familia de Charlie habrá vivido allí? —dijo John. Ella sacudió la cabeza.

—No. Es un pueblo fantasma. Allí no vive nadie.

—¡Jessica! ¡John! —la voz de Marla rompió el silencio.

Al voltear vieron que Carlton estaba detrás de ella, pálido y tenso. Pasó junto a los demás y fue directo a la cama.

—Papá, ¿estás bien? —Carlton vaciló junto a Clay: estiró la mano para tocar la suya y luego la apartó—. ¿Está bien? —miró a los demás y Marla se adelantó para estudiar los monitores.

—Está bien, Carlton —le dijo mientras le ponía una mano en el hombro.

Él asintió con gesto rígido sin apartar los ojos del rostro inmóvil de Clay.

—Se recuperará —dijo John intentando transmitir seguridad—. Hace un momento estaba despierto y nos habló. La enfermera dijo que va a estar bien.

—¿Qué pasó? —preguntó Carlton en voz baja.

John sacudió la cabeza.

—No lo sé —dijo con impotencia—. Llegué demasiado tarde.

Carlton no contestó, pero tomó una silla, la colocó junto a la cama y se sentó. Apoyó la barbilla en el puño, encorvándose.

—Se va a recuperar —repitió Marla, y luego miró a su alrededor con gesto perplejo—. ¿Y ésta dónde se metió?

—¿Quién? —preguntó Jessica, alarmada, mirando a John.

John miraba a la puerta: Charlie estaba parada fuera de la habitación.

—Charlie. Hola, pasa —dijo en voz alta, preguntándose con sentimiento de culpa si habría oído algo de la conversación que acababa de tener lugar.

Ella entró a la habitación, pero se quedó atrás. John miró su mochila, en el suelo, a los pies de la cama de Clay. Para su alivio, el ruido parecía haber cesado. Cuando levantó la vista, Charlie le dedicó una sonrisa avergonzada.

—No me gustan mucho los hospitales —dijo con suavidad—. ¿Está bien?

No giró la cabeza y John se dio cuenta de que se había quedado deliberadamente donde no pudiera ver a Clay.

—Estará bien —repuso—. Está bien.

Ella asintió, pero permaneció donde estaba, escéptica.

—¡Tuvo suerte de que estuvieras allí! —exclamó Marla—. John, puede que le hayas salvado la vida.

—Mmm, a lo mejor —dijo—. No lo sé.

Le apretó la mano a su amiga y luego la soltó. Volteó de nuevo hacia Charlie; ella esbozó una breve y tensa sonrisa con los brazos cruzados. La enfermera entró y Marla la interceptó para llevarla aparte y que le diera el informe sobre el estado de Clay. Jessica aprovechó para hablar.

—John, tengo que irme. Tengo clase esta tarde. Recógeme a las siete, sé puntual.

—Okey —susurró John.

Jessica se dirigió a la puerta, dejando allí a los demás. Charlie la observó hasta que desapareció de su vista, y luego miró otra vez a John un instante antes de volver a fijar su atención en la enfermera. John contempló la habitación: ahora que Jessica se había ido, se sintió repentinamente desconectado, menos cómodo entre aquellas personas de lo que habría estado en el pasado. Sin mediar palabra, se deslizó por el hueco de la puerta ignorando a Marla, quien le habló mientras se alejaba.

Sólo había avanzado unos pocos metros por el pasillo cuando Jessica lo tomó del brazo.

—¡John!

—¡Eh! —protestó, y luego vio que había alguien a su lado: una mujer rubia y menuda que parecía haber estado llorando. Sus ojos enrojecidos eran la única nota de color en su pálido rostro—. ¿Qué pasa? —preguntó con cautela.

—Ella es Anna —dijo Jessica—. Clay… El jefe Burke estaba… está… ayudándole a… —carraspeó—. Su hijo desapareció. El jefe Burke llevaba el caso.

—Ah —repuso John, incómodo—. Lo siento mucho, señora.

Anna se sonó la nariz con un pañuelo arrugado.

—Estaba en la estación y oí que alguien… Dijeron que el jefe Burke estaba aquí, y sólo necesito saber si está bien. ¿Está bien? —preguntó ansiosa.

—Se pondrá bien —dijo Jessica.

Anna asintió sin parecer muy convencida.

—Cuando fui a denunciar que Jacob… había desaparecido, el agente que me atendió me preguntó por mi exmarido y me dijo que seguramente él se había llevado a Jacob. Yo le respondí que ese hombre nunca se llevaría a Jacob, ¡no sabría qué hacer con él!

—Bueno —dijo John cambiando de postura, incómodo—. Nosotros no trabajamos para la policía…

—Ya lo sé —dijo rápidamente agitando la cabeza—. Lo siento, no pienso con claridad, es que hace un rato oí a la enfermera hablando con ustedes en la sala de espera. El jefe Burke estaba allí cuando el otro sargento me dijo que le llamara a mi exmarido; me llevó aparte y me hizo varias preguntas, y luego dijo que encontraría a mi hijo y yo le creí.

—Es un gran policía —dijo Jessica con suavidad—. Y una gran persona. Encontrará a su hijo.

Anna se apretó la boca con la mano para ahogar un sollozo y empezó a llorar de nuevo.

—¿De verdad se pondrá bien? Escuché… —a la mujer se le rompió la voz.

John le puso una mano en el hombro.

—Se pondrá bien —dijo con voz firme—. Acabamos de verlo; habló con nosotros—. Anna asintió, aunque no parecía convencida. Jessica miró a John desesperada. Él rebuscó en su cabeza algo más que decir—. Encontrará a… Jacob, ¿cierto? —preguntó.

Anna asintió entre lágrimas.

—¡Anna! —una mujer mayor dio vuelta en la esquina con energía y Anna giró al oír su nombre.

—Mamá —dijo, y la tensión de su voz se aflojó un poco.

Su madre la rodeó con los brazos. Anna la estrechó y siguió llorando en su hombro.

—No pasa nada —susurró la madre de Anna. La mujer articuló un «gracias» en silencio dirigido a John y a Jessica, quienes hicieron un gesto con la cabeza, intercambiaron una mirada y se encaminaron a la puerta de salida del hospital.

En cuanto estuvieron en el estacionamiento, Jessica resopló como si hubiera estado aguantando la respiración y abrazó a John con fuerza. Él, sorprendido, la estrechó entre sus brazos.

—Todo estará bien —dijo.

Ella se apartó.

—¿De verdad? —preguntó Jessica con los ojos húmedos—. Fuiste muy amable al decirle a esa pobre mujer que Clay encontrará a su hijo, pero John, tú y yo sabemos que cuando los niños desaparecen en esta ciudad… nadie los encuentra.

John negó con la cabeza. Quería discutir con ella, pero sentía un peso enorme en la boca del estómago.

—No tiene que acabar así esta vez —dijo sin convicción.

Jessica enderezó el cuerpo y se secó los ojos como con gesto desafiante.

—No puede ser. No puede acabar así otra vez, John. Si ese niño tiene algo que ver con todo esto, tenemos que encontrarlo y llevarlo de vuelta a su casa. Por Michael.

John asintió; antes de que pudiera contestar, ella se alejó a grandes zancadas hacia su coche y se fue, dejándolo solo en el estacionamiento.

Aquella tarde, en cuanto John se detuvo frente al edificio de Jessica, ella salió a toda prisa. Abrió la puerta del coche y se metió a la velocidad de la luz.

—Vamos —dijo con urgencia, y él arrancó.

—¿Qué ocurre, pasó algo? —preguntó John.

—Tú conduce, deprisa.

—¡Okey, pero ponte el cinturón! —le ordenó mientras tomaban una curva.

—¡Disculpa! No pasa nada —dijo ella—. Es que no me gusta pensar que puede haber alguien ahí espiándome.

—Okey —concedió él mirando por el espejo retrovisor—. Pero ya es de noche, yo creo que ya estamos a salvo.

—Eso no me alivia nada.

—¿Qué piensas? —preguntó John pasado un momento—. ¿Notaste algo raro en las fotos?

—¿Que bastan para conseguir una orden de arresto casi en cualquier estado? —bromeó, aunque su voz denotaba ansiedad.

—En ninguna salimos solos —dijo John—. Y en ninguna estábamos solos tú y yo, o sólo tú y Marla.

—Quieres decir que esto tiene que ver con Charlie —repuso Jessica, quien lo entendió de inmediato.

—Como todo, ¿no? —apostilló John con desgano.

Las palabras sonaron amargas, aunque no era su intención, y miró a Jessica en un intento por anticipar su reacción. Ella miraba por la ventana como si no lo hubiera oído.

Al cabo de menos de media hora estaban en el pueblo fantasma. John detuvo el coche junto a un letrero de madera donde decía BIENVENIDOS A SILVER REEF y se bajó; Jessica lo siguió. Era una mezcla extraña incluso a oscuras: a lo lejos se veían los muros en ruinas de edificios que nunca serían rehabilitados, y más cerca había lugares remodelados para los turistas: una iglesia, un museo y varias cosas más que John no alcanzaba a distinguir.

—John, nos van a matar aquí —dijo Jessica, perdiendo el equilibrio por un momento sobre la tierra y la grava.

—Exactamente, ¿cuándo fue la última vez que alguien vivió aquí? —preguntó John en voz alta.

—A finales del siglo XIX, creo yo. Era un pueblo minero; había una mina de plata, por eso se llama Silver Reef, o «arrecife de plata», como decía Theodore.

El pueblo parecía aún más abandonado de lo que esperaban (seguro estaba temporalmente cerrado al turismo), pero en las colinas lejanas se divisaban algunas luces desperdigadas. John dio vueltas en círculo, deseando que Theodore hubiera sido un poco más explícito.

—Pero ¿qué significa «estrella reluciente»? —murmuró para sí.

Levantó la vista: la noche estaba despejada y el cielo lucía preñado de estrellas, pues hasta allí no llegaba la contaminación lumínica de la ciudad.

—Qué bonito —musitó Jessica.

—Sí, pero no es de ninguna ayuda —dijo John frotándose la nuca. Volvió a dar otra vuelta y entonces lo vio—. ¡Estrella reluciente! —exclamó.

Unos metros más atrás, sobre el camino por donde habían venido, había un arco de madera que hacía las veces de puerta de entrada a un terreno; en la parte superior había una estrella plateada.

El terreno era amplio y estaba en pendiente; en lo alto de la loma, John alcanzó a observar la silueta de una casa. Apenas se veía desde donde estaban; de no haber sido por las pistas de la cabeza parlante de Theodore, no habría destacado en el perfil. El prado negro pronto engulló su línea de visión en todas direcciones: sólo guiaba sus pasos el sutil tono descolorido de un camino zigzagueante de grava.

A medida que subían a la colina, empezaron a vislumbrar una casa pequeña y cuadrada de una sola planta; había una ventana en cada uno de los muros exteriores, pero tan sólo una estaba prendida, la de la parte trasera. Aminoraron el paso al llegar a la puerta de entrada; solamente había un escalón de cemento, particularmente alto y ancho. John le tendió una mano a Jessica para ayudarle a subir. En realidad, no lo necesitaba, porque era cinco veces más atlética que él, pero le pareció que debía ser educado. La puerta de entrada no era muy acogedora: las luces, pequeñas y apagadas, estaban casi escondidas, por lo que no resultaban de gran ayuda. John miró alrededor en busca de un timbre, pero no encontró ninguno, así que tocó con los nudillos. No se oía movimiento alguno adentro. Jessica se inclinó hacia un lado tratando de mirar por las ventanas. John había levantado la mano en el aire para hacer un segundo intento cuando la puerta se abrió, chirriante, y una mujer alta de cabello oscuro se asomó y los miró con frialdad.

—¿Tía Jen? —preguntó John con tono sumiso, dando un paso atrás instintivamente antes de poder contenerse.

La reconoció, pero a la vez se sintió como si hubieran llegado a aquella casa por casualidad. Jen ladeó la cabeza y lo miró fijamente a los ojos.

—Efectivamente, soy la tía Jen de alguien —dijo con sequedad—. Pero creo que no la tuya.

Se quedó donde estaba, con una mano apoyada en el marco de la puerta y la otra en la manija; estaba bloqueando la entrada como si pensara que podían intentar meterse a la fuerza.

—Soy amigo de Charlie —dijo John.

Ella esbozó el atisbo de un gesto con la cabeza.

—¿Y? —dijo.

—Me llamo John. Y ella es Jessica —añadió al darse cuenta de que su amiga no había intervenido todavía. Lo normal habría sido que Jessica tomara la batuta en la conversación, pero esta vez se lo estaba dejando a él, y miraba atrás nerviosa como si sospechara que alguien los estuviera acechando en la oscuridad. John la miró y ella hizo un breve gesto afirmativo con la cabeza para animarlo a continuar—. Estoy aquí porque recibí un mensaje —prosiguió.

Ella esperó con paciencia. John se quitó la mochila y sacó a Theodore; Jessica estiró la mano para tomar la mochila vacía y él levantó la cabeza del conejo. Jen no pareció sorprendida, sólo frunció los labios levemente.

—Hola, Theodore —dijo con parsimonia—. Has tenido tiempos mejores, ¿eh?

John sonrió por reflejo y luego endureció el gesto.

—Estrella reluciente, arrecife de plata —dijo John, pero Jen no reaccionó—. La verdad es que éste es un sitio muy raro para vivir —dijo, aunque lo que quería decir era que les debía una explicación.

—Un mensaje.

Observó la cabeza de Theodore y luego lanzó una mirada acusadora a la casa por encima del hombro, aunque lo único que se veía detrás de ella era un pasillo oscuro.

—¿Querías que viniéramos aquí? No lo entiendo —la presionó John.

—Pasen, anden —dijo Jen dando un paso atrás.

En cuanto estuvieron dentro, se apresuró a cerrar la puerta. La casa era austera: los muebles eran oscuros y sencillos, y no había muchos. Las gruesas paredes tenían varias capas de papel pintado con dibujos de hacía décadas, y nada colgaba de ellas, aunque John vio agujeros de clavos y marcas donde algún día había habido cuadros. Jen los hizo cruzar un cuarto en el que sólo había dos sillas y una mesita auxiliar, y pasaron a una habitación pequeña ocupada casi por completo con una mesa de comedor de madera cuadrada y pintada de negro. Había cuatro sillas a juego; Jen apartó la que estaba más cerca de la puerta y se sentó.

—Por favor —dijo señalando las otras sillas con un gesto de la cabeza.

John y Jessica rodearon la mesa para sentarse frente a Jen, quien miraba hacia allí.

—¿Así que aquí es donde creció Charlie? —preguntó Jessica, incómoda, mientras tomaba asiento.

—No.

—Entonces ¿te mudaste aquí hace poco? —preguntó John con suspicacia. Se negaba a creer que alguien pudiera elegir aquella casa deliberadamente.

—¿Cómo está Charlie? —dijo Jen despacio—. ¿Ella también sabe lo del mensaje? —miró discretamente hacia la ventana detrás de ellos y luego volvió a centrarse en John.

—No —dijo John sin entrar en detalles; ella seguía con la mirada perdida, y de pronto el chico tuvo la poderosa sensación de que había algo en la habitación que sólo podía ver ella.

—Queremos ayudar a Charlie. ¿Ocurre algo que debamos saber? —preguntó Jessica.

Jen pareció volver en sí.

—Charlie es cosa mía. Es mi responsabilidad —habló con genuina confianza en sí misma, y algo en su tono debió de impactar a Jessica, pues se enderezó y levantó la barbilla para imitar la postura de Jen.

—Charlie es nuestra amiga, también es cosa nuestra —dijo Jessica.

Hubo un silencio y John miró a ambas mujeres, pasando de una a la otra, esperando. Transcurrió un largo rato durante el cual las dos se observaron, inmóviles. John se dio cuenta de que estaba conteniendo la respiración.

—Jen —intervino—, un amigo nos dio unas fotos que alguien estuvo tomándole a Charlie, y también a nosotros —abrió el cierre de su mochila y el ruido sacó a Jessica y a Jen de su ensimismada confrontación. John extrajo del sobre las fotografías que les había dado Clay, aunque dejó el negativo dentro, y las colocó encima de la mesa frente a la tía—. Si Charlie es tu responsabilidad, mira esto y dime si significan algo para ti.

Ella empezó a pasar las fotos, mirando cada una con atención y dejándolas después a un lado, formando un segundo grupo ordenado.

—¿Por qué no le preguntan a su amigo el detective lo que significan? —preguntó.

—Porque a nuestro amigo el detective casi lo matan anoche —repuso John.

Jen no contestó y prosiguió con su análisis metódico de las fotografías. Cuando terminó de ver todas, levantó la mirada hacia John. Había suavizado un poco el gesto; la hostilidad había dado paso a otra cosa, algo que parecía incomodidad y también miedo.

—¿Esto es todo? —preguntó—. ¿Hay algo más? —se aclaró la garganta.

—Dijo algo antes de quedar inconsciente.

—¿Qué?

John miró brevemente a Jessica y luego a Jen.

—Debe de tener un alcance. Debe de tener un alcance máximo.

La miró expectante, pero ella no mostró signos de reconocer nada.

—No sé qué significa eso —dijo. Apoyó la barbilla en la mano y volvió a observar la primera foto del montón, y luego sacudió la cabeza—. Sé que tienen buenas intenciones —se recostó en la silla de madera y miró primero a John, luego a Jessica y después de nuevo a John—. Debería decirles que se vayan, que la olviden. Todos estos años… —se quedó sin palabras y les dirigió una mirada penetrante a cada uno—. Los secretos te petrifican. Te endureces y te aíslas del mundo para mantenerlos a salvo, y cuanto más los guardas, más dura te haces. Luego un día te miras al espejo y te das cuenta de que te has vuelto de piedra —sonrió con tristeza—. Lo siento.

—¿No piensas decirnos nada? Estamos aquí para ayudar. ¡Somos amigos de Charlie! —insistió Jessica.

—Si no pensara decirles nada, no tendría nada que sentir —repuso Jen.

Su boca parecía al borde de la sonrisa. John empezó a recoger todas las fotos para volver a meterlas a la mochila.

—Si tienes algo que decirnos… dínoslo ya o nos vamos. Puede que no sepa mucho, pero sé que esa chica no es Charlie, o que está bajo algún tipo de influencia —esperó una respuesta, pero no la obtuvo—. No es ella —añadió, más desesperado que antes.

Jen levantó la mirada: su gesto rígido se había descompuesto y tenía los ojos llenos de lágrimas.

Tocaron a la puerta e incluso Jen se sobresaltó. Miró hacia la entrada y luego de nuevo a John y a Jessica. Estaba muy seria.

—Por allí —dijo en apenas un susurro, señalando un pasillo estrecho—. Cierren la puerta en cuanto entren.

Volvieron a tocar; John rozó el brazo de Jessica y asintió, y ambos se levantaron de la mesa procurando no arrastrar las sillas ni hacer ruido.

El pasillo estaba a oscuras, la única luz provenía de la habitación de la que acababan de salir, así que John apoyó una mano en la pared para mantener el equilibrio. Cuando sus ojos se acostumbraron a la oscuridad, vio una puerta abierta al final del corredor.

—Vamos, John —susurró Jessica agarrándolo un momento del brazo al pasar junto a él para apresurarse hacia la habitación.

—Sí —dijo él, que dejó de moverse al tocar con los dedos el marco de una puerta.

—¡John! —gritó Jessica en un susurro.

John intentó empujar la puerta. Se abrió con facilidad; miró hacia el interior y retrocedió.

«¡Ahí dentro hay alguien!»

—¡John! —volvió a susurrar Jessica con tono apremiante mientras oían que volvían a tocar la puerta.

John no se movió.

Le llevó sólo un segundo comprender que la figura que estaba en el armario no era una persona. Era más o menos de su estatura y tenía una forma vagamente humana, pero no se parecía a nada que hubiera estado vivo jamás. John se acercó más y sacó las llaves del bolsillo. Encendió la linternita que traía en el llavero y la movió rápidamente arriba y abajo. Sintió que se le detenía el corazón. Era un endoesqueleto, todo de metal y cables pelados, sin traje. Los brazos le colgaban a los lados y tenía la cabeza inclinada hacia delante, exponiendo su cráneo abierto; los circuitos estaban apagados y en silencio. El rostro era de metal pulido.

—¡John!

Jessica estaba detrás de la puerta al final del pasillo, tan sólo con una rendija abierta, esperándolo. John cerró la puerta del armario y, a ciegas de nuevo en la oscuridad, caminó hacia el sonido de la voz de su amiga como si fuera un faro. Los pasos le parecieron eternos, el aire era como melaza y lo que había visto en el armario hacía eco en su cabeza como un disparo, ahogando todo lo demás.

Aturdido, John llegó al final del pasillo, donde Jessica le hacía señas desesperadamente. Lo agarró del brazo y lo jaló para meterlo al cuarto y después cerrar la puerta con cuidado.

—¿Se puede saber qué te pasa? John, ¿qué había en ese armario? —susurró, aún aferrada a su brazo, clavándole las uñas y devolviéndolo a la realidad.

—Era... —tragó saliva. «Era un endoesqueleto con un cuchillo»—. Era la máquina que el padre de Charlie construyó para suicidarse —dijo con voz ronca.

Jessica abrió los ojos de par en par y lo miró como si fuera un fantasma.

Volvieron a tocar, esta vez mucho más fuerte, y los dos dieron un brinco. En ese momento se oyeron los pasos de Jen dirigiéndose hacia el sonido. Jessica se inclinó y pegó la oreja al ojo de la cerradura.

—¿Oyes algo? —susurró John.

La puerta de la entrada chirrió al abrirse.

—Charlie —oyeron que decía Jen—, qué agradable sorpresa.

Jessica volteó sin levantarse.

—¿Charlie está aquí? —dijo en un susurro.

John se encogió de hombros.

—Tía Jen, qué alegría volver a verte —la voz de Charlie llegaba amortiguada pero clara.

Jessica siguió donde estaba, intentando escuchar algo más, pero John estaba inquieto y se puso a investigar la habitación.

Estaban en una recámara (al menos había una cama), pero estaba llena casi hasta el tope de cajas de cartón y viejos baúles de madera. John deambuló entre ellos un momento y luego se paró en seco, como si de repente se le hubiera ocurrido algo. Se arrodilló en silencio y abrió uno de los baúles, moviéndose muy despacio para no hacer ruido.

—John, ¿qué haces? —susurró Jessica, molesta.

—Aquí hay algo raro —resopló John mirando hacia la puerta—. Vamos, puede que ésta sea nuestra única oportunidad para averiguar lo que trama —John se puso a hojear los papeles que había en el primer baúl, luego cerró la tapa y abrió una caja de cartón que se encontraba cerca: estaba llena de piezas de computadora y mecanismos que no reconocía. Una segunda y una tercera contenían rollos enormes y enmarañados de cable eléctrico—. Justo las cosas que uno espera encontrarse en la habitación de Charlie —murmuró para sí.

—¡Shhh! —siseó Jessica mientras presionaba la oreja contra la puerta que daba al pasillo.

—¿Qué está pasando ahí afuera? —preguntó John en voz baja—. No oigo casi nada.

Jessica sacudió la cabeza.

—Si oyes que viene alguien, dímelo.

John se aproximó hacia un gran baúl de color verde con casi toda la pintura descarapelada. No tenía candado. Se arrodilló, encontró la jaladera y lo abrió, y entonces, temblando, retrocedió y se alejó.

—Jessica —dijo con un grito ahogado, volviendo a acercarse al baúl e inclinándose para mirar hacia dentro.

—¡Shhhh! —siseó Jessica desde la puerta, escuchando atenta.

—Jessica.

—¿Qué pasa, John? Estoy intentando oír algo.

—Es… es Charlie —dijo con voz ronca—. En el baúl.

—¿Qué? —susurró Jessica.

Volteó, molesta, y quedó boquiabierta. Cayó al suelo de rodillas y gateó hasta el baúl, donde John estaba mirando de nuevo lo que había dentro. Charlie estaba acostada en posición fetal; parecía dormida, con una almohada debajo de la cabeza y rodeada de cobijas. Tenía el pelo castaño enredado, la cara redonda, y traía puestos unos pants gris claro y una sudadera, ambos demasiado grandes para ella. John siguió mirándola fijamente; el corazón le latía tan fuerte que lo único que oía era su propia sangre corriéndole por las venas, incapaz de albergar esperanza alguna. Hasta que Charlie respiró una vez, y luego otra. «Está viva.» John estiró la mano y le tocó la mejilla: estaba muy fría. Su mente consiguió salir del primer momento de conmoción. «Tenemos que sacarla de aquí; está enferma.» Se puso de pie y se inclinó en una posición incómoda, la tomó y la sacó en brazos con mucho cuidado. La miró atónito, sin palabras, excepto una: «Charlie».

«No me sueltes… No me sueltes, ¿qué pasa?» Alguien le tocó la mejilla y sintió un breve y repentino golpe de calor. Se fue tal y como había venido, dejándola más fría que antes. «Vuelve», quiso decir, pero no recordaba cómo emitir la palabra.

—Charlie.

«Ése es mi nombre, alguien está diciendo mi nombre.» Charlie intentó abrir los ojos. «Conozco esa voz.» Unos brazos la tomaron por debajo y la levantaron del lugar oscuro y estrecho en el que llevaba tanto tiempo que los recuerdos de cualquier otro lugar le parecían sueños. Seguía sin poder abrir los ojos. Una chica dijo algo. «Los conozco.» No se acordaba de cómo se llamaban.

La primera voz volvió a hablar; era un chico, y notó la reverberación cuando él la estrechó contra su pecho, sosteniéndola como a un bebé. Irradiaba calor, era sólido y estaba vivo. Incluso allí quieto, lo notaba lleno de movimiento: podía oír el latido de su corazón, justo al lado de su oreja. «Estoy viva.» El chico dijo algo más y el estruendo de su voz hizo que se le estremeciera todo el cuerpo; la chica contestó y, acto seguido, la movieron y sintió dolor. «Vamos a algún sitio.» Seguía sin poder abrir los ojos.

—Todo estará bien, Charlie —susurró él.

Y el mundo onírico empezó a jalarla hacia las profundidades de nuevo. «¡Quiero quedarme!» Sintió que el pánico la atenazaba y, a medida que volvía a sumirse en la inconsciencia, se aferró a las últimas palabras del chico. «Todo estará bien.»

John estrechó a Charlie contra su pecho, pero enseguida aflojó la presión por miedo a hacerle daño.

—¿Cómo vamos a conseguir sacarla de aquí? —susurró Jessica.

Él miró a su alrededor escudriñando la habitación. Había una ventana, pero era alta y estrecha: salir por ella los tres llevaría tiempo.

—Tenemos que jugárnosla —dijo en voz baja— y esperar a que… ella se vaya.

Jessica lo miró; en el rostro de su amiga estaban escritas todas las preguntas que él llevaba haciéndose los últimos seis meses.

Un grito rasgó el silencio entre ellos y John se puso alerta. Alguien volvió a gritar y las paredes se estremecieron por culpa de un impacto en algún lugar de la casa. John miró a su alrededor angustiado, en busca de una salida. Sus ojos fueron a parar a la puerta de un armario.

—Allí —dijo, señalándolo con la cabeza. Oyeron otro golpe y la pared de al lado tembló; otro golpe y un ruido extraño, como un animal arañando la puerta—. Deprisa —susurró John, pero Jessica ya estaba abriendo camino.

Iba adelante de él apartando cajas todo lo rápida y silenciosamente que podía, y él iba atrás, llevando a Charlie con cuidado, concentrado por completo en mantenerla a salvo. Jessica echó a un lado los abrigos colgados en los ganchos para hacer espacio y se metieron allí.

—Todo estará bien, Charlie —susurró John.

Jessica cerró la puerta detrás de ellos, pero se quedó parada con la manija en la mano.

—Espera —susurró.

—¿Qué?

Jessica atravesó la habitación corriendo sin ningún cuidado. Sus pasos sonaban con fuerza contra el piso de madera.

—Jessica, ¡¿qué haces?! —siseó John, encogiéndose aún más en el hueco del armario mientras protegía la cabeza de Charlie de los ganchos con el codo.

Jessica llegó hasta la ventana, quitó el pasador y la abrió de par en par haciendo mucho ruido. John la miró boquiabierto mientras Jessica volvía corriendo de puntitas al armario, esta vez con sigilo. Se acurrucó a su lado y dejó abierta una rendija de la puerta, y luego puso una mano en el hombro de Charlie.

En cuestión de un minuto, la puerta de la habitación se abrió y alguien cruzó el umbral. La luz del resto de la casa se filtró, tenue, y a través de la diminuta rendija de la puerta lograron distinguir a duras penas una silueta vestida de rojo cruzando la estancia con decisión. La figura se detuvo un momento, miró afuera y, con una rapidez que hacía imposible seguirla, desapareció por la ventana.

John no se movió ni un milímetro. El corazón le latía con fuerza, en parte porque temía que la figura misteriosa volviera a aparecer frente a ellos. El cuerpo inconsciente de Charlie empezaba a pesarle en los brazos; cambió de posición, incómodo, intentando no hacer movimientos bruscos.

—Vamos —dijo Jessica.

Él asintió, aunque ella no podía verlo. Jessica abrió la puerta con cautela, pero lo único que los recibió fue el silencio. Se dirigieron al vestíbulo y allí se detuvieron en seco: Jen estaba tirada en el suelo. La sangre había salpicado la pared de al lado y formaba un charco en el suelo, debajo de ella, corriendo por la madera en pequeños riachuelos. John levantó la mano para taparle la cara a Charlie. No cabía duda de que habían asesinado a Jen: sus ojos relucían con el brillo marmóreo de la muerte y estaba abierta en canal.

—Tenemos que irnos —dijo con la voz quebrada, y le dieron la espalda a la grotesca escena para precipitarse hacia el exterior.

Corrieron colina abajo. John tropezó con la grava suelta y casi se caía. Jessica se dio la vuelta.

—Sigue —gruñó él, y apretó más fuerte a Charlie contra sí y aminoró un poco el paso.

Por fin llegaron al coche. Jessica abrió la puerta trasera y entró, y luego se desplazó hasta el otro extremo y se estiró para ayudarle a John a meter a Charlie. Juntos la acostaron en el asiento y le colocaron la cabeza sobre el regazo de Jessica. John arrancó el coche.

Mientras conducían a través de la noche oscura, John no dejó de mirar el retrovisor para tranquilizarse: Charlie seguía dormida y Jessica le pasaba los dedos por el pelo, observándola maravillada. John cruzó la mirada con su amiga en el espejo y vio sus propios pensamientos reflejados en el rostro de ella: «Está aquí. Está viva».

Charlie bajó la colina a toda velocidad, excitada, casi dando saltos... Sentía que si corría lo suficientemente rápido, quizá podría despegar y volar. El corazón le latía a un ritmo nuevo; el aire nocturno era fresco y renovado, y notaba todos los sentidos en su máximo esplendor: podía verlo todo, oírlo todo... hacerlo todo.

Cuando llegó al pie de la colina, subió a la siguiente; había estacionado el coche detrás de esta última. Sonrió en plena noche al recordar el rostro de la tía Jen en el momento en que se dio cuenta de lo que estaba a punto de pasar. Aquella calma suave y casi impermeable se había fracturado; la fría mujer se había convertido en un animal asustado y manso en el espacio de un instante. «Por lo menos tuvo la dignidad de no suplicar —pensó Charlie—. O quizá sabía que no serviría de nada.» Se estremeció, y luego se encogió de hombros.

Tras intercambiar varios cumplidos, Charlie le había dedicado a Jen una sonrisa amplia y cruel, y ella había gritado. Charlie había avanzado y ella había vuelto a gritar; esa segunda vez, Charlie ahogó el sonido agarrando a su tía Jen del cuello. La levantó en el aire y la estampó contra la puerta con tanta fuerza que casi se desprende de las bisagras. Su tía había intentado escapar a rastras, pero ella la había agarrado del pelo, pegajoso a causa de la sangre, y la había lanzado contra la pared de nuevo. Esta vez no trató de huir, y Charlie se agachó junto a ella y volvió a ponerle una mano alrededor del cuello, tomándose su tiempo, saboreando el pulso de Jen bajo los dedos y la mirada aterrorizada en sus ojos. Su tía abrió y cerró los labios, moviendo la boca como un pez. Charlie la observó un instante, deleitándose.

—¿Hay algo más que quieras decir? —preguntó con ironía.

Jen hizo un levísimo gesto de asentimiento mezclado con dolor. Charlie se acercó para que pudiera susurrarle al oído, sin aflojar la mano del cuello, firme como un puño de hierro. Jen inhaló un poco de aire con dificultad y Charlie relajó a regañadientes la presión para dejarla hablar.

Su tía resolló un momento e intentó hablar dos veces hasta que consiguió articular las palabras.

—Siempre… te he querido… Charlie.

Charlie se incorporó y le dedicó a su tía Jen una mirada sosegada.

—Yo también te quiero —dijo con suavidad, y acto seguido le rajó las tripas—. De verdad.

Charlie llegó al coche; iba tan rápido que se pasó varios metros antes de conseguir detenerse. Quería seguir corriendo, continuar sintiéndose así de viva. Abrió y cerró los puños; la sangre que le manchaba las manos empezaba a resultarle pegajosa e incómoda. Encendió el motor y abrió la cajuela para tomar el botiquín que siempre llevaba consigo. A la luz de los faros, Charlie sacó unas gasas y agua oxigenada, y se limpió las manos con esmero, dedo por dedo. En cuanto terminó, se las examinó y asintió satisfecha. Luego se metió al auto y aceleró en la oscuridad.

CAPÍTULO 6

John contaba las respiraciones de Charlie (uno-dos, tres-cuatro, inhala-exhala), y con cada una iba llevando la cuenta del paso del tiempo; así sabía que todo aquello era real, que no iba a desaparecer. Habían transcurrido horas y afuera empezaba a clarear, pero él no podía despegar los ojos de ella. Su cama era estrecha; Charlie estaba hecha un ovillo en un lado, en la misma posición que había adoptado dentro del baúl, con la espalda pegada a la pared, y él estaba como podía en el borde opuesto, con cuidado de no tocarla. Jessica había dormido un rato en el sofá y ahora estaba despierta de nuevo, recorriendo la habitación de John de un lado a otro sin parar.

—John, tenemos que llevarla a un hospital —dijo Jessica por segunda vez desde que se había despertado, y él sacudió la cabeza.

—Ni siquiera sabemos lo que le pasa —repuso él en voz baja.

Jessica chasqueó la lengua con frustración.

—Qué mejor razón que ésa para llevarla a un hospital —protestó haciendo hincapié en cada una de sus palabras.

—Temo que no esté a salvo.

—¿Acaso crees que está a salvo aquí?

John no contestó. Uno-dos, tres-cuatro, inhala-exhala... Se dio cuenta de que estaba contando las respiraciones de Charlie otra vez y apartó la mirada. Aun así, podía oírla respirar, así que siguió contando: nueve-diez, once-doce... Notaba su presencia junto a él; aunque no se tocaran, era plenamente consciente de que la tenía cerca.

—¿John? —interrumpió Jessica.

Él las miró, primero a una y luego a la otra.

—Clay dijo algo —recordó.

—¿En el hospital? —Jessica frunció el ceño—. ¿Algo más?

—No, antes. Tenía a Ella en su casa.

—¿Esa muñeca fea que estaba en el cuarto de Charlie?

John disimuló una sonrisa al recordar lo que le había dicho Charlie una vez: «A Jessica le gustará Ella. Se viste como ella». Pero cuando Charlie hizo girar la rueda que estaba a los pies de su cama, la que hacía que Ella saliera del armario por su riel sosteniendo la bandejita de té, Jessica miró a la enorme muñeca, gritó y salió del cuarto como un bólido.

—Sí, la muñeca fea —confirmó, y volvió al presente.

Jessica se estremeció con un gesto exagerado.

—No sé cómo podía dormir sabiendo que esa cosa estaba dentro del armario.

—Ése no era el único armario —dijo John frunciendo el ceño—. Había dos más; Ella estaba en el más pequeño.

—Bueno, no fue el armario lo que me dio miedo; los armarios no me asustan… Bueno, retiro lo dicho, el último en el que estuvimos no me gustó para nada —repuso Jessica con frialdad.

—Ojalá pudiera volver a esa casa…

—¿A la antigua casa de Charlie? Se derrumbó. Ya no existe —lo interrumpió Jessica.

John suspiró.

—Encontraron a Ella entre los escombros, pero Clay me dijo que Charlie no mostró interés en quedársela. No me cuadraba nada de ella; su padre le hizo aquella muñeca.

—Sí —Jessica se detuvo y se apoyó en la pared, como dejando que todo sedimentara a su alrededor—. Tenías razón, John —abrió las manos en un gesto de impotencia—. La otra Charlie es una impostora; tenías razón. ¿Qué vamos a hacer?

John volvió a mirar a Charlie, quien se agitó en sueños.

—¿Charlie? —susurró.

Ella emitió un quejido y luego se quedó quieta de nuevo.

John miró pensativo hacia su cómoda. Un instante después se levantó y empezó a revolver el cajón de arriba.

—¿Qué estás buscando? —preguntó Jessica.

—Tengo una foto antigua, una que encontré el día en que Charlie y yo estábamos revolviendo las cosas de su padre. Es de Charlie cuando era pequeña. Tiene que estar por aquí.

Jessica lo observó un rato, y luego se inclinó al ver algo que llamó su atención. Se agachó junto a la cómoda y jaló la esquina de algo que estaba debajo.

—¿Ésta? —preguntó.

—Sí, ésa es —John tomó la fotografía con cuidado y la estudió.

—John, veo que estás teniendo un momento senti-mental, pero, en serio, tenemos que llevar a Charlie al hospital —Jessica miró por encima del hombro de su amigo—. ¿Qué es todo eso que está detrás de ella en la foto? ¿Tazas y platos?

—Sí, estaba jugando a tomar el té —susurró John—. Tengo que ir a casa de Clay —añadió un minuto después.

—Clay sigue en el hospital.

—Tengo que volver a su casa. Quédate aquí. Cuida de Charlie.

—¿Qué pasa? —preguntó Jessica al ver que John tomaba las llaves del coche de encima de la cómoda—. ¿Qué voy a hacer si viene la Charlie falsa? Ya viste lo que le hizo a la tía Jen. Seguramente fue ella quien atacó a Clay. Y ahora vendrá por Charlie también, por nuestra Charlie.

John se detuvo y se frotó las sienes con una mano.

—No la dejes entrar —dijo finalmente—. Cierra la puerta con pasador en cuanto me vaya, empuja el sofá y ponlo detrás de la puerta. Volveré.

—¡John!

Se fue. Esperó en la entrada hasta que oyó el pasador, y entonces se apresuró hacia su coche.

John accedió demasiado rápido al camino de entrada de la casa de Clay Burke, se frenó en seco y se derrapó en el pasto. Tocó el timbre y esperó lo suficiente para confirmar que no había nadie, intentó girar la manija y comprobó que la puerta estaba cerrada. Así pues, disimuladamente fue hasta la puerta trasera. No creía que los vecinos pudieran verlo a través de los arbustos que separaban las casas, pero no tenía motivos para ser descuidado. La puerta de la cocina también estaba cerrada, así que recorrió el muro exterior de la casa en busca de una ventana que pudiera abrirse. Encontró una en la sala: no tenía puesto el pasador de seguridad y, tras unos minutos manipulándola, consiguió levantar la hoja y saltar por el vano; se arañó la espalda con el marco al meterse a través del hueco.

Aterrizó hecho un ovillo y se quedó allí un momento, aguzando el oído. La casa estaba sumida en un silencio denso y olía a encerrado; Carlton debía de estar durmiendo en el hospital. John se puso de pie y fue hasta el estudio de Clay sin preocuparse por no hacer ruido.

Retrocedió al observar el desastre; no había olvidado la escena (la puerta destrozada, los muebles volcados y los papeles desperdigados alfombrando el suelo), pero le impactó volver a verla. También había una mancha oscura en el piso donde había encontrado a Clay. John pasó por encima de ella con cuidado y entró al estudio.

Examinó la habitación con rapidez: tan sólo un rincón parecía intacto. Ella estaba allí, casi oculta detrás de una lámpara de piso, con la bandeja de té en equilibrio frente a ella.

—Hola, Ella —dijo con suspicacia—. ¿Hay algo que quieras contarme? —preguntó mientras volvía a dirigir la atención hacia el desorden de la habitación.

Había tres cajas de cartón vacías junto al escritorio, y se dirigió hacia ellas primero: parecía que todo el contenido había sido vaciado en un montón enorme. Lo registró deprisa y vio que todo lo que había estaba relacionado con Freddy Fazbear's: fotografías, contratos laborales, recibos de pago de impuestos, informes policiales y hasta cartas del restaurante.

—¿Por dónde empiezo? —murmuró.

Encontró una fotografía de Charlie con su padre: Charlie sonreía y su padre la tenía en brazos, apoyada en la cadera, y señalaba algo a lo lejos. La dejó y siguió buscando. Entre los papeles y las fotos había otras cosas; muchos chips de computadora y piezas mecánicas de las cuales parecía haber por todas partes. Miró el reloj; empezaba a preocuparle dejar a Jessica sola con Charlie tanto tiempo. Miró a Ella en el rincón.

—Tú sabes lo que estoy buscando, ¿verdad? —le preguntó a la muñeca, y luego suspiró y volvió al montón.

Se puso a cuatro patas y volvió a revisar aquella zona; esta vez se fijó en una cajita de cartón que se encontraba junto al escritorio de Clay. Estaba a pocos centímetros de él, cerrada con cinta de embalaje, pero una esquina se había abierto y dejaba ver parte del contenido: John distinguió un tornillo y un alambre de cobre pegado a la cinta por fuera. Se arrastró debajo del escritorio y la tomó. Hizo el agujero más grande sin preocuparse por la cinta. Se puso de pie y volcó el resto del contenido sobre la mesa de Clay; eran más cables y piezas. Agitó la caja, que sonaba, y le dio golpes hasta que salió lo que se había quedado atorado adentro: una placa de base cuadrada con un amasijo de cables pegados. La estudió un segundo antes de echarla a un lado y dejó caer la caja. Extendió el contenido sobre la superficie del escritorio, se sentó y miró cada cosa una por una, con la esperanza de encontrar algo familiar.

Le llevó menos de diez segundos encontrarlo: un disco estrecho, del tamaño de una moneda de cincuenta centavos. El corazón le dio un vuelco y levantó el objeto. Tragó saliva al recordar la náusea paralizante que le había provocado su última interacción con un disco de esos; y también recordó los considerables efectos que podía generar esa cosa.

John miró de nuevo a Ella, se puso de pie y se acercó a la muñeca. Se arrodilló junto a ella sosteniendo el disco en la mano con firmeza, con la uña del dedo pulgar bajo el interruptor que estaba a un costado del dispositivo. John perdió el equilibrio. Apretó la mandíbula con fuerza y accionó el interruptor.

Al instante, Ella desapareció. En su lugar se materializó una niña humana. Tenía el pelo corto, castaño y rizado, y un rostro redondo en el que lucía una feliz sonrisa; sus manos regordetas agarraban la bandejita de té con determinación. Su inmovilidad era lo único que indicaba que no estaba viva. Eso y los ojos vacíos que veían sin mirar al frente.

—¿Me oyes? —preguntó con suavidad.

No se registró movimiento alguno; la niña no parecía más receptiva que Ella. John estiró la mano para tocarle la mejilla, pero enseguida la apartó con repugnancia: la piel era elástica y estaba caliente... viva. Se levantó y volvió al escritorio sin apartar los ojos de la niña. Apretó el diminuto interruptor de nuevo, y la niña titiló y se nubló un segundo para dar paso a una imagen sólida: Ella volvía a ocupar su lugar con su rostro plácido de muñeca. John se dejó caer con pesadez.

—Un alcance máximo —murmuró para sí al recordar el fugaz momento de lucidez de Clay en el hospital.

Pero las fotografías que había insistido en darles no revelaban nada. ¿O sí?

Fue hasta el escritorio de Clay y levantó el auricular del teléfono: daba línea, no parecía haberse estropeado cuando asaltaron el lugar. Marcó su número. «Contesta, Jessica, por favor», pensó.

—¿Bueno?

—Jessica, soy yo.

—¿Quién es yo?

—¡John!

—Okey, discúlpame. Estoy un poco nerviosa. Charlie está bien... Es decir, sigue dormida, no está peor ni nada.

—Bien. Pero no llamo por eso. Necesito que vayas a la biblioteca, nos vemos allí... Lleva el sobre que nos dio Clay; está en mi mochila.

—Pero no tenemos las fotos —dijo Jessica—. Las dejamos en casa de Jen cuando tuvimos que huir para salvar nuestro pellejo, ¿recuerdas? —añadió con un poco de sarcasmo.

—Lo sé. No necesitamos las fotos. Había un negativo en el sobre.

Hubo una pausa al otro lado, hasta que Jessica dijo:

—Nos vemos allí.

John miró a Ella mientras pasaba el dedo pulgar pensativamente sobre la superficie del disco.

—Y tú vienes conmigo —le dijo en voz baja a Ella.

La tomó con cuidado, asqueado por lo que acababa de presenciar, pero parecía una simple muñeca. Era tan grande que resultaba difícil de llevar, así que se la colocó en la cadera como si fuera una niña y salió por la puerta principal. Metió a la muñeca en la cajuela, puso la foto de Charlie y su padre en la visera del auto y se fue de la casa, conduciendo.

Cuando John llegó a la biblioteca, Jessica ya estaba hablando con el bibliotecario, un hombre de mediana edad que mostraba un gesto de fastidio.

—Si quieres usar el lector de microfichas, tienes que decirme lo que quieres ver. ¿Quieres consultar el índice de nuestros archivos? —preguntó. Parecía que hubiera hecho la pregunta ya varias veces.

—No, no hace falta, sólo necesito usar la máquina —contestó Jessica.

El bibliotecario esbozó una sonrisa tensa.

—El lector sirve para visualizar microfichas. ¿Qué microficha quieres ver? —preguntó muy despacio.

—Es que traigo la mía —dijo Jessica con ligereza.

El bibliotecario suspiró.

—¿Sabes usar la máquina?

—No —repuso ella tras pensarlo un momento.

John se acercó apresuradamente.

—Yo sé usarla; vengo con ella. ¿Nos puede llevar a la sala?

El bibliotecario asintió desganado y lo siguieron a un pequeño cuarto trasero, donde estaba el lector de microfilms.

—Tienen que pasar la película por aquí —les explicó— y girar las palancas para hacerla avanzar —le dirigió a John una mirada suspicaz—. ¿Entendido?

—Sí, gracias por su ayuda. Es usted muy amable —dijo John mirando a Jessica.

Cuando la puerta se cerró tras el bibliotecario, Jessica sacó el rollo de película del bolsillo y se lo dio.

—Muy bien, ¿qué es lo que buscamos? —preguntó alterada, aplaudiendo nerviosa y enérgicamente.

—Tranquila, ¿okey? —dijo John inexpresivo—. Casi nos matan, no sabemos qué le pasa a Charlie... y ahora parece como si estuviéramos buscando un tesoro oculto.

—Discúlpame —Jessica se puso derecha.

—Creo que son las mismas fotos —dijo John mientras desenrollaba la película y la pasaba cuidadosamente por la máquina.

Puso el lector en marcha y apareció la primera imagen: Jessica y Charlie viendo ropa en una tienda. Pasó unas cuantas más; todas coincidían con lo que recordaba de las fotografías, aunque el orden era distinto… cronológico, supuso.

—Son las mismas y tampoco se ven nítidas —dijo Jessica.

—¿Cómo? —John hizo retroceder el lector tratando de ver lo que Jessica había detectado y a él se le había pasado.

—Que no son más nítidas. Charlie sigue desenfocada —señaló Jessica.

—Es que está movida —explicó John.

—¿En todas?

—La fotografía está enfocada —dijo de nuevo, cada vez más agitado—. Es que va caminando.

A pesar de estar convencido de lo que decía, se quedó callado y empezó a pasar las fotos más despacio, estudiando a Charlie en cada una de ellas. Jessica tenía razón: Charlie salía borrosa en todas las fotografías, incluso en algunas donde parecía estar quieta. John pasó las fotos rápido para confirmarlo: Jessica y Charlie en la tienda de ropa; Marla con ellas dos en la entrada de la casa de Jessica; Charlie abrazándose a sí misma mientras hablaba con John en casa de los Burke la primera noche… Charlie estaba borrosa en todas. John las pasó más rápido hasta llegar a las últimas: él y Charlie (la falsa Charlie) sentados en el restaurante donde habían cenado.

El carrete terminaba en la última foto de aquella noche: Charlie casi disimulada entre la multitud, volteando por última vez. Apenas y se veía, estaba mucho más lejos que en cualquiera de las demás imágenes, tan sólo reconocible por el color del vestido y del pelo.

—Sigo sin entenderlo —dijo Jessica impaciente. John se acercó al lente y lo giró; la imagen se redujo—. Son las mismas fotos —se dio la vuelta y suspiró.

—Ésa es la cuestión —dijo girando despacio el lente en sentido contrario.

La película era de alta resolución y la imagen fue ampliándose a medida que hacía zoom en Charlie.

—¿Qué pasa?

John siguió haciendo zoom; Jessica dio un grito ahogado y se apartó de la máquina. John soltó el lente.

—Tiene un alcance máximo —dijo con voz suave.

La figura que ocupaba la pantalla era elegante y femenina, pero no era humana. El rostro, exquisitamente esculpido, estaba partido en dos, con una fina hendidura que marcaba la delimitación de ambas mitades. Las extremidades y el tronco eran planchas segmentadas de un color casi iridiscente.

—Parece un maniquí —dijo Jessica asombrada.

—O un payaso —puntualizó John—. Yo la vi —recordó perplejo—. La noche que atacaron a Clay, estaba en la calle. Me miró… —los ojos eran difíciles de ver en la foto.

John se acercó más a la pantalla tratando de distinguirlos.

—Es la impostora, es la otra Charlie —resolló Jessica.

John apagó el proyector y pestañeó mientras la figura espectral desaparecía. Sacó el disco del bolsillo y se lo extendió a Jessica. Ella le dio vueltas en la mano con los ojos muy abiertos.

—¿Es suyo?

—No —se apresuró a decir John—. Pero me temo que nuestra amiga tiene uno igual, y así es como juega con nuestras mentes cuando estamos con ella para conseguir que la veamos como Charlie —se apoyó en la mesa—. Creo que fue Clay quien tomó estas fotos; me parece que sospechaba algo así, pero necesitaba demostrarlo.

—No lo entiendo.

—Estos artefactos, estos discos, emiten señales que sobrecargan el cerebro y hacen que no veas lo que tienes enfrente. Claro que no funcionan con una cámara, obviamente, pero Henry pensó también en eso.

—Entonces, la frecuencia o lo que sea que emita hace que la imagen salga borrosa —concluyó Jessica, entendiendo al fin.

—Exacto, pero tiene un alcance máximo. La señal se debilita; por eso tomó las fotos desde tan lejos. Sospechaba que lo que generaba el espejismo debía de tener un límite —John volvió a meter el rollo de película en la mochila—. Por eso parece humana en las demás fotos, al menos lo suficientemente humana, aunque salga borrosa.

Jessica estudió el disco de nuevo un momento antes de que John lo recuperara.

—Pero sigo sin entenderlo —dijo. Miró a su alrededor como si de repente tuviera miedo de que la descubrieran.

—Creo que es exactamente lo que sospechaba —repuso John—. Excepto que estaba completamente equivocado.

—Ah, claro, eso tiene mucha lógica —espetó Jessica con sarcasmo.

—Tenía un montón de teorías sobre Charlie —explicó John—. Y, aunque me equivocaba en los detalles, sospechaba que a Charlie, nuestra Charlie, la habían sustituido por una impostora. Pero no era su gemelo ni su gemela mala. Afton la sustituyó por… esto.

—¿Un robot? —preguntó Jessica con escepticismo—. ¿Como los de Freddy's? John, aquello era distinto. Mataron a gente, a niños. Esos robots estaban malditos. No creo en las maldiciones, ¡pero esas cosas estaban malditas! Los robots de los que tú hablas no existen, o al menos… todavía no. Además, conocía cosas que Charlie habría sabido, ¿cómo pudo programarla Afton?

—Es que no lo sabía todo. Le echaba la culpa a las lagunas que le había provocado su experiencia cercana a la muerte; su personalidad era distinta… todo era diferente… y todos creímos que sencillamente estaba cambiando de página —concluyó John con amargura.

—Pero tú no —dijo Jessica.

Él la miró a los ojos.

—No, pero quería creerlo. Algo no encajaba.

Jessica se quedó callada un momento.

—¿Por qué mató a Jen? —preguntó de repente.

—¿Qué?

—Que por qué mató a Jen —repitió.

—La tía Jen conocía a Charlie mejor que nadie —dijo John—. Sabía que a ella no podía engañarla.

—Sí, puede ser —Jessica se mordió el labio, y luego la alarma se extendió por su rostro—. O quizá fue allí por…

—Por Charlie —terminó John.

—John, la dejamos sola; tenemos que ir a tu casa.

John ya estaba saliendo por la puerta y corriendo por la biblioteca hacia la salida. Jessica corrió tras él. Ambos subieron al coche de John; él arrancó con la mandíbula apretada y se dirigió a toda velocidad hacia su departamento.

—¿*O*lvidaste algo? —le espetó el hombre, y la mujer lo miró con frialdad.

—Yo no olvido nada.

—Entonces, ¿por qué no vas en camino? —levantó el brazo con debilidad y señaló la puerta.

—No queda mucho tiempo —dijo ella—. No entiendo por qué estamos malgastando nuestro tiempo, tu tiempo, persiguiendo esto. Soy más útil aquí.

El hombre guardó silencio.

—Estamos viendo los resultados —añadió ella.

Pero él negó con la cabeza.

—No estamos viendo nada —levantó un dedo antes de que ella pudiera protestar—. Cualquiera puede descubrir un fuego ya prendido, pero Henry encontró una chispa única… Creó algo verdaderamente diferente, algo que no se merecía, o que no pretendía hallar —le dirigió una mirada aguda a la mujer—. Tú me traerás ese algo.

La mujer miró al suelo y, cuando habló, lo hizo con una nota de súplica en la voz.

—¿No te basto yo? —preguntó con suavidad.

—No, no me bastas —repuso él con firmeza, apartando la mirada.

La mujer hizo una pausa y luego se encaminó hacia la puerta sin mirar atrás.

No cruzaron palabra mientras conducían a toda velocidad hacia la casa de John. Él tomaba el volante con tanta fuerza que tenía los nudillos blanquecinos, y se esforzaba para no imaginar lo que podían encontrarse al llegar.

Cuando entró al estacionamiento, dejó escapar una temblorosa bocanada de aire: los pocos coches que se encontraban allí eran de sus vecinos y su puerta estaba intacta. Le hizo a Jessica un breve gesto afirmativo con la cabeza y salieron del automóvil. Jessica lo siguió de cerca y se quedó detrás de él contemplando el estacionamiento mientras John abría la puerta. Jessica le pegó un fuerte codazo justo cuando estaba a punto de girar la llave. John la sacó con brusquedad de la cerradura.

—¡Au! Pero ¿qué…?

Se dio la vuelta, enojado hacia Jessica y enseguida se irguió y esbozó una amplia sonrisa.

—¡Charlie! —profirió.

La chica, elegante, se acercó a ellos.

John dio un paso atrás de forma inconsciente.

—¿De dónde saliste? Es que no vimos tu coche. Qué sorpresa —añadió apresuradamente.

La chica que no era Charlie sonrió con familiaridad.

—Estaba dando un paseo, quería despejarme. De pronto me di cuenta de que estaba cerca de tu casa y pensé que podía pasar a visitarte. ¿No te agrada?

John asintió, demorándose para ganar tiempo.

—¡Claro! ¡Es estupendo verte! —balbuceó John, dolorosamente consciente de que estaba sobreactuando—. Pero tengo la casa hecha un desastre. Depa de soltero, ya sabes —forzó una sonrisa—. ¿Te importa esperar aquí con Jessica mientras limpio un poco?

Charlie se echó a reír.

—John, tú viste mi habitación de la residencia el año pasado… ¡No tengo ningún problema con el desorden!

—Bueno, pero yo, a diferencia de ti el año pasado, no estoy trabajando en un brillante proyecto científico, así que no tengo excusa —dijo él.

Jessica intervino:

—¿Qué pasó con aquel proyecto, Charlie? ¿Sigues trabajando en él? ¿Cómo va?

La chica volteó hacia Jessica como si la viera por primera vez.

—Perdí el interés —contestó.

John aprovechó la oportunidad: abrió la puerta, se metió y cerró rápidamente antes de que la impostora pudiera seguirlo. En su habitación, Charlie (su Charlie) seguía hecha un ovillo en la cama, con la espalda pegada a la pared; no parecía haberse movido desde que John se había ido.

SCOTT CAWTHON · KIRA BREED-WRISLEY

—Charlie —susurró—. Lo siento, pero tengo que moverte. Lo haré con cuidado.

La tomó en brazos. Desprendía calor y los ojos se movían detrás de los párpados: estaba soñando. John la estrechó con fuerza y miró a su alrededor en busca de un lugar donde esconderla... Su parquedad a la hora de amueblar la casa más allá de lo básico se rebeló contra él. John llevó a Charlie a la sala: el sofá hacía un ángulo con la pared y dejaba un diminuto espacio triangular detrás. John dejó a Charlie un momento, agarró una cobija que estaba tirada en el suelo y la puso en el hueco para que hiciera las veces de colchón. Luego se metió él, tomó a Charlie, la pasó por detrás del respaldo y la dejó en el suelo. John apenas cabía, ni siquiera de pie, y no apartó los ojos de su amiga mientras se subía al sillón de nuevo, por temor a pisarla. Había otra cobija gris a los pies del sofá (la había olvidado allí el inquilino anterior); la agarró y se la echó encima a Charlie de forma que la tapara por completo.

Alguien tocó la puerta.

—¿John? —gritó Jessica—. ¿Ya terminaste de limpiar? —había un poco de pánico en su voz.

John miró a su alrededor. No había rastro de desorden, ni tampoco de que él acabara de ordenar la casa. Se precipitó hacia la habitación y agarró algo de ropa sucia del cesto para lavar, y la llevó consigo cuando abrió la puerta.

—Lo siento —dijo, tratando de fingir un gesto avergonzado—. No suelo recibir muchas visitas.

Jessica sonrió nerviosa, y la otra Charlie lo empujó con una breve sonrisa al pasar.

—Está muy bien —dijo, volteando hacia él—. ¿Qué tal la colonia?

—Eh... bien —acertó a contestar John, desconcertado al tenerla enfrente apenas unos minutos después de estar con la Charlie de verdad.

Esta vez sí apreciaba las diferencias... Podría haber hecho una lista. La sensación de que aquella mujer de aire elegante fuera sencillamente Charlie, sólo que más guapa y más segura de sí misma, se había esfumado. Ahora las facciones resaltaban en su rostro como verrugas, y cada una era una señal de que ella no era Charlie. La nariz era demasiado estrecha; los pómulos, demasiado prominentes. Los ojos estaban muy separados. La línea del pelo empezaba más atrás. El ángulo de las cejas no era el correcto. Las diferencias eran mínimas, milimétricas: la única forma de asegurarse habría sido examinando a Charlie y a su doble robótica la una junto a la otra. O una después de la otra. La Charlie falsa le sonrió con sutileza y desplazó todo el peso de su cuerpo sobre el otro pie, como si fuera a acercarse a él. John carraspeó buscando algo que decir, pero Charlie apartó la vista y empezó a examinar la sala. Detrás de ella, Jessica le dedicó una mirada inquisitiva, probablemente preguntándose dónde estaba la auténtica Charlie. John la ignoró: la doble de Charlie pasó junto a él para entrar a la habitación, y él la siguió deprisa.

—¡Pues bueno! —John pasó a la acción—. Ésta es mi habitación —dijo, como si la visita guiada hubiera sido idea suya.

—Muy bonita —murmuró Charlie, escudriñando la recámara.

Paseó en círculo por ella, examinando cada rincón, y luego fue hasta la cómoda y giró sobre sus talones para volver a inspeccionar la habitación desde allí.

—Chicos, ¿qué tal si hacemos algo luego? —dijo Jessica de repente.

Charlie no contestó. En lugar de eso, se arrodilló despacio y se asomó debajo de la cama. Jessica y John intercambiaron una mirada nerviosa.

—No hay mucho que ver. Vivo solo —bromeó John.

Jessica le dio un codazo y puso cara de desaprobación. «Estoy siendo demasiado obvio otra vez», pensó John. Notaba el pulso latiéndole en la garganta. Enseguida se arrepintió de lo que había dicho. «Por favor, no busques más.» Charlie entró al baño y miró a su alrededor; abrió el botiquín y examinó lo que había dentro. Jessica volteó a ver a John perpleja, y entonces se dio cuenta de que estaba buscando señales de si alguien hubiera resultado herido. Charlie empezó a cerrar el pequeño mueble, vio su reflejo y se detuvo, aún con la mano en la puerta del botiquín, contemplándose. Permaneció inmóvil un buen rato; luego miró a John por el espejo e hizo una mueca.

—Odio los espejos —comentó, y acto seguido se apartó y abrió la cortina de la regadera.

—Sí, ¿verdad? Te aumentan diez kilos —dijo John sin energía.

—Creo que eso son las cámaras —lo corrigió Jessica.

—Bueno, pues los espejos te aumentan cinco —susurró John.

—A lo mejor lo que sucede es que tienes que adelgazar.

—¿En serio estamos teniendo esta conversación?

Siguieron observando a Charlie.

—Está buscando —susurró Jessica—. Ni siquiera disimula.

John se preocupó. Charlie se detuvo y abrió el clóset de la habitación, se agachó para examinar el hueco que quedaba debajo de las camisas y las chamarras colgadas. Se levantó y volvió a la sala: Jessica la siguió y se apresuró a adelantarla. Se sentó rápidamente en el sofá y cruzó las piernas. Charlie fue hasta la cocina americana, abrió el refrigerador y lo cerró.

—¿Tienes hambre? —le preguntó Jessica—. Seguro que John tiene algo de comer.

—No, gracias. ¿Cómo has estado, Jessica? —preguntó Charlie mientras cruzaba la estancia hasta el sofá.

John se puso rígido y se contuvo para no salir corriendo a detenerla. En lugar de eso, abrió el refrigerador y se obligó a respirar mientras, con el rabillo del ojo, la observaba sentarse al lado de Jessica.

—¿Alguien quiere agua? ¿O un refresco? —ofreció.

—Sí, por favor —contestó Jessica con voz tensa, tosiendo con brusquedad.

John tomó dos latas y se las llevó. Jessica agarró la suya con fuerza.

—Gracias —dijo con demasiado énfasis.

Él hizo un gesto con la cabeza.

—No hay de qué —le sonrió a Charlie con gesto tenso y ella lo miró: cada momento que pasaba allí con ella sentía como si le fuera a despegar la piel de los huesos.

Podría haber pensado que era un efecto secundario del chip, pero no había sentido eso hasta que supo quién era en realidad.

—Siéntate, John —Charlie sonrió y le señaló el brazo del sofá junto a ella.

—Lamento no tener sillas ni nada más. No tenía pensado vivir aquí mucho tiempo —se disculpó John, nervioso.

—¿Cuánto tiempo llevas en esta casa? —la voz familiar de Charlie sonaba a metal.

John se sentó a su lado.

—Desde… que pasó aquello. Me mudé cuando llegué aquí.

—Ah —ella volvió a recorrer la estancia con la mirada—. Supongo que no me acuerdo.

—Nunca habías venido —repuso él, incapaz de evitar el tono gélido en su voz.

Jessica le dirigió una mirada de advertencia y él respiró hondo. Charlie se puso a escudriñar la sala de nuevo. Miraba al frente con cara de concentración. Movió los ojos arriba y abajo, barriendo la estancia, y empezó a girar el torso despacio casi hasta darse la vuelta; en un segundo vería el hueco detrás del sofá.

—Charlie, me la pasé muy bien el otro día —dijo John rápidamente, obligándose a sonar convincente—. ¿Te gustaría que cenemos juntos otra vez hoy?

Ella se dio la vuelta con cara de sorpresa.

—Sí, claro… Me encantaría, John. ¿En el mismo sitio?

—En el mismo sitio. ¿A las siete?

—Okey.

—¡Qué bien! —dijo Jessica poniéndose de pie—. Bueno, yo tengo que irme —dijo—. ¿Te quedas, Charlie?

Le dirigió una mirada nerviosa a John, y él se apresuró a ponerse de pie también.

—Yo te llevo en el coche si quieres —se ofreció el muchacho—. Como dijiste que habías venido caminando…

«Gracias», articuló Jessica en silencio por detrás de la espalda de Charlie.

—No —contestó Charlie—. Creo que me iré dando otro paseo. No me estacioné muy lejos. Además hay muy buen clima.

—Okey —dijo John.

Charlie atravesó la sala con movimientos gráciles y salió del departamento. Jessica dejó escapar una larga bocanada de aire, como si llevara tiempo aguantándosela. Fueron hasta la ventana y observaron a la impostora en silencio mientras se alejaba hasta que desapareció tras una curva de la carretera.

—¿Y si vuelve? —dijo Jessica—. No quiero que estés solo con esa cosa —añadió casi escupiendo la última palabra.

John asintió con gesto vigoroso.

—Yo tampoco quiero estar solo con ella.

Jessica se quedó pensativa un momento.

—No tardaré mucho —dijo—. Necesitamos ayuda. Y si no crees que sea buena idea que Charlie vaya al hospital, entonces el hospital tendrá que venir a ella.

—¿Marla?

—Marla.

Dicho esto, fue rápidamente hacia la puerta. John salió con ella y la observó incómodo mientras subía a su coche y se alejaba. Luego volvió a entrar, cerró la puerta con llave y echó el pasador. «Como si sirviera de algo», pensó mientras deslizaba la cadena.

—¿Charlie? —dijo en voz baja. No esperaba obtener respuesta, pero quería hablar con ella, se sentía casi obligado a ello—. Charlie, ojalá pudieras oírme —continuó mientras iba hasta el clóset de la habitación y tomaba las otras dos cobijas que tenía—. Creo que será más seguro para ti que te quedes donde estás, en lugar de en la habitación.

Separó el sofá un poco más de la pared, pensando en cómo conseguir que estuviera más cómoda. Sin saber muy bien qué hacer, tomó una almohada y se agachó para quitar la cobija que le tapaba la cara.

—Lo siento, sólo tengo una almohada —dijo, intentando no perder el equilibrio.

—N… pasa n…ada —se oyó en un murmullo amortiguado desde debajo de la cobija.

John trastabilló hacia atrás, tropezando con el sillón. Consiguió no golpearse la cabeza contra el suelo.

—¡¿Charlie?! —gritó, y luego bajó la voz mientras escalaba por el sofá de nuevo—. Charlie, ¿estás despierta? —no hubo respuesta. Esta vez no intentó colarse en el hueco entre el sillón y la pared, sino que se inclinó a mirar. Su amiga se movía un poquito—. Charlie, soy yo, John —dijo en un susurro urgente—. Si puedes oírme, aférrate al sonido de mi voz.

Se detuvo al ver que Charlie se incorporaba y se apartaba la cobija de la cara.

La miró tan atónito como la primera vez que la vio. Tenía la cara enrojecida y el pelo pegado a la piel tras haber estado debajo de la cobija; tenía los ojos casi cerrados; pestañeó varias veces por culpa de la luz, bajando la mirada para luego apartarla. John se levantó de un salto y se apresuró a bajar las persianas. Cerró la puerta de la habitación y corrió las cortinas de la ventana de la cocina. El departamento, que ya de por sí no tenía mucha luz, quedó casi a oscuras. Volvió corriendo hasta el escondite de Charlie, tomó el sofá por un extremo y lo jaló para apartarlo aún más, lo suficiente como para poder meterse en el hueco con ella. Seguía sentada, apoyada en la pared, pero parecía estar muy débil, como si no fuera capaz de seguir en esa postura por mucho tiempo. Estiró la mano para ayudarle a mantenerse erguida, pero, cuando le tocó el brazo, ella hizo un sonido agudo y angustiado, y él se apartó de inmediato.

—Lo siento. Soy yo, John —repitió, y ella giró la cabeza para mirarlo.

—John —dijo con voz débil y áspera—. Lo sé —respiraba con dificultad y parecía que le costaba hablar. Estiró una mano hacia él con gran esfuerzo.

—¿Qué necesitas? —preguntó él buscando su rostro.

Charlie alargó aún más la mano; entonces él comprendió y la tomó entre las suyas.

—Nunca más te voy a soltar —susurró.

Ella sonrió sin fuerzas.

—Sería un poco raro —susurró de vuelta.

Abrió la boca como para continuar, pero suspiró y se estremeció.

John se acercó más, asustado.

—¿Qué… —tomó aire de nuevo— me pasa? —dijo como pudo.

Abrió los ojos y lo miró suplicante.

—¿Cómo te sientes? —dijo él, evitando la pregunta.

—Cansada… Me duele todo —contestó con voz entrecortada. Se le cerraban los ojos.

Él apretó la mandíbula y trató de mantener el gesto neutro.

—Estoy intentando ayudarte —dijo por fin—. Mira, tienes que saber… que hay alguien, algo que está intentando hacerse pasar por ti; dice que eres tú —ella abrió los ojos y le apretó la mano de nuevo en señal de alerta—. Es idéntica a ti. No sé por qué lo hace, no sé qué quiere, pero voy a averiguarlo. Y voy a ayudarte.

—Afton —dijo en un jadeo apenas audible.

John llevó la mano al sofá para tomar la almohada que había traído.

—¿Puedes levantar la cabeza? —preguntó, y ella la elevó un poco para que él pudiera colocar la almohada—. Ya sabemos que es Afton —repuso, y volvió a tomarle la mano una vez que estuvo más cómoda; ella se la apretó suavemente—. Tengo uno de los chips. Afton Robotics. Charlie, tengo esto. Clay va a ayudarnos, también Jessica, y vamos a traer a Marla para que te ayude a recuperarte. Todo estará bien. ¿Okey?

Pero Charlie estaba de nuevo inconsciente; John no sabía cuánto habría oído o entendido. Seguían tomados de la mano.

«Alguien que se parece a mí... Nunca te soltaré... ¿John?» Charlie luchaba por ordenar sus pensamientos: lo que tenía sentido un momento antes enseguida perdía forma, se escapaba de su alcance en decenas de direcciones distintas, como pétalos en el agua. «La puerta...»

—Todo estará bien —dijo John, pero Charlie no sabía si se lo había dicho en su mente o en el mundo real.

Sintió que volvía a deslizarse en la oscuridad; intentó aferrarse a aquella voz, pero la extenuación pesaba más que ella y la arrastraba inexorablemente.

Charlie miró hacia la puerta otra vez. «Llega tarde; o yo llegué pronto.» Tomó el tenedor que tenía enfrente y pasó el pulgar por encima del metal liso; los dientes golpearon el vaso de agua con un claro tintineo y ella sonrió. Volvió a chocar el cristal. «¿Cuánto sabrá?»

Golpeó el vaso de nuevo, y esta vez se percató de que varias personas se volteaban para mirarla con gesto confundido. Ella sonrió educadamente, dejó el tenedor sobre la mesa y cruzó las manos en el regazo. Charlie respiró hondo y se irguió.

ϒ

Al acercarse al restaurante, John vio que no-Charlie ya estaba allí. Se había cambiado de ropa. No se había fijado en qué llevaba puesto antes, pero ahora lucía un vestido corto ceñido de color rojo… Se habría acordado de algo así. Se detuvo en la banqueta, fuera de su vista, haciendo algo de tiempo. No conseguía sacarse de la cabeza aquella otra imagen, la cara pintada con la hendidura que la dividía a la mitad. Charlie estaba sentada en la silla de la otra vez; no tenía nada enfrente, sólo un vaso de agua. Cuando cenaron allí, ella pidió un platillo pero John no recordaba haberla visto comer. Aunque tampoco recordaba haberse fijado en que no comía.

—¡Deja de retrasarlo! —chisporroteó una voz desde su cintura, y John pegó un brinco.

Sacó el *walkie-talkie* del bolsillo de la chamarra y dio la espalda al restaurante antes de hablar por él, por si acaso la Charlie falsa miraba hacia la calle.

—No estoy retrasándolo —se excusó.

—No deberías poder oírnos —le recordó la voz distorsionada de Jessica—. ¿Tapaste el botón con la cinta de aislar?

—A ver, espera.

John examinó el *walkie-talkie*: la cinta que había puesto encima del botón de transmisión se había despegado. La volvió a fijar y alisó la superficie irregular con la uña. Metió el aparato en el bolsillo de nuevo y entró.

Al entrar, echó un vistazo por el restaurante. Jessica y Carlton estaban sentados juntos en gabinete de respaldos altos, fuera del campo visual de Charlie.

—¿Todavía me oyes? —susurró John.

La mano de Carlton se alzó por encima del respaldo un instante con el dedo pulgar levantado en señal de afirmación, y John esbozó una sonrisa. Volvió a concentrarse en Charlie, quien todavía no lo había visto.

Levantó la cabeza abruptamente de la carta cuando él se acercó a la mesa, como si notara su presencia. Le dedicó una sonrisa radiante.

—Siento llegar tarde —dijo John mientras tomaba asiento.

—Eso suelo decirlo yo —bromeó Charlie.

Él sonrió, incómodo.

—Supongo que sí —la miró un momento: había ensayado cosas que decir, pero se había quedado en blanco.

—Escuché que fuiste con Jessica de visita a ese viejo pueblo fantasma —Charlie soltó una risita—. ¿Cómo se llama? —se inclinó hacia delante y apoyó la barbilla en la mano.

—¿Pueblo fantasma? —dijo John con tono monocorde, intentando que su rostro no lo delatara. Le costó muchísimo trabajo no voltear hacia Jessica y Carlton. Charlie lo miraba expectante. Tomó un sorbo de agua—. ¿Te refieres a Silver Reef? —preguntó, dejando el vaso en la mesa con cuidado.

—Sí, me refiero a Silver Reef —sonreía, pero tenía el rostro tenso, como si algo acechara voraz bajo la superficie—. Es raro ir a un sitio así, John —inclinó la cabeza levemente—. ¿Fueron de turistas?

—Siempre he sido un… loco de la historia. Ya sabes, la fiebre del oro…

—De la plata —lo corrigió Charlie.

—De la plata. Sí. Eso también. Son épocas fascinantes de la historia —John estuvo tentado de darse la vuelta para ver si Jessica aprobaba su respuesta o si se disponía a levantarse de la mesa para salir corriendo del restaurante—. No sabías eso de mí, ¿eh? —se irguió en la silla—. Me encanta la historia: los pueblos históricos, los sitios históricos —carraspeó.

Charlie agarró el vaso de agua y tomó; lo dejó de nuevo en la mesa y John alcanzó a ver la marca del labial rojo que había dejado. Él se hizo un poco hacia atrás y vio para otro lado, en busca de cualquier cosa que mirar que no fuera ella.

—¿A qué fuiste allí? —preguntó Charlie llamando su atención.

—Fui a… —empezó a decir, y luego se tomó un momento para ordenar sus pensamientos—. Fui a buscar a una vieja amiga —respondió con tono tranquilo.

Ella asintió y lo miró a los ojos. Él pestañeó y se prohibió apartar la mirada. Ya había visto unos ojos así antes: no era la locura de Springtrap ni el plástico viviente e insólito de los demás robots, sino la mirada brutal y cruda de una criatura empeñada en sobrevivir. Charlie lo observaba como a una presa.

—¿Y encontraste a tu vieja amiga? —preguntó con un tono cálido y fuera de lugar.

—Sí. La encontré —contestó John sin ceder ante la mirada de Charlie. Ella entrecerró los ojos; la fachada que los separaba era cada vez más estrecha. John se inclinó hacia delante sobre los brazos cruzados, apoyando todo el peso de su cuerpo en la mesa que estaba entre los dos—. La encontré —dijo en voz baja.

Una sombra sobrevoló el rostro de Charlie... Sorpresa, quizá. Se apoyó sobre la mesa imitando la postura de John. Él intentó no estremecerse cuando los brazos de Charlie se deslizaron hacia los suyos.

—¿Dónde está? —preguntó Charlie con un tono tan suave como el de John. Ya no sonreía.

—No sé cuánto tiempo me llevará demostrarle a toda esta gente lo que eres en realidad —dijo John—. Pero puedo hacer varios intentos antes de que llegues hasta esa puerta —agarró el vaso de refresco sin apartar la mirada—. Empezaré con este vaso y luego con una silla en la cabeza, y de ahí en adelante.

Charlie inclinó la cabeza como si estuviera posicionándose. John sabía que le temblaba la mano y que estaba rojo. El corazón le latía a mil por hora: notaba el pulso golpeándole en el cuello. Charlie sonrió, se puso de pie y se inclinó suavemente sobre la mesa. John apretó la mandíbula con los ojos fijos en ella. Charlie le dio un beso en la mejilla y le puso una mano en un lado del cuello. La mantuvo allí mientras se alejaba, mirándolo a los ojos. Sonrió y dejó los dedos sobre su yugular durante un breve instante antes de separarlos. John volvió a pegar la espalda al respaldo como si ella lo hubiera estado sujetando hasta entonces.

—Gracias por la cena, John —dijo ella, y las palabras sonaron casi embelesadas. Retiró la mano poco a poco, saboreando el momento—. Siempre es un placer verte.

Entonces dio media vuelta sin esperar respuesta y fue a pagar la cuenta.

Hubo una larga pausa.

—Ya se fue —se oyó la voz de John por el *walkie-talkie*.

Jessica miró a Carlton; parecía levemente conmocionado; miraba a Charlie como si lo hubieran hipnotizado.

—¡Carlton! —siseó Jessica.

Él salió de su ensueño y sacudió la cabeza.

—¡Está increíble! —dijo Carlton.

Jessica se dio la vuelta y le dio a Carlton una bofetada con toda la fuerza que pudo.

—¡Idiota! ¡Se supone que tienes que vigilarla, no verle el trasero! Además, te recuerdo que fue ella quien mandó a tu padre al hospital.

—No, no, es verdad. Muy grave... —se quedó sin palabras, obviamente distraído.

—No sé para qué te traje...

Jessica salió a toda prisa del gabinete, como pudo.

—¿Adónde vas? —preguntó Carlton.

—Tengo una idea; quédate aquí —Jessica suspiró—. Toma mi coche.

Carlton la llamó, pero ella no se detuvo y le lanzó las llaves del coche. Carlton fue hasta la mesa de John.

—Hola. ¿Estás bien?

John no volteó al oír la voz de Carlton detrás de él.

—No. Muy bien no estoy —se recostó en su asiento, vio el techo de yeso y por fin miró a Carlton—. ¿Dónde está Jessica? —preguntó al instante.

—No lo sé, se fue corriendo...

Carlton señaló el estacionamiento y John se dio la vuelta justo a tiempo para ver que Charlie se alejaba al volante de su coche.

—Hizo una estupidez, ¿verdad? —dijo John sin energía.

Carlton lo miró y ambos corrieron hacia la puerta.

Jessica se dirigió furtivamente hasta la entrada trasera del restaurante. Vio que Charlie seguía de pie en el mostrador pagando la cuenta. Se deslizó por la puerta de atrás y rodeó el edificio; sus tacones repiqueteaban sobre el pavimento. Se los quitó, los tiró a los arbustos y siguió corriendo descalza.

—Jessica, ¿qué estás haciendo? —murmuró para sí.

Cuando dio la vuelta en la esquina del edificio que daba al estacionamiento, vio el coche de Charlie y fue directamente hacia él. La puerta delantera estaba abierta. Abrió la cajuela, cerró la puerta y se deslizó dentro sin cerrar la tapa del todo.

Pasado un minuto, hubo un ruido dentro del vehículo y Jessica se esforzó para aguzar el oído: parecían voces. No, era una sola voz, pero tardó unos instantes en darse cuenta. Charlie hablaba, pero nadie le contestaba. Jessica se concentró, tratando de aislar los sonidos, pero no conseguía descifrar lo que estaba diciendo Charlie: resultaba ininteligible desde la cajuela. Se acomodó con cuidado, tratando de permanecer lo más acostada posible, pero con el brazo levantado para sostener la cerradura de la cajuela. Si no la sujetaba con fuerza, se movería y Charlie se daría cuenta. Pero si la acercaba demasiado podría cerrarse y se quedaría atrapada allí dentro.

Diez minutos después, el coche frenó en seco; Jessica salió disparada contra la pared y casi suelta la cerradura. Recuperó el equilibrio y se quedó muy quieta mientras escuchaba. La puerta del conductor se abrió y pasado un instante se cerró. Jessica oyó el ruido amortiguado de los pasos de Charlie mientras se alejaba y el crujido de la grava bajo sus pies; luego, silencio. Jessica suspiró de alivio, pero no se movió. Empezó a contar:

—Misisipi, uno… Misisipi, dos… —jadeó con un hilo de voz.

No se oía nada más que su voz susurrante. Contó hasta sesenta, luego se detuvo y se deslizó hacia la puerta de la cajuela. Soltó con cuidado la cerradura y levantó la tapa muy despacio.

El coche estaba en el centro de un gran estacionamiento, iluminado por una extraña luz proveniente del alumbrado público. La luz tenía un tinte rojizo. Jessica volteó y descubrió un inmenso letrero fosforescente sobre su cabeza que inundaba el lugar de rojos y rosas brillantes e impedía ver cualquier otra cosa. En el aire zumbaba con fuerza lo que parecía el ruido de un centenar de lámparas fluorescentes. Jessica entrecerró los ojos y levantó una mano para tapárselos: la cara enorme y sonriente de una niña la observaba desde lo alto con su mirada de relucientes luces de neón en el cielo nocturno. Estaba caracterizada de payaso: tenía el rostro pintado de blanco, dos círculos rosas en las mejillas y, por nariz, un triángulo a juego. Llevaba el pelo anaranjado recogido en dos coletas a ambos lados de la cabeza, y junto a ella lucían unas letras rojas y gruesas con el contorno amarillo. Jessica observó el letrero un buen rato hasta que cobró sentido: CIRCUS BABY'S PIZZA. El resplandor le lastimaba los ojos, así que apartó la mirada y corrió hasta el edificio oscuro que estaba al otro extremo del estacionamiento mientras parpadeaba para librarse de la imagen del letrero fosforescente. Atravesó como pudo unos arbustos y se apoyó contra un muro de ladrillo blanco que parecía nuevo. Se quitó la mano de la cara y, cuando sus ojos se acostumbraron a la oscuridad, vio una extensa hilera de ventanas alargadas que recorría la fachada.

Fue hasta la que tenía más cerca y pegó la cara al vidrio, pero estaba oscurecido y no se veía ni una sombra de lo que había detrás. Jessica desistió de seguir mirando por las ventanas, así que caminó con paso ligero hasta la parte trasera del edificio sin separarse del muro de ladrillo. Las luces blancas y rojas fosforescentes se fueron quedando atrás a medida que Jessica rodeaba el edificio y se sumía en la negrura.

Había más cajones de estacionamiento detrás, aunque estaban vacíos. Un foco solitario parpadeaba sobre una puerta lisa de metal, proyectando una luz amarilla y pálida que parecía impregnarlo todo. Había varios botes de basura alineados contra la pared, y dos contenedores cerraban la zona y bloqueaban la vista desde el exterior. Jessica se escabulló hasta la puerta con cuidado de no pisar nada. La empujó con suavidad, pero estaba cerrada a cal y canto. Arriba había una pequeña ventana. Se agarró del marco para ponerse de puntitas y sonrió: desde allí sí veía algo.

La habitación del interior estaba iluminada con una luz tenue. Charlie estaba allí, de perfil y hablando con alguien a quien Jessica no alcanzaba a ver; tampoco podía oír su voz. Jessica se desplazó por el borde para intentar ver a la otra persona, pero lo único que consiguió distinguir fue el movimiento borroso de alguien haciendo gestos. Pasados unos minutos le empezaron a doler las pantorrillas, así que se soltó y flexionó los pies. Suspiró y volvió a ponerse de puntitas, apoyó la cara contra el vidrio y se puso una mano sobre los ojos a modo de visera para bloquear la luz exterior. No sirvió de nada: la habitación estaba vacía, o al menos se había apagado la luz. Jessica retrocedió y dio media vuelta a regañadientes para buscar otro sitio por donde mirar… y entonces gritó. Se llevó una mano a la boca, aunque era demasiado tarde para ahogar el grito.

Charlie sonrió.

—Jessica —dijo inocentemente—, debiste haberme dicho que venías, podía haberte traído yo.

—Sí, bueno, corrí detrás de ti para alcanzarte, pero ya te habías ido.

Jessica dio un paso atrás con el corazón latiéndole a toda velocidad. Cada fibra de su ser le gritaba que corriera, pero sabía que no podría ir más allá de donde estaba la impostora que tenía ante ella.

—¿Quieres entrar? —preguntó Charlie en tono muy amigable.

—Sí, me encantaría; es que no encontraba la puerta —dijo señalando el estacionamiento.

Charlie asintió.

—Está al otro lado —dijo, y dio un paso más.

Jessica retrocedió de nuevo.

—¿Y qué haces tú aquí, por cierto? —preguntó Jessica, tratando de sonar tranquila. «¿No sabe que lo sé? ¿Me dejará ir si le sigo la corriente?»

—Te lo enseñaré —contestó Charlie.

Jessica se mantuvo impávida; tenía los músculos tan tensos que empezaba a notarlos cansados; respiró hondo intentando relajarse. Pero, de pronto, se dio cuenta de que Charlie la estaba arrinconando contra un muro donde no tendría escapatoria.

—Es tarde, debería irme ya —dijo Jessica obligándose a sonreír.

—No es tarde —protestó Charlie mirando al cielo.

Jessica titubeó en busca de una excusa y los ojos de Charlie relampaguearon mientras daba otro paso adelante. Estaba tan cerca que Jessica podría haber notado su respiración en la piel, pero Charlie no respiraba.

La sonrisa de la impostora se amplió aún más. Jessica retrocedió hasta que se pegó en la cabeza con el muro de ladrillo, lastimándose. Charlie sonrió más y más, la sonrisa era tan grande que resultaba imposible, hasta que de pronto los labios se le abrieron por la mitad y revelaron una hendidura que le seccionaba la cara de arriba abajo. Jessica se encogió de forma instintiva. Charlie pareció hacerse más alta; sus extremidades se segmentaron como las de una muñeca articulada. Sus facciones empezaron a palidecer y se desvanecieron, sustituidas por el rostro metálico e iridiscente de payaso que habían conseguido distinguir en las fotos de Clay.

—¿Te gusta mi nuevo aspecto? —preguntó Charlie, con una voz todavía suave y humana.

Jessica inhaló estremecida, sin atreverse a hablar. La criatura en la que se había convertido Charlie la miró con ojos de depredador. En un instante, un olor químico y acre inundó el aire. Entonces, Charlie se abalanzó sobre Jessica y todo se oscureció.

«No veo nada.»

Jessica cerró los ojos y volvió a abrirlos, pero la oscuridad seguía presente. Lo intentó de nuevo y se dio cuenta, presa del pánico, de que no podía moverse. El aire olía a podrido y le revolvía el estómago, así que se obligó a respirar hondo. «Dejaré de notarlo si respiro.» Intentó moverse otra vez, tratando de averiguar qué era lo que la retenía. Estaba sentada: tenía las muñecas atadas detrás del cuerpo y sus brazos rodeaban el respaldo de una silla en una postura incómoda; por otro lado, tenía los tobillos amarrados a las patas. Jaló las cuerdas, y casi derriba la silla al forcejear para liberarse, pero sin éxito. Entonces se hizo la luz.

Jessica dejó de moverse. Pestañeó a causa del resplandor repentino mientras recuperaba la visión. La falsa Charlie estaba a la luz de la ventana, con su forma real: no cabía duda de que era un animatrónico, pero no se parecía a ningún otro que Jessica hubiera visto antes. Estaba fabricada a tamaño real (medía lo mismo que Charlie), y la silueta era la de una mujer, o algo parecido. En la cara bifurcada lucía unas mejillas pintadas de rosa y una nariz roja y brillante; y sus enormes ojos redondos estaban enmarcados por largas pestañas negras. Tenía incluso pelo: dos coletas anaranjadas y sedosas que brotaban de los costados de la cabeza y brillaban artificialmente bajo la luz. Jessica no conseguía deducir de qué material era el cabello. Llevaba un vestido rojo y blanco, o los segmentos metálicos de su cuerpo estaban pintados para parecerlo. De la cintura salía una falda roja con vuelo. Estaba muy quieta y miraba fijamente a Jessica, quien se encontraba paralizada, con miedo incluso a respirar, pero la criatura se limitó a inclinar la cabeza hacia un lado sin dejar de observarla. Su rostro animatrónico le resultaba familiar, pero aún estaba un poco mareada y no conseguía recordar dónde la había visto.

—Supongo que no me ayudarías con esto, ¿no? —Jessica levantó los pies los pocos milímetros que las cuerdas le permitían.

La animatrónica sonrió.

—Supones bien, ¿no? —dijo con la misma voz sorprendente.

Jessica se encogió, rebelándose ante el sonido de la voz de su amiga proveniente de aquella singular criatura.

—¿Quién eres? —preguntó Jessica.

—Soy Charlie.

Jessica miró a su alrededor con impotencia, hacia la habitación mal iluminada. Aparte de la silla, el único objeto que alcanzó a ver fue un viejo y enorme horno de leña de cuya puerta emanaba un cálido resplandor anaranjado por unos pequeños agujeros de ventilación.

—Al menos… parte de mí es Charlie —dijo la criatura.

Estiró la mano ante sí y la estudió.

Jessica levantó la vista y, de pronto, Charlie estaba de pie junto a la ventana con aire confuso e inocente.

—Es raro —dijo la animatrónica—. Tengo algunos recuerdos. Sé que no me pertenecen, pero a la vez sí —hizo una pausa. Jessica volvió a forcejear con los nudos—. Sé que no me pertenecen porque no siento nada cuando me vienen a la mente. Simplemente están ahí, como una carretera larga por la que camino, flanqueada por letreros de cosas que ocurren en otros lugares.

—¿Y qué sientes? —murmuró Jessica intentando desviar la conversación por puro instinto de supervivencia.

La animatrónica dirigió los dardos de su mirada hacia ella.

—Siento… decepción —dijo con voz cada vez más tensa—. Desesperación —miró por la ventana—. La decepción de un padre y la desesperación de una hija —susurró.

—¿Henry? —dijo Jessica con un hilo de voz.

La chica la miró de nuevo.

—No. Henry no. Él era más brillante que Henry. Mientras mi padre trabajaba, yo lo contemplaba desde lejos, desde muy muy lejos —se quedó sin palabras.

Jessica esperó a que continuara; casi había olvidado que estaba intentando escapar—. Ahora lo veo todo con claridad —prosiguió la animatrónica—. Pero en mis recuerdos... todo era mucho más sencillo, y por ende mucho más doloroso. Porque cuando eres una niña, tus padres lo son todo. Son tu mundo y no conoces nada más. Cuando eres una niña, tu padre es tu mundo. Qué existencia tan trágica y miserable.

Jessica sintió que se mareaba y levantó la mirada hacia la animatrónica, que ahora volvía a tener la apariencia de payaso, pero la imagen se desvaneció. De repente era Charlie la que estaba bajo la luz, pero la interrupción momentánea del espejismo bastó para recordarle dónde estaba y que tenía que huir de allí.

La chica animatrónica estaba junto a la única ventana de la habitación. Había una puerta no muy lejos; Jessica estaba más cerca que la falsa Charlie, aunque no contaba con ser más rápida que ella. «¿Qué otra cosa puedo intentar?» Poco a poco, sin apartar la vista de su secuestradora, Jessica empezó a mover las muñecas adelante y atrás, tratando de aflojar la cuerda que la aprisionaba. La chica la observaba, pero no hacía nada para detenerla, así que Jessica continuó.

—Ése es el error y el mayor pecado de la humanidad —dijo la chica—. Nacen sin ninguna inteligencia, pero con corazón; absolutamente capaces de sentir dolor y tormento, pero sin el poder de comprender. Eso los hace un blanco fácil para el maltrato, para el abandono, para un dolor inimaginable. Lo único que saben hacer es sentir —se miró las manos de nuevo—. Lo único que saben hacer es sentir, pero nunca comprender. Se les otorga un poder terrible.

Las cuerdas parecían tensarse más conforme las jalaba, tanto que notó que se le llenaban los ojos de lágrimas. «Parece que no le importa que intente escapar —pensó amargamente—. Si tan sólo pudiera ver los nudos... —dejó de moverse, respiró hondo y cerró los ojos—. Busca el nudo. Ignora al robot.» Jessica movió la mano derecha en busca del final del nudo, para lo cual tuvo que doblar la muñeca hasta lastimarse. Por fin encontró el extremo de la cuerda y lo agarró: la cuerda se tensó, pero la recorrió con los dedos hasta llegar a la base del nudo. Entonces empezó a empujar el extremo de la cuerda hacia arriba para desatarlo.

—Yo quería ser la que estuviera en aquel escenario, pero siempre fue ella. Todo su amor era para ella.

—Te refieres a Afton —Jessica se detuvo y Charlie asintió—. William Afton nunca hizo nada con amor —gruñó.

—Debería abrirte en canal —la apariencia de Charlie parpadeó; el rostro y el cuerpo de la animatrónica parecieron romperse y luego ensamblarse de nuevo en un instante. Por un momento, reveló una expresión titubeante y su rostro reflejó cierta vulnerabilidad, pero enseguida se recompuso—. Ella era su obsesión —la animatrónica se enroscó el pelo en los dedos—. Trabajaba en ella noche y día: la payasita de coletas anaranjadas. Lo suficientemente pequeña para resultar dulce y amigable, pero lo bastante grande para engullirte de un bocado —se rio.

Jessica jaló la cuerda por última vez. Había conseguido deshacer el primer nudo. Respirando con dificultad por el esfuerzo, abrió los ojos: la animatrónica no se había movido de la ventana, y seguía observándola con una especie de interés divertido. Jessica rechinó los dientes, cerró los ojos y empezó a desatar el siguiente nudo.

—Yo quería ser ella —susurró la chica—. El centro de su atención, el centro de su mundo.

—Estás delirando —Jessica se rio entre dientes mientras forcejeaba con la cuerda en un intento por distraerla—. Eres un robot; no eres su hija.

La animatrónica apartó una silla de la pared y se sentó con gesto dolido.

—Una noche me levanté de la cama y fui a verla a escondidas. Me habían dicho cien veces que no podía hacerlo. Aparté la sábana. Era radiante y hermosa, allí, sobre mí. Tenía las mejillas sonrosadas y alegres, y un vestido rojo precioso.

Jessica interrumpió el forcejeo, confundida. «¿De quién habla?»

—Es raro, porque también recuerdo mirar a la niña desde arriba. Es extraño verlo ahora con los dos pares de ojos. Pero, como dije, una no es más que un cúmulo de datos, un registro de mi primera captura, mi primer asesinato —los ojos de la animatrónica relucieron en la oscuridad—. La niña se acercó y apartó la sábana. No sentí nada; no es más que la relación de lo que pasó. Pero claro que hay una sensación, la sensación al apartar la sábana y mirar impresionada aquella criatura que mi padre amaba tanto, aquella hija que había fabricado.

La hija que era mejor que yo, la hija que habría deseado que yo fuera. Quería ser ella a toda costa —la imagen de Charlie se desvaneció para dar paso al payaso pintado, y Jessica suspiró al notar que la náusea y el mareo se apoderaban de ella nuevamente—. Así que hice aquello para lo que estaba diseñada —dijo la chica, y acto seguido se quedó callada.

La habitación estaba en silencio.

Cuando el último nudo se soltó y la cuerda cayó al suelo, Jessica abrió los ojos sorprendida. Se inclinó hacia delante y llevó los brazos dormidos hasta los tobillos mientras miraba a la chica, quien seguía observándola sin inmutarse. Jessica desató rápidamente los nudos que le apresaban los tobillos, pues estaban más flojos y hechos con menos esmero, y apoyó los pies en el suelo con un cosquilleo en el estómago. «Hora de salir de aquí.»

Jessica corrió hacia la puerta, moviendo, gracias a su fuerza de voluntad, las rodillas tambaleantes y los tobillos adoloridos. No oía nada tras de sí. «¡Tiene que venir pisándome los talones!», pensó enloquecida mientras llegaba hasta la puerta y giraba la manija. La abrió de golpe, suspirando de alivio... y gritó.

Tan cerca que podía tocarla había una cara moteada, hinchada y deformada. Tenía la piel demasiado fina y unos ojos inyectados en sangre que la miraban iracundos, temblando como si estuvieran a punto de explotar. Jessica retrocedió de golpe y volvió a entrar a la habitación. Se fijó en el cuello de la criatura, de cuya piel salían dos trozos de metal oxidado. Apestaba a moho, que era lo que recubría por completo el disfraz de pelo que llevaba, tanto que el tejido se veía verde; sin embargo, en cuanto Jessica lo miró de arriba abajo, supo que en el pasado había sido de color amarillo.

—Springtrap —resolló con voz temblorosa.

Los labios de la criatura se contrajeron en algo parecido a una sonrisa. Jessica corrió hasta la silla a la que había estado atada y la interpuso entre ambos, como si fuera a servir de algo. Entonces, Springtrap se echó a reír con una horrible carcajada. Jessica tensó el cuerpo y agarró el respaldo de madera de la silla, dispuesta a defenderse, pero Springtrap siguió riéndose sin moverse de donde estaba. Soltó una carcajada tras otra hasta alcanzar un agudo imposible; entonces se detuvo de golpe y miró a Jessica. Se acercó un poco más e, inexplicablemente, empezó a brincar en un baile grotesco mientras cantaba con un hilo de voz inestable:

Atrapamos a Jess,
y Jess peleó,
pero ahora va a morir,
¡oh, sí!

Jessica volteó a ver a la chica animatrónica, que seguía en el rincón, y ésta apartó la mirada como con asco. Springtrap bailó más cerca, rodeando a Jessica mientras repetía su tonada; ella levantó la silla que le servía de barrera buscando la oportunidad de golpearlo. Tropezó con sus propios pies mientras trataba de apartarse del camino de la criatura. «Esto es una locura incluso para él.» Springtrap se acercaba y se alejaba sin parar de bailar, y las palabras de la canción iban degenerando en sílabas sin sentido, interrumpidas por risas enloquecidas. Jessica sostuvo la silla en el aire, lista para blandirla. Y, de repente, él se quedó completamente inmóvil.

Los brazos de Jessica vacilaron, entonces dejó la silla en el suelo con un golpe seco. Springtrap no se movía, incluso su rostro estaba completamente congelado. «Como si alguien lo hubiera apagado.» Ni siquiera había acabado de procesar ese pensamiento cuando, de pronto, el cuerpo de Springtrap se puso flácido y cayó al suelo con gran estrépito. Parpadeó y se desvaneció, dejando en su lugar un muñeco segmentado y liso. Jessica volteó a ver a la chica animatrónica: seguía observándolos impávida.

—Ya basta de teatro —dijo una voz áspera de hombre por la puerta abierta—. Jessica, ¿verdad? —la voz era más bien un resuello.

Ella entrecerró los ojos, pero no veía bien con tan poca luz.

—Yo conozco esa voz —dijo despacio.

Oyó un zumbido proveniente del umbral; de pronto, algo entró rodando a la habitación: una especie de silla de ruedas automática. Su ocupante iba vestido con algo parecido a una pijama de seda blanca y una bata negra del mismo tejido que lo cubría de la barbilla hasta los dedos de los pies, los cuales llevaba embutidos en unas pantuflas de cuero negras. Detrás de él colgaban tres bolsas de medicamento intravenoso de un portasuero; los tubos desaparecían por debajo de la manga de la camisa de la pijama. Era calvo y tenía la cabeza cubierta de cicatrices rosas y abultadas. Donde no había cicatrices, se veían extraños amasijos de plástico, molduras y metal pegados a su cabeza como si estuvieran soldados. Volteó un poco y Jessica vio que tenía un ojo normal, pero le faltaba el otro: la cuenca vacía era negra y la atravesaba una fina varilla de acero que reflejó la luz con un destello. Era terriblemente delgado, tanto que se le adivinaban todos los huesos de la cara; y cuando esbozó una breve y retorcida sonrisa, Jessica pudo ver los tendones moviéndose como serpientes por debajo de la piel. Tuvo que contener una arcada.

—¿Sabes quién soy? —preguntó.

«Eres William Afton», pensó Jessica, pero negó con la cabeza y dejó escapar un suspiro tembloroso.

—Ven aquí —le dijo.

—Mejor me quedo donde estoy —repuso ella con voz tensa.

—Como quieras.

Se impulsó hacia delante con cuidado y la silla de ruedas emitió un zumbido al ponerse en marcha. La chica animatrónica hizo el ademán de dirigirse hacia él, pero Afton la disuadió con un gesto que le hizo perder el equilibrio; por un momento, pareció que se iba a caer hacia un lado, pero se agarró al brazo de la silla con expresión de dolor hasta que consiguió estabilizarse.

—¿Qué significó el bailecito ese? —preguntó Jessica en voz alta.

Él la miró como si le sorprendiera que siguiera allí. Entonces se llevó las manos al nudo que le cerraba la bata e intentó deshacerlo con torpeza.

—Pensé que te gustaría verme como antes. Una cara familiar —dijo, sonriendo con ironía.

Levantó un pequeño disco que tenía en la mano y activó el interruptor. El muñeco del suelo volvió a adquirir la apariencia que tenía momentos antes: un William Afton duplicado y ensangrentado metido en el disfraz de conejo.

—El tiempo lo cambia todo —prosiguió mientras apagaba el disco otra vez—. Igual que el dolor. Cuando me hacía llamar Springtrap, estaba ebrio de poder; aquella fuerza nueva me hacía delirar. Pero el dolor lo cambia todo, igual que el tiempo —dijo, y se abrió la bata para revelar su torso.

En el centro del pecho tenía una masa de carne retorcida, cosida con varias hileras de puntos negros formando líneas diagonales; las marcas del traje de resortes punteaban las heridas, algunas cicatrizadas desde hacía años y otras sin sanar aún, con la piel roja y brillante. Se llevó una mano a los puntos con cuidado de no tocarlos.

—Tu amiga me hizo esta nueva herida —dijo con voz suave, y entonces inclinó la cabeza de forma que Jessica pudiera verle el cuello.

Ella dio un paso involuntario hacia delante y emitió un grito ahogado.

Al principio pensó que no tenía piel, que el interior del cuello estaba expuesto. «Pero ¿y la sangre...? Estaría muerto.» Jessica tomó una bocanada larga y lenta de aire, aturdida, intentando entender lo que estaba contemplando. Le habían cubierto la herida con algo, plástico quizá; se veía dónde había cicatrizado la piel porque estaba enrojecida y fea. A través del material transparente, fuera lo que fuera aquello, se le veía la garganta... No sabía lo suficiente sobre anatomía para conocer los nombres de lo que observaba, todo era rojo y azul, bloques de músculo y filamentos de venas o tendones. En medio había cosas que no debían estar dentro de un cuerpo humano; trozos pequeños de metal incrustados en el tejido. Había demasiados para poder contarlos. El hombre se movió y reflejaron la luz como un caleidoscopio. Jessica soltó un grito ahogado y él resolló; era obvio que le costaba respirar con el cuello en esa posición. Cuando el hombre se movió, Jessica vio algo con el rabillo del ojo y se acercó más. Tenía a Afton al alcance de la mano y el olor era horrible: un aroma asfixiante a desinfectante. Miró a través de la tapa transparente del cuello y lo vio: un resorte enrollado alrededor de lo que parecían tres venas, con los extremos afilados clavados en el tejido muscular rojo.

Jessica dio un paso atrás y casi se cae al tropezar con el maniquí tirado que hacía un rato era Springtrap. Le dio una patada al revoltijo de brazos y piernas, recuperó el equilibrio y miró de nuevo el rostro mutilado del hombre.

—Sí, te conozco. ¿No eras vigilante en un centro comercial? —preguntó. Apretó los puños y la furia le oscureció los ojos.

—Olvida eso. Dave el vigilante fue un personaje concebido en un momento específico para engañarlos a ti y a tus amigos. Era insultante. No hay que ser un gran actor para fingir ser un estúpido vigilante nocturno, siempre y cuando sepas moverte con discreción. Hace tiempo que no soy discreto. Sinceramente, ahora ya da igual, porque esto es lo que queda de mí —hizo una gárgara de desesperanza—. Siéntate conmigo, Jessica.

La chica animatrónica arrastró el portasuero con una mano y lo llevó a un rincón donde había más equipo médico y un sillón reclinable. Jessica estaba mirando la puerta, lista para salir corriendo, cuando algo parecido al grito lejano de un niño rompió el silencio.

—¿Qué fue eso? —preguntó Jessica—. Parecía un niño.

El hombre la ignoró y se instaló en el sillón. La animatrónica se encargó de las máquinas que estaban alrededor y comenzó a colocarle electrodos en el cuero cabelludo sin pelo y a comprobar las bolsas del portasuero. Un monitor empezó a pitar con intervalos ligeramente irregulares y él hizo un gesto con la mano.

—Apaga eso. No puedo soportar ese sonido. Jessica, acércate.

«Mantente con vida. Síguele el juego», pensó Jessica mientras tomaba con cautela la silla a la que había estado atada hacía un rato. La llevó hasta donde estaba el hombre y se sentó. Observó a la chica animatrónica, que atravesó la habitación, abrió una portezuela y extrajo una mesa alargada de la pared como si fueran a ver un cadáver en una morgue. Jessica se llevó una mano a la boca al percibir de repente un olor a aceite y a carne quemada. Había algo sobre la mesa, cubierto con un plástico.

Jessica pegó un brinco y retrocedió.

—¿Qué es esto? ¿A quién mataste ahora? —preguntó.

—A nadie nuevo —le espetó William, casi como si intentara reírse.

El plástico se arrugó; algo se movía debajo.

—¿Qué hiciste? —gritó Jessica.

La animatrónica tomó un algodón de una bolsa, lo empapó del contenido del frasco que tenía en la mano, se lo pasó con esmero por los dedos metálicos de una mano y luego lo tiró en un bote de basura que había a sus pies. Agarró otro algodón y repitió el proceso por toda la superficie de las manos y los antebrazos hasta los codos. «Se está desinfectando.» Jessica volteó hacia el hombre que estaba en el sillón, sin dejar de mirar a la chica con el rabillo del ojo. Detrás de él, la chica animatrónica estaba esterilizando un bisturí con el mismo cuidado con el que había llevado a cabo el proceso de las manos.

—Estuve a punto de creer que habías engañado a la muerte —dijo Jessica, casi sintiendo lástima por él.

—Ah, créeme que sí. Sólo viste una fracción de lo que me han hecho, las esquirlas que ni siquiera decenas de operaciones (y me he operado decenas de veces) han conseguido eliminar —se levantó la manga de la camisa de la pijama muy despacio, y Jessica vio que tenía dos tubos de metal insertados en el brazo, ambos moteados con trozos desiguales de goma gris—. Algunos fragmentos del disfraz ya forman parte de mí.

La chica animatrónica tomó lo que parecían unas tijeras del cajón y empezó a limpiarlas, pasando el algodón con cuidado por toda la superficie.

—Pero la sangre falsa… —Jessica cerró los ojos y sacudió la cabeza. «Charlie dijo que Clay había descubierto sangre falsa en Freddy's.»—. Había sangre falsa; fingiste tu muerte.

Afton tosió y abrió mucho los ojos.

—Te aseguro que yo no fingí nada. Si tu amigo el policía encontró sangre falsa… —respiró para estabilizarse—. No era mía. Yo sangro como todo el mundo —terminó la frase y sonrió, dándole a Jessica un momento para pensar antes de seguir—. Les di un monstruo —señaló el muñeco tirado que había sido Springtrap—. Pero te aseguro que soy miserablemente humano —hizo otra pausa y una sombra de ira le asaltó el rostro—. El cuero cabelludo se me desprendió del cráneo al escapar de ese traje, todo excepto esta zona de aquí —se tocó un pequeño espacio donde aún crecía pelo—. Tengo trozos de metal clavados en cada parte de mi cuerpo que no ha sido sustituida por tejido artificial. Cada vez que me muevo siento un dolor inimaginable. Y si no me muevo es aún peor.

—No voy a sentir lástima por ti —dijo Jessica de repente, sonando más valiente de lo que en realidad se sentía.

Afton tomó aire y la miró inexpresivo.

—¿Crees que tu lástima va a influir en lo que te voy a hacer? —replicó él tranquilamente. Ladeó la cabeza y se hizo hacia atrás, como si estuviera tomándose su tiempo para saborear las palabras; luego su rostro perdió el destello de astucia—. Sólo te lo cuento para que me ayudes con lo que viene ahora —dijo con voz cansada.

Jessica se puso de pie.

—Quieres impresionarme por cómo sobreviviste y por cuánto dolor sientes. No me importas en absoluto.

Se acercó a la silla de William, cruzó los brazos y lo miró furiosa. Vio a la animatrónica, quien parecía dispuesta a intervenir, con un bisturí a medio esterilizar en la mano, pero Afton hizo un gesto casi imperceptible con la mano para que desistiera. Parecía disfrutar con la situación. Jessica se acercó más.

—William Afton —dijo—, no hay nada en el mundo que me importe menos que tu dolor.

Otro grito infantil surgió desde algún lugar cercano y Jessica se irguió.

—Eso fue un niño —exclamó, sintiendo una descarga de adrenalina. De repente, se sentía fuerte, como si tuviera cierto control de la situación—. Eres tú quien ha estado secuestrando niños, ¿verdad? —preguntó.

Afton sonrió débilmente.

—Me temo que esos días han pasado a la historia para mí —se rio y miró con cariño a la animatrónica, quien observó a su vez a Jessica y sonrió con delicadeza.

Enseguida se irguió y fijó la vista al frente; Jessica retrocedió un paso. De repente, a la animatrónica se le abrió el vientre en dos y una enorme masa de cables y picos salió disparada del interior. Jessica gritó y dio un salto hacia atrás. Aquello cayó al suelo y luego volvió a meterse lentamente al estómago de la chica, el cual se cerró de nuevo. Después le sonrió a Jessica y se pasó el dedo de arriba abajo por la costura ya invisible. Jessica apartó la mirada.

—Baby, ya basta —susurró Afton.

Jessica notó que pasaba del pánico a la confusión. Miró a la chica, luego a Afton y después a la chica de nuevo.

—Circus Baby —dijo Jessica recordando de repente el letrero del restaurante. La chica animatrónica amplió aún más la sonrisa, tanto que parecía que la cara se le iba a partir por la mitad—. Te ves más guapa en el cartel —añadió, mordaz.

La chica dejó de sonreír al instante y giró el cuerpo hacia Jessica como si le apuntara con un arma. Un pitido agudo los rodeó y Jessica retrocedió aún más. «Eso es su chip», pensó Jessica, y se preparó como si fueran a golpearla. La animatrónica estiró los brazos como en un gesto de bienvenida.

Unas espinas delgadas y afiladas como púas de erizo empezaron a salirle de la piel metálica, cada cual con una punta roja como cabeza de alfiler, separadas por pocos centímetros; le recubrían la cara, el cuerpo, los brazos y las piernas. Fueron emergiendo despacio y se alinearon a la perfección, creando un contorno falso alrededor de su cuerpo. La chica miró a Jessica, expectante.

—Espera un momento —dijo la chica—. Deja que tus ojos se acostumbren.

El zumbido se hizo más fuerte y más agudo, tanto que dolía oírlo. Jessica se tapó los oídos, pero no consiguió amortiguar el sonido. De repente, una nueva imagen tomó forma: donde estaba la esbelta y pulida animatrónica pelirroja apareció una niña gigante como de dibujos animados, con los ojos verdes demasiado grandes para su cara, la nariz y las mejillas pintadas de fucsia; era el vivo retrato de la niña del letrero fosforescente. Antes de que Jessica pudiera reaccionar, la imagen de la niña se desvaneció y las agujas volvieron a meterse al cuerpo de la chica con un chasquido metálico. El zumbido paró. La animatrónica había recobrado su forma previa. William Afton la observaba con orgullo.

Jessica se volvió de nuevo hacia la chica elegante y lustrosa que estaba de pie junto al hombre.

—¿Cómo la creaste? —preguntó Jessica con los ojos llenos de curiosidad por un momento, antes de recuperar la consciencia del peligro que la rodeaba.

—Vaya. Tienes mente científica. No puedes evitar admirar lo que he hecho —se agarró a un brazo de la silla y se impulsó para incorporarse—. Aunque… —levantó un momento la vista hacia la chica iridiscente y luego la apartó—. No puedo asumir la autoría completa de esto, desgraciadamente —reclinó la cabeza de nuevo y dejó escapar un suspiro—. A veces, los grandes logros conllevan un alto precio.

Jessica esperó a que continuara, confundida, y luego miró a la animatrónica, recordando lo que había dicho unos minutos antes.

—Soy un hombre brillante, no te creas. Pero lo que tienes ante ti es una combinación de toda clase de maquinaciones y magia. Mi único logro de verdad fue crear algo que pudiera caminar —estiró la mano y le dio una palmada en la pierna a la animatrónica, que estaba a su lado; ella no reaccionó—. Y no es un mal logro. Aunque no ocurre con la fluidez que crees. Mucho de lo que ves está sólo en tu mente —se rio con un jadeo y luego hizo una pausa para terminar con una tos lastimera antes de proseguir—. La idea de no empeñarnos en reinventar la rueda fue de Henry. ¿Por qué tratar de crear la ilusión de la vida si tu mente puede hacerlo por ti?

—Pero es más que una ilusión —dijo Jessica con tono neutro.

—Eso es cierto —contestó Afton, pensativo—. Es cierto. Pero por eso estamos aquí: para descubrir el secreto de ese último ingrediente, lo que podríamos llamar la chispa de la vida.

—¿Por eso también estoy yo aquí? —Jessica apretó la mandíbula.

—Creo que tú viniste por voluntad propia, ¿no? —dijo Afton en tono dócil.

—Yo no me até de manos y pies.

—Pero lo que está claro es que yo no te metí a la cajuela de ese coche —respondió.

—Preferiríamos tener a tu amiga Charlie —continuó—. Pero te sacaremos algún provecho —cerró los ojos un buen rato y luego los abrió para mirar los de Jessica—. Me he enfrentado cara a cara con mi propia mortalidad, Jessica. Sabía que me estaba muriendo y, en el fondo de cada uno de los fragmentos rotos de mi cuerpo, estaba profunda e inconmensurablemente asustado. Le temo a la muerte más de lo que le temo a la vida así, incluso cuando cada instante de consciencia equivale a dolor y el sueño sólo es posible si es inducido con el medicamento suficiente como para matar a casi cualquier persona.

—Todo el mundo tiene miedo de morir —dijo Jessica—. Y tú deberías tener más miedo que nadie, porque, si el infierno existe, hay un agujero en lo más hondo de él reservado para ti.

Afton asintió, con aspecto sinceramente resignado.

—Y con el tiempo seguro que acabaré allí. Pero el demonio ha tocado mi puerta otras veces y siempre lo he rechazado.

Sonrió.

—Pero ¿qué es lo que quieres? ¿Vivir para siempre?

William Afton sonrió con tristeza y le tendió la mano a la chica animatrónica; ella se acercó y le puso una mano en el hombro con gesto protector.

—Así no, al menos —contestó.

Jessica miró a la robot y luego otra vez al hombre que tenía enfrente, y a su cuerpo lleno de piezas mecánicas.

—Entonces ¿qué? ¿Vas a convertirte en robot? —se rio nerviosa, pero se detuvo al ver la expresión grave de Afton—. No sabía que fueras un científico loco.

—No, eso es ciencia ficción —dijo él, serio.

La lona de plástico se movió de nuevo y empezó a deslizarse hacia un extremo de la mesa, pero seguía sin verse lo que había debajo.

—Todo el mundo muere.

Jessica pestañeó; la fuerza de la adrenalina estaba aminorando y empezaba a sentirse agotada. Afton levantó la mano y le tocó la mejilla a la chica mecánica, y luego volvió a centrar su atención en Jessica.

—Los accidentes más terribles a veces dan hermosos frutos —dijo como si hablara consigo mismo—. Recrear el accidente, ése es el deber y el honor de la ciencia. Replicar el experimento y obtener el mismo resultado. Yo estoy consagrando mi vida a este experimento, pedazo a pedazo.

Hizo un gesto a la chica, quien se acercó a Jessica con paso decidido. Ella retrocedió, nuevamente atenazada por el miedo.

—¿Qué vas a hacerme? —podía oír la inquietud en su propia voz.

—Basta, por favor. Ya que eres una mujer de ciencia, intenta al menos apreciar lo que he hecho —dijo Afton.

—Estudio arqueología —repuso ella secamente.

Él no respondió; la chica se acercó más y le dirigió una mirada inescrutable.

La lona de plástico cayó de la mesa y Jessica se sobresaltó al ver lo que había debajo, pero el terror dio paso enseguida a la confusión. Lo que había allí no era un cuerpo, ni humano ni mecánico: era un trozo de chatarra derretida con unas extensiones que parecían una suerte de brazos y piernas, aunque no tenían ningún mecanismo de movimiento. No tenía articulaciones ni músculos, ni piel ni cobertura alguna, sólo una maraña de cables fusionados. La mayor parte del amasijo parecía soldada a la mesa, quemada y calcinada de los bordes donde se juntaba con la superficie, fundida y aparentemente inseparable de ella.

—No entiendo… —Jessica volvió a sentarse, boquiabierta, incapaz de pensar.

—Buena chica —Afton esbozó una débil sonrisa.

Jessica apretó la mandíbula. La animatrónica volvió a la mesa y tomó los algodones y el alcohol. Empezó a desinfectarse los dedos de nuevo, frotando uno tras otro metódicamente.

—Vamos, empieza —la instó Afton con impaciencia.

La chica no interrumpió su ritmo constante.

—Te toqué; tengo que comenzar de nuevo —dijo.

—Qué tontería, vamos. He sobrevivido a cosas peores.

—El riesgo de infección... —empezó ella con voz tranquila.

—¡Elizabeth! —le espetó él—. Haz lo que te digo.

La animatrónica se detuvo en seco, perpleja, y por un momento casi pareció temblar. Jessica aguantó la respiración, preguntándose si alguien se habría dado cuenta de que había presenciado aquel intercambio, o si no les importaba en lo más mínimo. La chica recobró la compostura enseguida, relajó los ojos y abrió el cajón para sacar unos guantes de látex que se enfundó sin dificultad sobre las manos de metal. Afton se hizo para atrás y la chica se acercó y se inclinó sobre él para oprimir un botón que estaba a un costado del sillón. Éste hizo un sonido mecánico y se reclinó, estirándose como una cama; la chica colocó el pie en una palanca que estaba en la base. La accionó y el sillón se elevó con brusquedad. Afton gruñó de dolor y Jessica hizo una mueca inconsciente. La chica accionó la palanca una vez más y el sillón subió otro poco, luego se detuvo y volvió a centrarse en el monitor. Éste empezó a pitar de nuevo a intervalos un tanto irregulares, y ella elevó el sillón rápidamente, bamboleando el frágil cuerpo de Afton al subir. La robot alternaba la mirada entre el monitor y Afton, atenta a sus signos vitales. Cuando el sillón le llegó por la cintura, dio un paso atrás, al parecer satisfecha. Afton respiró con dificultad y levantó la mano un centímetro para señalar a Jessica.

—Acércate más —dijo.

Ella dio un pequeño paso hacia delante y él curvó los labios para trazar una sonrisa, o quizás una simple mueca.

—Quiero que veas lo que va a pasar ahora.

—¿Qué va a pasar ahora? —preguntó Jessica, y se dio cuenta de que le temblaba la voz.

—¿Cómo se movían las criaturas de Freddy's por su propia voluntad, sin que los controlara ninguna fuerza exterior? —preguntó con suavidad. Ladeó la cabeza, a la espera.

—Los niños seguían dentro. Sus almas estaban al interior de aquellas criaturas —dijo Jessica con voz quebrada. Toda ella se sentía quebrada, tanto que sabía que si algo la tocaba en aquel momento, se rompería fácilmente.

Afton esbozó otra mueca de desdén.

—Vamos, Jessica. ¿Y qué más?

Ella cerró los ojos. «¿De qué habla?»

—¿Qué más había dentro de ellas, qué era lo que unía sus almas de forma inseparable al oso, al conejo, al zorro? ¿Cómo murieron, Jessica?

Jessica emitió un grito ahogado, tapándose la boca con ambas manos, como si no decirlo en voz alta le impidiera saberlo.

—¿Cómo, Jessica? —preguntó Afton.

Ella bajó las manos e intentó calmar su respiración.

—Tú los mataste —dijo. Afton chasqueó la lengua, y ella volvió a mirarlo, sin flaquear ante la cuenca vacía—. Murieron dentro de los trajes —prosiguió con voz ronca—. Sus cuerpos estaban atrapados junto con sus almas.

Él asintió.

—El alma sigue a la carne, podría decirse, al igual que el dolor. Si quiero convertirme en mi propia creación inmortal, mi cuerpo debe guiar a mi alma hasta su morada eterna. Como aún estoy... experimentando... voy guiando mi carne pedazo a pedazo —miró pensativo a la criatura que estaba sobre la mesa—. Cada vez —murmuró casi para sí— es una prueba más de mi fuerza de voluntad. ¿Cuánto cuerpo puedo extraer de mí sin perder el control?

—¿Extraer de ti? —repitió Jessica, sintiéndose desfallecer.

Afton volvió a centrar su atención en ella.

—Sí. Y voy a dejar incluso que lo veas —dijo con una sonrisa ladina.

—No, gracias —negó ella, encogiéndose.

Él dejó escapar una risa como un silbido.

—Claro que vas a mirar —sentenció Afton, haciéndole un gesto a la chica animatrónica—. No le quites el ojo de encima —ordenó.

—No le quito ninguno de mis ojos.

La chica fue hasta un armario y tomó otra bolsa para el portasuero; antes de que cerrara la puerta, Jessica alcanzó a ver otras bolsas iguales, así como un estante lleno de lo que parecían cortes de carne al vacío. El estómago le dio un vuelco y tragó saliva con dificultad.

Jessica empezó a retorcerse en su silla; de algún lugar surgió un siseo, y un olor a aceite quemado empezó a inundar la habitación. La mesa donde descansaba el amasijo de metal comenzó a encenderse desde el centro con un resplandor anaranjado, y la masa pareció moverse imperceptiblemente, aunque sólo lo vio con el rabillo del ojo. Se obligó a concentrarse y volteó hacia Afton.

Parecía dormido: el pecho subía y bajaba con respiraciones lentas y tenía los ojos cerrados; el párpado caía libre sobre la varilla de acero en el centro del ojo ausente, recubriendo de piel fina la cuenca vacía. La animatrónica asintió y se desplazó hasta la mesa. Jessica tragó saliva mientras el olor a podrido se intensificaba a su alrededor. Hacía rato que había dejado de notarlo, como si su nariz lo hubiera anulado, pero ahora estaba por todas partes, engrosando el aire con su miasma. «Un quirófano... ¿Está secuestrando a los niños para conseguir sus órganos y... trasplantárselos?»

Jessica observó a su alrededor, calculando... Los bisturís estaban demasiado lejos de su alcance, y además, apenas arañarían la pintura de la animatrónica. Si salía corriendo, estaría muerta a medio camino entre donde se encontraba y la puerta. Se obligó a mirar lo que estaba ocurriendo.

La chica animatrónica se colocó al lado de William Afton y volvió a comprobar el monitor con cuidado. Le desabotonó la camisa de la pijama y la abrió, dejando al aire el pecho y la masa de cicatrices que lo cubrían desde los tiempos en que se hacía llamar Dave. Le bajó un centímetro la pretina del pantalón para exponer el torso por completo y luego asintió, se quitó los guantes y se puso unos nuevos. A continuación, tomó uno de los bisturís. Jessica apartó la mirada.

—Debes mirar —dijo la chica con voz glacial, una voz humana pero desprovista de entonación alguna. Jessica levantó la cabeza; la animatrónica tenía los ojos fijos en ella—. Quiere que observes —repitió con un matiz amable, suavizando su voz de nuevo. Jessica tragó saliva y asintió, fijando la vista en la escena que tenía ante sí—. Creo que no lo entiendes —dijo la chica—. Ve a lavarte las manos.

Temblando, Jessica se puso de pie y fue hasta el lavabo; sentía que iba a desmayarse de un momento a otro. Abrió la llave y observó cómo el agua se arremolinaba en la válvula de desagüe; el acero inoxidable relucía bajo la luz eléctrica.

—Lávate las manos.

Jessica obedeció: se arremangó la playera por encima de los codos y se lavó las manos hasta los antebrazos, enjabonándose una y otra vez como había visto hacer a los médicos en la televisión. Al final se enjuagó y volteó hacia la animatrónica.

—¿Qué voy a hacer? —preguntó.

La chica abrió una bolsa de plástico y sacó una toalla. Se la extendió a Jessica.

—Vas a ayudarme.

Jessica tomó la toalla y se secó las manos; luego se puso unos guantes de la caja que le indicó la chica animatrónica.

—Sabes que esto no está esterilizado, ¿no? —musitó mientras miraba la masa sobre la mesa—. Espera.

Jessica tomó aire y se acercó un paso más a la camilla. Desde aquel ángulo distinguía mejor el objeto. Era una masa sin forma, pero podía reconocer ciertos elementos en la chatarra soldada a la mesa. «Una pierna. Un dedo. Una... cuenca de un ojo.»

—Re... reconozco estas piezas —dijo Jessica, pero no obtuvo respuesta—. Parecen... endoesqueletos, de Freddy's, del Freddy's original.

Jessica empezó a hacer cálculos de memoria, tratando de medir cuánto podía pesar aquel amasijo y su tamaño en relación con los endoesqueletos que recordaba. Antes de que pudiera seguir pensando, la criatura de la mesa intentó levantar la pierna; la rodilla improvisada se dobló parcialmente. No había ningún dispositivo mecánico a la vista; parecía moverse sola. Un segundo después, volvió a caer sobre la mesa.

—¿Dónde encontraron todo esto? —Jessica dio un paso atrás—. ¿Dónde lo encontraron? ¿Qué han hecho? ¿Por qué lo... fundieron?

—Pásame el bisturí —dijo la chica con paciencia.

Los instrumentos quirúrgicos estaban ordenados en fila en la mesa con ruedas, sobre un trozo de papel, junto a un juego de agujas curvas ya enhebradas y un pequeño horno de gas. La criatura de la mesa intentó levantar la pierna otra vez, y Jessica comprendió de pronto cómo se movía.

—¡Siguen ahí! —gritó Jessica—. Los niños... ¡Michael!

La criatura se retorció lastimosamente, como si respondiera al sonido de la voz de Jessica, y a ella se le encogió el corazón. «Están ahí, y están sufriendo.»

—Supongo que si quería una enfermera, debí de haber secuestrado a Marla —dijo la chica con un dejo sarcástico—. Ya te dije: quiere que veas. Mira esto.

Jessica obedeció. Sintió que la cabeza le daba vueltas cuando la chica presionó el bisturí contra la piel de Afton. «No te desmayes.» Pasó la hoja a lo largo de la parte baja del abdomen con pulso firme y entrenado, haciendo una incisión de unos quince centímetros. Extendió el bisturí hacia Jessica, quien se quedó viéndolo hasta darse cuenta de que se suponía que debía tomarlo.

—Quiere que observes; es la única razón por la que sigues viva. Si no miras, no tiene ningún sentido que estés aquí. ¿Lo entiendes?

Jessica intentó mantener el equilibrio. «Respira. No te desmayes. Piensa en otra cosa. John, Charlie… No, o me pondré a llorar. Otra cosa, otra cosa… Zapatos. Botas negras a la rodilla. De esas que parecen para montar a caballo. De piel italiana.» Jessica tomó el bisturí y lo dejó en su sitio; la sangre goteó en el papel, empapando las fibras. Respiró hondo una vez más.

La animatrónica tenía una mano dentro de la incisión y examinaba la herida que acababa de hacer.

—Bisturí —volvió a decir, y Jessica tomó uno nuevo y se lo pasó—. Mira —ordenó la chica.

Jessica observó mientras ella metía el instrumento en la abertura y cortaba algo del interior. Jessica se encogió. «Zapatos. Zuecos cafés. Tacón ancho, de siete centímetros. Con pespuntes.» La chica sacó el bisturí y dejó la otra mano dentro del cuerpo de Afton.

—Toma; dame las pinzas Kocher.

Jessica tomó el bisturí y lo dejó en su sitio.

—¿Pinzas Kocher? —preguntó presa del pánico mientras buscaba entre los instrumentos.

—Parecidas a unas tijeras, pero con dientes en lugar de hojas. Ábrelas y dámelas, y date prisa.

«Zapatos. Sandalias cangrejeras, moradas, con brillantina.» Jessica tomó las pinzas e intentó abrirlas, pero estaban bloqueadas por un cierre en el extremo superior.

—Deprisa, ¿acaso quieres que se muera?

«¡Sí!», quiso gritar Jessica, pero se mordió la lengua. Apretó los mangos de las pinzas y el cierre saltó. Se las dio a la chica, aliviada, y observó cómo las metía por la abertura y sujetaba con ellas lo que fuera que estaba sosteniendo para suturarlo. Sacó la mano lentamente de la herida y miró a Jessica.

—Tienes que ser más rápida. Bisturí, y enseguida volveré a necesitar las pinzas.

Jessica asintió.

«Zapatos. De terciopelo verde, tacón bajo y con pulsera en el tobillo.» Le pasó el bisturí a la chica y abrió las pinzas Kocher lo más rápido que pudo, de forma que cuando la chica le devolvió el bisturí ensangrentado ya las tenía preparadas. Observó mareada cómo la animatrónica hacía otro corte, seccionaba algo que no alcanzó a ver y, por último, usaba las pinzas para cerrarlo.

La mesa de atrás empezó a silbar más fuerte y el resplandor anaranjado se intensificó. Jessica dio un paso a un lado para alejarse del calor. El resplandor se extendió por la criatura de la mesa y algunas partes parecieron rotar de un extremo al otro.

—Estira las manos —dijo la chica.

«Tenis de plataforma. De mezclilla. Horrorosos.» Jessica estiró las manos para tomar las pinzas, pero la animatrónica las dejó donde estaban. En lugar de eso, deslizó ambas manos dentro del cuerpo abierto de Afton y sacó algo lleno de sangre. «Un riñón, eso es un riñón. Botas militares negras de piel. Botas militares negras de piel. Las botas militares negras de cuero de Charlie.» La animatrónica levantó el riñón en el aire un momento y la sangre le goteó en la cara. «Las botas de Charlie. Charlie.» La chica volteó hacia Jessica, y ella se encogió, retrocediendo.

—Estira las manos —repitió con fría insistencia.

Jessica obedeció, luchando por no dejar salir una arcada cuando el órgano caliente fue depositado con suavidad sobre sus manos. «Es carne; no es parte de una persona. Piensa que es un trozo de carne. Tenis de plataforma. Botas de tacón. Mocasines.» Observó a la chica con la mirada nublada mientras ella tomaba una aguja curva y un hilo negro y empezaba a coser a William Afton, primero por dentro y luego por fuera, cerrando la primera incisión que había hecho; el resultado fue una hilera de puntos que le recorría la parte izquierda del cuerpo. Por fin terminó tras cortar el último hilo con pericia.

—¿Y ahora qué? —preguntó Jessica. Oía su propia voz amortiguada por debajo del zumbido en los oídos. «Tenis amarillos con una raya azul en sus costados. Esos tacones cafés que me compró mi mamá. Ay, mamá...»

—La siguiente fase es sencilla —dijo la chica mientras se quitaba los guantes y tomaba el riñón con una mano para acercarse a la mesa donde estaba el amasijo.

—¿Qué vas a hacer? —Jessica temblaba.

—¿Para qué creías que era todo esto? —preguntó la chica con voz suave—. Ya te lo dijo él: pedazo a pedazo.

Jessica miró a la criatura de la mesa, el centro brillaba con un color anaranjado intenso y de varias zonas supuraba un fluido cuyas gotas caían silbando sobre la superficie caliente.

—Esto es un trasplante —dijo.

La masa de piezas fundidas adquirió por un momento cierta apariencia humana, adoptando un comportamiento infantil al retorcerse, y giró la cabeza hacia Jessica. Por un instante, creyó ver unos ojos que la miraban. De repente, el silencio cesó cuando la animatrónica apretó el riñón que traía en la mano y lo estrelló contra el pecho de la criatura, apretándolo con tanta fuerza que el metal se hundió y lo succionó con un desagradable ruido. De las coyunturas de la criatura salió más fluido y cayó ardiendo sobre la mesa mientras la animatrónica movía el órgano por dentro.

Sacó la mano de la cavidad que había creado, totalmente carbonizada, y la dejó caer a un lado mientras extendía y encogía los dedos como para asegurarse de que seguían funcionando.

—Pues ya acabamos —anunció.

Pasó junto a Jessica y se dirigió al armario, de donde salió con una larga aguja. Caminó con decisión hasta

William Afton, se detuvo con el puño en alto e hizo descender la aguja hasta clavársela en el pecho.

Pasado un segundo, Afton tomó una gran bocanada de aire y gruñó. La chica le sacó la aguja del pecho y la dejó con cuidado en la mesa de al lado. William Afton abrió los ojos y su único globo ocular se movió de Jessica a la animatrónica.

—¿Ya quedó listo? —preguntó.

Jessica gritó. La intensidad del grito la sacó de su ensimismamiento y gritó otra vez, dejando que el sonido ahogara todo lo demás. Se lastimó la garganta, pero gritó de nuevo, aferrándose al rugido de su propia voz; por un momento sintió que si seguía gritando, no podría pasar nada peor.

El aire alrededor de la animatrónica titiló y a Jessica se le nubló la vista: algo se movía. En cuestión de un segundo, su mirada se tornó clara y Charlie apareció ante ella.

—¡No te preocupes, Jessica! Puedes confiar en mí —dijo Charlie con voz alegre.

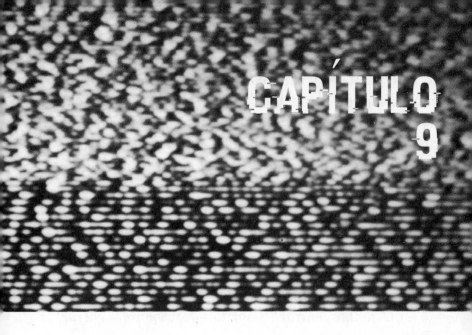

*U*na mano le acariciaba el pelo. El sol se ocultaba sobre un campo de trigo. Una bandada de pájaros aleteaba en lo alto; sus gorjeos reverberaban por el paisaje.

—Qué felicidad estar aquí contigo —dijo una voz amable.

Ella levantó la mirada y se acurrucó, recargándose en él; su padre le sonrió, pero tenía lágrimas en los ojos.

«No llores, papi», quiso decirle, pero cuando intentó hablar, no le salieron las palabras. Estiró la mano para tocarle la cara, pero sólo atravesó el aire vacío: él había desaparecido y ella estaba sola en el pasto. Sobre su cabeza, los pájaros empezaron a graznar con lo que parecían chillidos humanos desesperados.

—¡Papi! —gritó Charlie, pero no obtuvo respuesta, sólo los lamentos de los pájaros mientras el sol se hundía en el horizonte.

Estaba oscuro y él no volvía; todos los pájaros se habían ido, excepto uno, y con cada graznido sonaba más humano. Charlie se puso de pie con dificultad; no sabía cómo, pero ya no era una niña, sino una adolescente, y los prados que la rodeaban se habían convertido en escombros. Estaba en medio de un terreno en ruinas y sólo había una pared en pie ante ella, y en el centro, una puerta. Los pájaros estaban en silencio, pero alguien lloraba al otro lado de la puerta, dentro de un espacio pequeño y cerrado. Corrió hacia la puerta y golpeó la superficie metálica con los puños.

—¡Déjenme entrar! —gritó—. ¡Déjenme entrar! ¡Tengo que entrar!

«¡Tengo que entrar!» Charlie se incorporó con un grito entrecortado, inhalando como si acabara de salir del agua. «Las puertas... el armario.» Se quitó de encima la cobija de lana gris y las sábanas, enredándose en el proceso antes de conseguir liberarse. Tenía tanto calor que era casi insoportable, y la lana le había irritado la barbilla. Se sentía extraña, más alerta: el mundo estaba excesivamente enfocado, y resultaba un poco estremecedor, como si hubiera estado entrando y saliendo de una especie de sombrío estado de semiinconsciencia durante días. «Me duele todo», le había susurrado a John, pero, de algún modo, las palabras se habían desconectado de ella; había un tope entre su cuerpo y su mente. Ahora, con la mente despejada, el tope había desaparecido y le dolía todo el cuerpo, con un dolor sordo y constante que parecía estar en todas partes al mismo tiempo. Se apoyó en la pared. No estaba somnolienta ni desorientada… sabía perfectamente dónde estaba. Se encontraba en casa de John, detrás del sofá. Estaba detrás del sofá porque…

—Alguien me está suplantando —dijo con voz vacilante, y el sonido de sus propias palabras resultó desconcertante en la habitación vacía.

Se puso de rodillas, ya que no confiaba demasiado en sus piernas, y se apoyó en el respaldo del sofá para ponerse de pie con esfuerzo. Se mareó al incorporarse: la cabeza le daba vueltas y las rodillas amenazaban con fallarle. Charlie se aferró con determinación al respaldo y fijó la vista en un punto concreto de la pared con la esperanza de que la habitación dejara de girar.

Así sucedió pasado un momento. Charlie se dio cuenta de que la pared a la que miraba era en realidad una puerta. Puertas. El pensamiento la hizo marearse un poco de nuevo, pero mantuvo la mano con firmeza sobre el sofá y lo rodeó para luego sentarse con cuidado. Miró la sala… Hasta ahora, lo único que había visto era el rincón detrás del sofá. Las persianas estaban cerradas y desde donde estaba veía que la puerta tenía el pasador puesto. Charlie perdió el interés en el resto de la estancia cuando vio la otra puerta. Estaba ligeramente abierta y la habitación a la que daba paso estaba a oscuras. Charlie se estremeció al recordar su sueño. «Puertas. Había alguien al otro lado, detrás de la puerta, en un lugar pequeño y oscuro; yo las atraía, a las puertas; tenía que encontrar la puerta. Entonces…» Cerró los ojos y recordó. Corrían, desesperados por escapar, mientras el edificio retumbaba a su alrededor, derrumbándose, y entonces vio la puerta. «La puerta me llamaba; estaba oculta en la pared, pero fui hacia ella, sabía exactamente dónde estaba. Mientras caminaba a su encuentro, era como si estuviera a ambos lados... yendo hacia ella y atrapada detrás. Separada de mí misma. Cuando la toqué, noté el latido de tu corazón, y entonces...» Charlie abrió los ojos.

—John me apartó —dijo, y el recuerdo se fue solidificando a medida que se recreaba en él—. Yo no quería irme, porque... —de pronto lo oyó: el silbido y las grietas apareciendo en la pared—. Porque la puerta estaba empezando a abrirse.

Charlie se puso de pie con los ojos fijos en la puerta de la habitación de John. Se acercó a ella como impulsada por la misma fuerza instintiva, con el corazón recuperando el ritmo.

—Sólo es la recámara, ¿verdad? —murmuró, pero aun así se sentía lentamente atraída por la puerta.

Se detuvo frente a ella y estiró los brazos a tientas; vagamente se sorprendió cuando los dedos tocaron la madera. La empujó con suavidad y se abrió sin dificultad para revelar a una chica idéntica a Charlie.

«Un espejo.»

Era igual que ella. Su rostro lucía pálido y cansado, pero era su rostro, y sonreía como por instinto. En la confusión de los últimos... ¿días?, ¿semanas?, había estado tremendamente desorientada, entrando y saliendo de un estado de consciencia pasajero, y el dolor la asaltaba incluso en sueños. Charlie no se había sentido ella misma, pero allí estaba. Estiró la mano para tocar a la chica del espejo.

—Tú, eres tú —dijo con voz queda.

Detrás de ella sonó el ruido inconfundible de una cerradura abriéndose; giró sobre sus talones repentinamente aterrorizada, tanto que perdió el equilibrio y tuvo que sujetarse de la cómoda de John. La puerta de la entrada se abrió y ella se encogió y se arrodilló para esconderse detrás del mueble. Irrumpió un clamor de voces que hablaban todas a la vez… Eran demasiadas para distinguir lo que decían, hasta que una voz familiar dijo:

—¿Charlie?

Ella no se movió, a la espera de estar segura. Los pasos se acercaron a la puerta de la recámara y la voz dijo de nuevo:

—¿Charlie?

—¡Marla! —contestó Charlie—. Estoy aquí —hizo el intento de levantarse, pero las piernas no la sostenían—. No puedo… —empezó a decir mientras los ojos se le llenaban de lágrimas de frustración y Marla corría hacia ella.

—No pasa nada —dijo apresuradamente su amiga—. No pasa nada, yo te ayudaré. ¡Es increíble que hayas conseguido llegar hasta aquí! —Charlie la miró inexpresiva y Marla se echó a reír—. Lo siento —se disculpó—. Es que… Mirándote así eres tan…

—¿Qué?

—Tan Charlie.

—¿Y quién quieres que sea si no?

Charlie sonrió mientras Marla le sujetaba la muñeca con autoridad médica y empezaba a contar en silencio. Vio que detrás de Marla estaba Carlton, quien se aproximó enseguida. John permanecía de pie en el umbral, pero no hizo ademán de acercarse y evitó mirar a Charlie a los ojos.

—No quería atosigarte —dijo Carlton mientras se sentaba al lado de su amiga con las piernas cruzadas—. Charlie, me... —se quedó sin palabras, tragó saliva y apartó la mirada—. Me alegro mucho de verte —terminó, mirando al suelo.

—Yo también me alegro de verte —repuso Charlie.

Volvió a mirar a Marla, que asintió enérgicamente.

—Tienes el pulso algo lento —anunció—. Volveré a tomártelo dentro de unos minutos. Quiero que bebas un poco de agua.

Charlie asintió.

—Okey —dijo, algo desorientada.

—Vamos a acostarla en la cama —le dijo Marla a Carlton.

El chico asintió y, antes de que Charlie pudiera protestar, la tomó en brazos. Charlie buscó a John con la mirada, pero había desaparecido.

Marla apartó la colcha. Charlie notó que le sobrevenía el sueño, como si hubiera estado todo el tiempo de pie detrás de ella y le diera golpecitos en el hombro. Pestañeó deprisa para despertarse mientras Carlton la dejaba sobre la cama. Marla empezó a subir la colcha y Charlie movió los brazos en un intento infructuoso de destaparse.

—Tengo calor —dijo.

Marla paró.

—Okey. Aquí la tienes si la necesitas.

Charlie asintió. Los golpecitos en el hombro eran cada vez más fuertes: si cerraba los ojos, se sumiría de nuevo en la oscuridad. Marla y Carlton hablaban entre ellos, pero cada vez le costaba más seguir lo que decían.

De pronto, sonó un fuerte ruido en el pequeño departamento. Charlie se despertó de golpe, con el corazón latiéndole con una fuerza alarmante. Casi al instante sintió la mano de Marla en el hombro.

—Sólo es John —la tranquilizó.

—Creo que se me aceleró el pulso —dijo Charlie en un intento por hacer un chiste, pero Marla le dirigió una mirada evaluadora, la tomó de la muñeca y empezó a contar de nuevo—. Marla, estoy bien —protestó ella, intentando apartarse con un gesto débil.

Marla le sostuvo la mano unos segundos más y luego se la soltó.

En la sala, John dejó caer algo al suelo, con fuerza. Carlton miró la preocupación de Charlie y le ayudó a levantarse de la cama, ofreciéndole un brazo para que se apoyara en él y fueran a reunirse con John. Al principio, no vio el objeto, pero luego todos se apartaron para que pudiera ver la muñeca a tamaño real. Charlie se sentó en el suelo, algo alejada de los demás.

—Ella —susurró. Sintió que un nudo apretado y doloroso se aflojaba dentro de su pecho. Sonrió—. John, ¿cómo la encontraste? —preguntó.

John se arrodilló detrás de la muñeca y la miró con semblante grave. Charlie borró la sonrisa:

—¿Qué pasa? —preguntó.

Él no contestó.

—Observen todos a la muñeca —ordenó.

Sacó algo del bolsillo. Apretó el pulgar contra el objeto con un movimiento imperceptible; el aire alrededor de Ella titiló un instante y la muñeca se volvió borrosa. Charlie se frotó los ojos y oyó que Marla daba un gritito. Ella había desaparecido: en su lugar, había una niña de unos tres años vestida con la misma ropa que la muñeca. El nudo del pecho de Charlie empezó a tensarse de nuevo.

—¿Qué es esto, John? —preguntó Marla, alarmada.

John movió el pulgar de nuevo y la escena se repitió otra vez; la muñeca volvió a ocupar su lugar, con los ojos inexpresivos mirando plácidamente hacia el infinito. Charlie miró a sus amigos uno a uno: Marla parecía asustada, pero Carlton estaba fascinado. John, por alguna razón, tenía un gesto arisco. Charlie se removió en su sitio, incómoda. John manipuló una vez más el objeto en la mano y la niña volvió a aparecer. Carlton se agachó para observarla y Marla se inclinó, pero manteniendo cierta distancia.

John se puso de pie, dejándolos examinar a Ella, y se arrodilló junto a Charlie. Volvió a mirarla con la misma gravedad que había en sus ojos desde que había traído la muñeca.

—¿Qué es esto? —preguntó con voz áspera.

Charlie lo miró dolida.

John apartó la vista, sonrojándose. Cuando volvió a mirarla, el gesto arisco se había suavizado, aunque no había desaparecido del todo.

—Necesito saber qué es esto.

—No lo sé —repuso ella.

John asintió y se sentó en el suelo, a su lado, procurando dejar espacio entre ambos. Abrió la mano: en ella tenía un disco pequeño y plano. Charlie no hizo ademán de tocarlo... Notaba a John raro, como si no confiara en ella. Nunca la había mirado así.

—¿Lo sabías?

—No —Charlie ladeó la cabeza y miró a la niña, que no se movía.

—Pero es lo mismo que activaba a las criaturas de Afton, ¿no? —insistió John—. Un proyector de patrones que bombardea el cerebro e invade los sentidos...

—Pero éste es distinto —lo interrumpió Charlie.

Se estremeció, aunque no tenía frío; de repente, se sentía incapaz de librarse del recuerdo del oso retorcido, con la cara desgarrada, de forma que se veían las varillas de metal, aquel espejismo fluctuante que se cernía sobre ellos.

—¿Puedo verlo? —preguntó, obligándose a volver al presente.

John le extendió el disco y ella lo tomó con cuidado, mirando a su amigo con temor. Le daba la sensación de que dentro de él se gestaba una tormenta y tenía miedo de desatarla. Charlie levantó el disco hacia la luz, lo examinó por ambos lados y se lo devolvió a John.

—¿Eso es todo? —preguntó John abriendo mucho los ojos.

—¿Qué quieres que diga? —gritó ella.

—¿No puedes contarme nada sobre esto?

—Los otros tenían una inscripción: AFTON ROBOT-ICS. Éste no la tiene. Pero apuesto a que ya te habías fijado en eso.

—Pues la verdad es que no —John miró pensativo, primero a Charlie y luego al disco. Accionó el interruptor y Marla gritó sobresaltada—. ¡Lo siento! Asusta un poco cuando no te lo esperas —se disculpó, volteando hacia Charlie con una sonrisa.

Ella le devolvió la sonrisa, pero entonces una sombra de preocupación cruzó el rostro de John. Fue un momento y desapareció antes de que ella pudiera decir algo. John volvió a sonreír y le guiñó un ojo; pulsó el interruptor: Marla gritó otra vez y Carlton se echó a reír.

—¡Deja de hacer eso! —gritó Marla, quien se había alejado varios metros.

John la ignoró y se acercó más a Charlie, titubeando, como si le diera miedo que ella pudiera salir corriendo. Ella se giró hacia él y sintió que la invadía el nerviosismo. Agachó la cabeza de forma que el pelo le cayera sobre la cara; él alargó la mano con suavidad y le apartó un mechón de los ojos. Sonrió brevemente y volvió a pulsar el interruptor.

—Basta ya —exclamó Marla—. Es demasiado raro.

John no pareció oírla; estaba mirando a Charlie con gesto preocupado otra vez.

—¿Qué pasa? —preguntó Charlie en voz baja.

—Nada —repuso él. Le tocó el pelo otra vez para apartárselo de la cara y ponérselo detrás de la oreja—. Oye —dijo abruptamente, cambiando el tono—, ¿te acuerdas de tu experimento del año pasado?

Ella asintió con entusiasmo y luego se detuvo en seco al darse cuenta de cuánto tiempo había estado fuera.

—Mis caras. Pero seguro ya no están, seguro ya no queda nada de eso.

Miró a John con ojos ansiosos, pero él sonrió.

—Sigue todo en su sitio —la tranquilizó, y ella sintió que el corazón le daba un vuelco, como si John acabara de darle un regalo—. Jessica guardó todas tus cosas, las tiene en su departamento.

—Ay —exclamó Charlie, recorriendo la habitación con la mirada—. ¿Y Jessica? ¿Dónde está?

—Charlie —dijo John con tono paciente.

La chica intentó centrar su atención en él; se notaba alerta, parecía que la mente se le escapaba flotando, como si de nubes se tratara.

—Las caras —prosiguió John—. Tenías como una especie de auricular para que te reconocieran, ¿no?

Ella asintió.

—¿Se podría hacer al revés?

Charlie se quedó pensativa un momento y luego lo miró de nuevo.

—¿Quieres decir para que los animatrónicos no te vean? —frunció el ceño y notó que recuperaba la capacidad de concentración al analizar el problema—. Los auriculares emiten una frecuencia que atrae a los animatrónicos y te hace visible para ellos. Si invirtiéramos la frecuencia… —hizo una pausa—. No sé si funcionaría, John. Puede ser.

—¿Podría hacernos invisibles para ellos?

—Quizá, pero es un gran riesgo.

—¿Cómo se haría? Invertir la frecuencia.

Charlie se encogió de hombros.

—Sólo habría que cambiar los cables de sitio y…

—Charlie, ¿qué parte de «no te muevas de la cama» no quedó clara? —preguntó Marla con tono amigable mientras se acercaba a ellos.

John se puso de pie, sin saber qué decir tras la interrupción de Marla, pero Charlie no parecía dispuesta a añadir nada más.

—Lo siento —dijo con torpeza.

—Ten cuidado —le advirtió Charlie.

Empezaba a sentirse mareada otra vez, así que no protestó cuando Marla la llevó de vuelta a la recámara.

John se paró en la puerta y observó cómo Charlie se ponía en posición fetal, de lado, con los ojos cerrados. Marla arqueó las cejas y él se marchó dejando la puerta a medio cerrar. En la sala, Carlton estaba de rodillas junto a Ella, quien volvía a tener forma de muñeca. Le estaba escudriñando una oreja.

—Eh… ¿Carlton? —dijo John titubeante.

Carlton se puso en cuclillas de nuevo.

—Increíble —dijo—. Parecía humana, pero en serio, una niña humana.

—Sí, creo que ésa era la idea. ¿Podemos hablar afuera? —le preguntó John con brusquedad.

Carlton lo miró sorprendido.

—Claro —contestó con una sombra de preocupación en la voz.

—Vamos.

John caminó hacia la puerta y Carlton se apresuró a seguirlo. Una vez afuera, John lo miró un momento, pensativo.

—¿Qué piensas? —le preguntó Carlton con suspicacia.

—Déjame ordenarlo en mi cabeza primero —repuso John—. El año pasado, cuando todavía estaba en la universidad, Charlie hizo un experimento que consistía en enseñar a hablar a los robots o algo así.

—¡Ah, sí! —asintió Carlton con entusiasmo—. Me lo contó. Procesamiento de lenguaje natural. Escuchan a la gente que habla a su alrededor, o que les habla a ellos, y así aprenden a hablar. Aunque al parecer no salió muy bien.

—Bueno, eso da igual. Tenía unos auriculares, y con ellos, los robots sólo hablaban entre sí, sólo se reconocían los unos a los otros. ¿Me sigues?

—Eh, creo que sí.

—Entonces, si tú, Carlton, querías estar dentro de la conversación, tenías que ponerte un auricular especial. Los auriculares hacían que te reconocieran. Si no, no eras más que una parte del decorado, no te veían.

—Okey.

Carlton lo miró perplejo, y John puso los ojos en blanco.

—Si te ponías los auriculares, te incluían en su conversación. Te convertías en uno de ellos, desde su perspectiva.

—Siento tener que decírtelo, pero los grandes ya nos ven… o al menos eso creo. ¿Ves esta cicatriz?

—¿Puedes callarte un segundo? —le espetó John—. Le pregunté a Charlie y dice que podríamos invertir el mecanismo. Podemos cambiar los cables de posición, y así los auriculares, en lugar de incluirnos, nos excluirían deliberadamente.

Carlton frunció el ceño.

—Y así seríamos invisibles… —prosiguió John.

—Cambiar los cables de posición —repitió Carlton—. Eso nos ocultaría y dejaríamos de formar parte del mundo que perciben.

—Eso es —asintió John.

Carlton esperó a que John continuara y luego añadió:

—¿Y qué quieres que haga?

—Que vayas al departamento de Jessica. Tiene todas las cosas de Charlie guardadas en cajas dentro de un armario. Si no está en casa, la llave de repuesto está debajo del tapete.

Carlton enarcó las cejas.

—¿Debajo del tapete? ¡No se me ocurre peor sitio para guardar la llave de repuesto!

—Es una buena colonia —se defendió John.

Carlton arqueó las cejas otra vez.

—Sí, es una buena colonia, John. Aquí nunca pasa nada malo —Carlton le dio una palmada a John en el hombro y se encaminó hacia su coche—. ¡Cuenta con ello! —gritó.

John dejó escapar un suspiro y volvió adentro. Marla estaba sentada en el sofá mirando fijamente la televisión apagada.

—¿Cómo está? —preguntó John mientras se sentaba a su lado.

Su amiga se encogió de hombros.

—Teniendo en cuenta las circunstancias, bien —dejó de mirar la pantalla en negro y volteó hacia él, agitada—. ¡Estaba metida en una caja! ¡Es una locura, estaba metida en una caja! ¡Quién sabe cuánto tiempo estuvo allí! ¿Días, meses? Seguro le daban de comer, de beber, porque, si no, se habría muerto; pero no se acuerda, sólo recuerda entrar y salir de su duermevela. Parece que se encuentra en buen estado de salud. No sé qué decir.

Llevado por un impulso, John la abrazó; ella suspiró y se aferró a él con fuerza. Lo soltó bruscamente y apartó la mirada mientras se frotaba los ojos. John fingió no darse cuenta.

—¿Puedo ir a sentarme a su lado un minuto? —preguntó una vez que ella se recompuso—. No la molestaré, sólo quiero sentarme con ella y saber que está ahí.

Marla asintió y los ojos volvieron a llenársele de lágrimas.

—No la despiertes —le advirtió mientras él se dirigía a la puerta.

John asintió y se deslizó hacia adentro, cerrando la puerta tras de sí.

Carlton entró al estacionamiento del edificio de Jessica y miró a su alrededor, buscando el coche de su amiga. No parecía estar allí.

—Supongo que tendré que cometer allanamiento de morada; lo siento, Jess —dijo alegremente mientras estacionaba el coche, pero una sombra de miedo ya se le había colado dentro. Habría preferido estar acompañado, incluso para llevar a cabo ese pequeño encargo—. Veamos qué esconde Jessica en el armario —tamborileó con los dedos en el volante para calmar los nervios y salió del coche.

Jessica vivía en el tercer piso. Carlton sólo había estado en su casa una vez, pero la encontró sin dificultad. En su puerta había un tapete verde oscuro en el que decía BIENVENIDOS con letras negras. Carlton lo levantó, pero no había nada debajo.

Se quedó mirando hacia el suelo un rato sin saber qué hacer, y entonces le dio la vuelta al tapete por completo: por detrás, en el centro, había una llave pegada con cinta adhesiva.

—¿Creíste que me ibas a engañar? —murmuró mientras quitaba la cinta adhesiva.

—¿Puedo ayudarte en algo? —preguntó alguien con voz severa detrás de él.

Carlton se quedó helado. La voz no dijo nada más, así que, con movimientos deliberados, terminó de quitar la llave, dejó el tapete en el suelo y lo alisó, tratando de aparentar normalidad. Compuso un gesto plácido, se puso de pie y giró sobre sus talones: detrás de él, un señor mayor lo miraba mal desde el otro lado del descanso. Llevaba una camisa deslavada y un pesado libro en la mano, con el dedo metido entre las páginas marcando dónde iba.

—¿Te conozco? —preguntó de nuevo.

Carlton forzó una sonrisa y agitó la llave en el aire.

—Sólo estoy de visita —contestó—. Soy amigo de Jessica.

El viejo lo miró con recelo.

—Hace mucho ruido —dijo, y cerró la puerta.

Carlton oyó tres pasadores que se cerraban, y luego, silencio. Esperó un momento, se dio la vuelta y entró a toda prisa a casa de Jessica.

Cerró la puerta con cuidado tras de sí y miró a su alrededor. El departamento no era más grande ni más bonito que el de John, aunque estaba definitivamente más limpio. La mayor parte de los muebles tenía pinta de venir con la casa, pero Jessica había hecho suyo el lugar. El suelo rayado estaba todo lo impecable que puede quedar un suelo sin una pulidora industrial. Carlton dirigió una mirada culpable a sus tenis, pensando que quizá debió habérselos quitado antes de entrar. Jessica tenía el desgastado sofá cubierto de cobijas mullidas y cojines; sus libros de la universidad estaban perfectamente alineados en un gran librero hecho con tablones de madera pintados de colores vivos, y encima del librero había un pizarrón grande de corcho lleno de fotografías, tarjetas y entradas de conciertos. Carlton se acercó aguijoneado por la curiosidad.

—Veamos a qué se ha dedicado Jessica últimamente —dijo, hablando consigo mismo sólo para llenar el silencio.

El corcho estaba lleno de fotografías sonrientes de Jessica con sus amigos; una foto de su graduación junto a sus padres; entradas de conciertos y del cine; dos tarjetas de cumpleaños y varias postales con garabatos entusiastas (e ilegibles). Carlton dejó escapar un silbido.

—Alguien es muy popular —musitó.

Entonces se fijó en algo: un dibujo infantil sujetado con una tachuela en la parte inferior del pizarrón. Se inclinó para verlo mejor y se quedó sin aliento: era un dibujo pintado con crayolas en el que aparecían cinco niños sonrientes y felices, posando junto a un gran conejo amarillo. En la esquina inferior izquierda, el artista había firmado con su nombre, y Carlton alargó la mano para rozarlo.

—Michael —susurró.

Miró los ojos relucientes del conejo amarillo que estaba detrás de los niños y se le secó la boca. «Ojalá hubiera podido avisarte.»

Tragó saliva y se incorporó para volver a mirar las fotos.

—Está claro que sale mucho —comentó.

Abrió una de las tarjetas de felicitación para distraerse. Dentro decía: «¡Felices 15, Jessica!». Carlton dio un paso atrás, un poco avergonzado de repente al entenderlo todo. Miró las entradas: todas eran de espectáculos de Nueva York; las fotos con sus amigos eran todas antiguas, de hacía varios años. La nueva vida de Jessica no le había proporcionado demasiados buenos recuerdos. Carlton se alejó del corcho deseando no haberse acercado a fisgonear.

—El armario —dijo en voz alta—. Tengo que encontrar el armario donde están las cosas.

Había una cocina americana y después un pasillo que presumiblemente llevaba a la recámara. Encontró un interruptor de luz y la encendió; entonces vio un armario hacia la mitad del pasillo. Lo abrió, en parte esperando que su contenido le cayera encima, pero, aunque fueran cosas de Charlie, era Jessica quien las había embalado. Varias cajas de cartón apiladas llenaban el armario por completo, cada una claramente etiquetada. CHARLIE – PLAYERAS Y CALCETINES, CHARLIE – LIBROS, etcétera. En lo más alto de la pila había una caja larga y plana donde decía: CHARLIE – EXPERIMENTO RARO.

—Experimento raro; parece una descripción de mi vida últimamente —susurró Carlton.

Se puso de puntitas para tomarla con cuidado, y casi la había bajado cuando golpeó con la esquina la caja que estaba debajo, donde decía CHARLIE – VARIOS, la cual cayó al suelo. La caja se abrió y salieron disparados varios objetos informáticos, tornillos y piezas de metal, pelo y dos patas. Tres ojos de plástico botaron al chocar contra el suelo y rodaron por la alfombra, golpeándose entre sí con un sonido metálico y alegre.

—Esto es cuestión de vida o muerte; que lo recoja otro —decidió Carlton.

Pasó de puntitas por encima de aquel desorden y se llevó la caja a la habitación de Jessica. La dejó encima de la cama, con cuidado de no manchar el edredón azul claro, y rasgó la cinta con la llave de su amiga para abrirla.

—¡Vaya! —exclamó sobresaltado.

Dentro de la caja había dos caras idénticas que se miraban entre ellas con ojos inexpresivos. Eran como escul-

turas sin terminar: tenían rasgos, pero no estaban defi-
nidos, y parecían incapaces de mostrar emoción alguna.
Empezó a sacarlas de la caja cuando se dio cuenta de que
estaban atadas a algo. Con cuidado, consiguió sacar la estructura entera: una caja negra y grande con palancas y
botones, y las caras, que estaban empotradas sobre un so-
porte cableado. Todo parecía estar intacto. Carlton miró
un momento el enchufe que estaba junto a la cama de Jessica, y acto seguido tomó el cable y conectó el aparato. Se
encendieron unas luces rojas y verdes que parpadeaban
al azar y luego se estabilizaban: unas se apagaban y otras
se prendían. Varios ventiladores empezaron a funcionar.
Carlton observó un momento las caras: se estaban contrayendo, casi como si imitaran movimientos humanos.

—Qué miedo —musitó.

—Tú, yo —dijo la primera, y él dio un brinco, desconcertado.

—Nosotros, ella —dijo la segunda.

Se quedó observándolas, a la espera de que hicieran
algo más, pero parecían haber terminado por el momento,
pues se quedaron inmóviles y en silencio. Carlton sacudió
la cabeza para intentar concentrarse, aunque lo único que
quería era sentarse allí a mirar las dos caras y ver qué más
tenían que decir. «O hablar con ellas.» Volvió a revisar
la caja: los auriculares que John había mencionado estaban envueltos en una capa fina de plástico de burbujas.
Parecían una especie de audífonos: eran unas piezas de
plástico pequeñas y transparentes llenas de cables con un
interruptor diminuto en un costado. Carlton activó el interruptor de una de ellas y se la puso en la oreja. Las caras

voltearon hacia él de inmediato y se movieron, casi como si lo observaran. «¿Pueden verme?»

—¿Hola? —dijo Carlton a regañadientes.

—¿Quién? —preguntó una.

—Carlton —contestó nervioso.

—Tú —dijo la otra.

—Yo —añadió la primera.

—Les gustan los pronombres, ¿eh? —bromeó Carlton.

No obtuvo respuesta alguna de las caras. Se quitó el auricular y apagó el interruptor, de forma que las caras voltearon a la vez, la una hacia la otra. «Te hace visible. Okey», pensó con un escalofrío. Dirigió su atención hacia el auricular: deslizó la uña por la hendidura que recorría el borde de la funda. Se abrió con facilidad: dentro había un amasijo de cables y un chip diminuto.

—Sólo hay que cambiar los cables de sitio, tan sencillo como eso —murmuró para sí.

Había una lámpara en el buró que estaba junto a la cama de Jessica. La encendió y puso el auricular a la luz. Lo miró, tratando de averiguar cómo hacer lo que le había sugerido John, sin dejar de girar el diminuto objeto de un lado a otro. Por fin lo vio: una entrada de corriente redonda y vacía con el contorno rojo.

—¿Y por qué no hay nada conectado aquí? —dijo Carlton, triunfante.

Rebuscó entre los demás cables hasta encontrar el que encajaba en la entrada, de color verde. Lo conectó rápidamente en la entrada roja y volvió a cerrar la funda, luego encendió el dispositivo y se lo puso en la oreja. Las caras no se movieron.

—¿Qué pasa? ¿Ya no quieren hablar conmigo? —dijo en voz alta. No hubo respuesta—. Excelente —dijo satisfecho.

Se quitó el auricular y lo metió en su bolsillo, y luego tomó el otro. Desconectó el experimento y estaba a punto de volver a meterlo a la caja cuando, de pronto, notó un cosquilleo entre sus hombros, como si estuviera alguien de pie detrás de él. Casi pudo sentir un aliento en su nuca. Carlton se quedó muy quieto, sin respirar, y dio media vuelta con las manos levantadas para defenderse llegado el caso.

La habitación estaba desierta. Movió los ojos de un lado a otro, nada convencido de estar solo, pero allí no había nada.

—Recoge las cosas y vete —dijo con un hilo de voz, pero el corazón le latía en el pecho como si estuviera luchando por su vida.

Respiró hondo y volvió a inclinarse sobre el experimento. Antes de que pudiera tocarlo, la habitación se movió bajo sus pies como un barco zozobrando en el mar, y Carlton cayó al suelo de rodillas, aferrándose a la base de la cama para mantener el equilibrio. Se le nubló la vista: no conseguía enfocar nada, todos los objetos de la recámara parecían moverse a velocidades y direcciones distintas. Carlton soltó la cama y se acurrucó en el suelo mientras un penetrante pitido se elevaba a su alrededor, subiendo de tono hasta alcanzar uno tan agudo que resultaba imposible de percibir. Se tapó los oídos, pero la náusea seguía allí. El cuarto seguía dando vueltas y el estómago le dio un vuelco: gimió, se agarró la cabeza con fuerza y cerró los ojos, pero el movimiento continuó. Apretó los dientes, decidido a no vomitar. «¿Qué está pasando?»

«Carlton… Carlton…» Alguien lo llamaba por su nombre con voz dulce, y él volteó a ver quién era. En la habitación, había una única cosa que no se movía: dos ojos enormes que lo miraban fijamente mientras el cuarto se balanceaba vertiginosamente. Intentó ponerse de pie, pero, en cuanto se movió, el mareo y las náuseas se apoderaron de él. Apretó la mejilla contra el suelo frío en busca de alivio, pero lo único que consiguió fue que la recámara girara aún más rápido.

—¿Carlton?

La habitación se enfocó de golpe; todo dejó de moverse. El chico se quedó quieto, con miedo a que todo empezara de nuevo.

—Carlton, ¿estás bien? —preguntó una voz familiar.

Él levantó la mirada y vio a Charlie inclinada sobre él con cara de preocupación.

—¿Charlie? —dijo con un hilo de voz—. ¿Qué estás haciendo aquí?

—John me envió a ayudarte. ¿Qué hacías con todo esto? —preguntó.

—Perdona, espero no haber roto nada —contestó, incorporándose con cuidado.

Aún sentía un poco de náuseas, pero empezaban a disiparse ahora que parecía que la habitación se había estabilizado. Miró a Charlie, con la vista algo borrosa.

—Da igual, sólo es chatarra. Sin embargo, por la forma en que dabas vueltas en el suelo, seguro activaste algo o te electrocutaste, una cosa o la otra. ¿Estás bien?

—Creo que sí —repuso. Se apoyó contra la cama.

—¿Tienes náuseas? ¿La habitación da vueltas? —le preguntó con tono comprensivo.

—Sí, muchísimo —contestó él.

Charlie le puso una mano en el hombro.

—Vamos, tenemos que salir de aquí.

Se puso de pie y le tendió una mano para ayudarle a levantarse; él la tomó y se incorporó con cuidado, aunque los efectos de lo que sea que hubiera pasado casi habían desaparecido. Miró a su alrededor; ya veía a la perfección.

—¿Qué hacías exactamente? —preguntó Charlie.

A Carlton se le heló la sangre. La voz de su amiga era demasiado dura, demasiado... pulcra. Volteó hacia ella tratando de mostrar un gesto neutro.

—¿No te lo dijo John? Pensó que quizá querrías recuperar tu viejo experimento. Creo que quería darte una sorpresa —dijo, y sonrió—. ¡Sorpresa!

Charlie sonrió.

—¿Te acuerdas de tu viejo experimento? —la mente de Carlton iba a toda velocidad—. ¿El de la mano robótica que tocaba el piano? —añadió—. ¿Te acuerdas?

—Claro. Eres un amor, gracias por venir a buscarlo —dijo Charlie con tono seductor.

Carlton asintió con cautela; se había quedado helado.

—Ya me conoces. Siempre pensando en los demás —dijo, mirando la puerta de la habitación por encima del hombro de Charlie.

Ella se acercó un paso más y él retrocedió instintivamente. Pareció sorprendida por un momento, luego sonrió y bajó la mirada hacia las dos caras de la caja. Él reculó aún más y se sobresaltó al chocar con la pared que tenía detrás.

—Carlton, si no te conociera, pensaría que te doy miedo —dijo Charlie en voz baja, acercándose tanto que no quedaba espacio alguno entre ambos: lo tenía acorralado contra la pared.

Alargó la mano hacia el rostro de Carlton y él apretó la mandíbula, intentando no desfallecer. Le pasó los dedos por la mejilla y siguió la línea del mentón. Él no se movía y apenas respiraba. Charlie le apartó el pelo de la cara, se apretó aún más contra él y le puso la mano en la nuca. Estaban a pocos centímetros.

—Mmm, Charlie, mira, es que no eres mi tipo —logró decir.

Ella sonrió.

—Ni siquiera me has dado una oportunidad. ¿Estás seguro? —susurró.

—Sí, estoy seguro. No te lo tomes a mal, eres guapa, pero, la verdad, tampoco eres tan despampanante —bromeó, sin dejar de mirarla a los ojos—. ¿De verdad crees que esas botas van con esa falda?

La sonrisa de Charlie empezó a menguar.

—Perdóname, eso fue muy grosero. Seguro que encontrarás a un chico que te quiera como te mereces —intentó abrirse paso hacia la puerta—. Y ahora, si me disculpas, llego tarde a mi ensayo con el cuarteto de cuerdas, así que, si me dejas pasar, me voy a ir ya.

Carlton trató de zafarse, pero Charlie no se movió.

—Te prometo que no le contaré a nadie que te recha-cé. Ve al gimnasio y ya lo intentamos otra vez dentro de unos años.

—Carlton, está claro que te pusiste nervioso. Sólo hay una forma de asegurarte de lo que sientes —dijo Charlie con suavidad.

Se acercó aún más y Carlton cerró los ojos. «El auricu-lar», pensó. Estaba en su bolsillo derecho.

—Tienes razón, Charlie, pero quizá deberíamos ha-blar un ratito antes, ya sabes. En mi última relación me precipité y casi acabo muerto dentro de un disfraz de pe-luche mohoso.

«Distráela hasta que…» Rodeó el auricular con los dedos y lo sacó de su bolsillo a la vez que abría los ojos.

Carlton gritó.

La cara de Charlie se estaba abriendo por la mitad. La piel parecía de plástico y tenía una hendidura en el cen-tro que la dividía en secciones triangulares. Mientras la robot apretaba la mano alrededor del cuello de Carlton, los triángulos se levantaron y se abrieron como si fue-ran los pétalos de una flor, sólo que eran cuchillas, y debajo apareció un rostro completamente distinto, elegante y fe-menino, pero definitivamente no humano. Los pétalos de la cara antigua de Charlie empezaron a moverse alrededor del perímetro de la nueva, de forma que parecían más una sierra eléctrica que una flor. La animatrónica frunció los labios y se acercó para besarlo mientras las cuchillas gi-raban sin parar, cada vez más cerca del rostro de Carlton. En un último impulso de autodefensa, sacó el auricular del bolsillo, se lo puso en la oreja y activó el interruptor.

De repente, la animatrónica retrocedió, soltando el cuello de Carlton con un gesto de sorpresa en el rostro metálico. Miró a su alrededor. Él la observó, atenazado por el miedo, hasta que se dio cuenta de lo que ocurría. «No me ve.» Esperó, observando cómo la animatrónica daba pasos deliberados hacia atrás sin dejar de mover los ojos de un lado a otro. Se quedó quieta un momento y las secciones metálicas se cerraron, formando un rostro pintado y lustroso de muñeca; entonces hubo un destello y volvió a adquirir la apariencia de Charlie, aunque sin expresión alguna. Pasado un minuto, se dio la vuelta y fue hasta el clóset de la recámara. Miró adentro, sacó la ropa por si había algo escondido detrás y luego se alejó. Fue hasta la cama, la agarró de una esquina y la levantó del suelo. Estudió el piso vacío un segundo y luego dejó caer la cama con fuerza. Volvió a escudriñar la habitación y, finalmente, abrió la puerta y salió. Carlton la siguió de puntitas. Charlie se paró en seco delante del armario del pasillo y estuvo a punto de chocar con ella.

La animatrónica sacó todas las cajas del armario y las dejó tiradas en el suelo detrás de ella. Carlton retrocedió varios pasos con mucho cuidado.

Cuando estuvo convencida de que el armario estaba vacío, buscó en el baño y luego salió a la sala. Con una última mirada insatisfecha a su alrededor, la animatrónica abandonó el departamento de Jessica, cerrando la puerta despacio tras de sí. Carlton se precipitó hacia la ventana y observó cómo salía del edificio y se alejaba por la calle hacia el centro de la ciudad.

Una vez que estuvo fuera de su vista, dejó escapar un suspiro y tomó aire con fuerza, como si hubiera estado aguantando la respiración. Volvía a encontrarse un poco mareado, pero en ese momento era por culpa del bajón de adrenalina. Se dispuso a quitarse el auricular, pero lo pensó mejor y se lo dejó puesto. Se palpó el bolsillo izquierdo para asegurarse de que el segundo auricular seguía allí y se apresuró a salir de la casa y tomar el coche. Condujo a toda prisa hacia el departamento de John sin preocuparse por la velocidad, rezando para que la chica animatrónica fuera hacia la dirección contraria.

Charlie oyó que la puerta se cerraba y volteó hacia ella. La habitación estaba a oscuras, excepto por la luz que se filtraba por la pequeña ventana sucia, así que tuvo que esforzarse para ver quién acababa de entrar.

—¿John? —lo llamó en voz baja.

—Sí —contestó él en el mismo tono—. ¿Te desperté?

—No pasa nada. Últimamente, lo único que hago es dormir y soñar —la palabra del final le supo amarga, y pareció como si él se diera cuenta porque se sentó en la silla que Marla había dejado junto a la cama.

—¿Te importa si me siento? —preguntó nervioso, aunque ya se había sentado.

—No —contestó Charlie. La habitación le parecía distinta. Más segura—. Dijiste algo —murmuró casi para sí misma.

John se acercó más.

—¿Sí? ¿Qué dije? —carraspeó. Le sudaban las manos.

—Dijiste… que me querías —susurró.

Él pegó un brinco, como si alguien lo hubiera golpeado.

—Sí —dijo con voz ahogada—. Eso fue lo que dije. ¿Lo recuerdas?

Charlie asintió con cautela, consciente de que la respuesta era inadecuada. Él se alejó un segundo y resopló.

—Pero es que es la verdad —dijo atropelladamente—. O sea, somos amigos desde hace años. Como Marla, Carlton o Jessica. Se lo podía haber dicho a cualquiera de ellos. Bueno, puede que a Jessica no. Entonces ¿te acuerdas de algunas cosas de aquella noche? —preguntó con entusiasmo.

—Eso es lo único que recuerdo. Y la puerta. ¡John! —le agarró el brazo, alarmada—. John, la puerta se estaba abriendo, creo que Sammy estaba adentro… Sentía que estaba allí, percibía sus latidos… —se quedó sin palabras al sentir que la asaltaba otro recuerdo: un momento en la extraña cueva artificial debajo del restaurante que tanto se parecía a Freddy's, y a la vez era tan distinto—. Springtrap —dijo—. Luché contra él. Había un pico de metal, y la cabeza… —lo visualizó, él luchaba por respirar mientras ella le clavaba el trozo de metal tortuosamente en la herida.

—Lo sé, yo también lo vi —dijo John con una sombra de incomodidad en la mirada.

—Dijo: «No me lo llevé a él, sino a ti».

—¿Qué?

John la miró desconcertado. Ella suspiró, frustrada.

—¡Sammy! Le pregunté por qué, por qué se había llevado a mi hermano, por qué lo había apartado de mi lado, y eso fue lo que dijo. «No me lo llevé a él, sino a ti.»

—Bueno, pues tú estás aquí. Él está loco —John intentó sonreír—. Seguramente lo dijo para lastimarte y confundirte.

—Pues funcionó —volvió a dejar caer la cabeza sobre la almohada—. John, todo el mundo rehúye la pregunta: ¿Cuánto tiempo ha pasado? Sé que han sido más que días, pero ¿cuánto? ¿Un mes?

Él no contestó.

—¿Dos meses? —tanteó—. Sé que no ha podido ser más de un año, si no tendrías la casa más bonita —dijo con voz débil, y él hizo una mueca—. Dímelo, John —insistió Charlie, mientras notaba que elevaba la voz y el corazón se le aceleraba esperando una respuesta.

—Seis meses —dijo por fin.

Ella no se movió. Oía el rumor de su sangre en los oídos.

—¿Y dónde he estado? —preguntó con un hilo de voz apenas audible por encima del ruido.

—Con tu tía Jen, o al menos eso creo.

—¿Crees?

—Te lo contaré todo, Charlie, te lo prometo… en cuanto yo mismo lo entienda. Es que hay cosas que no sé —terminó con impotencia.

Ella se quedó acostada mirando al techo. Con tan poca luz, las manchas parecían casi decorativas.

—Por cierto, sobre tu tía —siguió John, con una sombra de horror en la voz—. La vi aquella noche.

Charlie lo miró suspicaz.

—¿Aquella noche?

—El edificio se estaba derrumbando; tú estabas adentro y yo intentaba llegar hasta ti, y de pronto la vi allí… No sé cómo entró ni por qué.

—Era su casa, técnicamente —repuso Charlie mirando al techo otra vez—. Quizá me estaba buscando.

—¿Y eso tiene algún sentido para ti?

—Ya no sé qué tiene sentido —dijo ella de golpe—. No tiene sentido ni lo que recuerdo ni lo que no recuerdo. No hay un momento concreto en el que todo sea negro. Pero no me acuerdo de haber visto a mi tía Jen allí.

—Okey.

—Tengo que verla —dijo Charlie con una intensidad repentina—. Ella es la única que sabe cómo encajan todas las piezas; es ella quien guarda todos los secretos. Siempre ha intentado protegerme de ellos, pero ahora… Los secretos ya no protegen a nadie.

Se detuvo: John parecía conmocionado, su rostro estaba a medio camino entre varias expresiones, como si le diera miedo mover sus facciones.

—¿John? —preguntó Charlie mientras se le hacía un nudo en el estómago.

John tomó aire como si fuera a hablar, pero titubeó; estaba claro que no encontraba las palabras. Ella se las dio.

—Está muerta, ¿verdad? —dijo Charlie con voz débil. Notó como si algo la arrastrara de nuevo, pero no estaba perdiendo la consciencia.

John asintió.

—Lo siento, Charlie —dijo con voz ronca—. No pude hacer nada.

Charlie volvió a centrarse en las manchas del techo. «Debería sentir algo», pensó.

—Debes tener la cabeza despejada —susurró, repitiendo las palabras que siempre le decía su tía.

—¿Qué? —John la miraba ansioso.

—Papeles —dijo en voz más alta—. Guardaba documentos de todo tipo en armarios. Todo lo que sabía lo anotaba, o alguien lo hacía por ella. ¿Dónde estaba?

—En una casa en Silver Reef, el pueblo fantasma —balbuceó John; parecía atónito—. Había documentos, cajas llenas de papeles.

—Entonces tenemos que ir allí —sentenció Charlie.

John parecía a punto de protestar, pero asintió.

—Pero tal vez ella también vuelva si cree que tú puedes estar allí —John la miró preocupado.

—Tenemos que ir.

—Pues iremos —concedió.

Charlie cerró los ojos y dejó que su resolución la guiara hacia el sueño. La puerta se abrió y oyó vagamente que Marla y John hablaban en susurros. Respiró hondo, como si fuera a sumergirse en el agua, y se sumió en la oscuridad.

«*O*ye». Algo le tocó el hombro a Jessica, y ella se encogió y se dio media vuelta, aún medio dormida. «Oye, ¿estás bien?» Algo le tocó la mejilla, más fuerte esta vez, tanto que abrió los ojos y se encontró con un círculo de niños a su alrededor, quienes la miraban con los ojos muy abiertos. Jessica gritó.

Alguien la sujetó por detrás y le tapó la boca, y ella forcejeó para zafarse.

—Tienes que estar callada —susurró una voz desesperada.

Al darse la vuelta, Jessica se encontró frente a una niña pelirroja de unos siete años que la miraba ansiosa.

—Si no estás callada, vendrá por ti —le explicó.

Jessica se incorporó con cautela y se llevó una mano a la cabeza; la notaba como si estuviera llena de algodón y le ardían las cavidades nasales.

—Otra vez no.

«Cloroformo, o lo que sea que fuera aquel gas.»

—¿Qué? —preguntó la niña.

—Nada —dijo Jessica mirando los rostros asustados que la rodeaban.

Eran cuatro, dos niños y dos niñas. Primero vio a la pelirroja, que tenía la nariz cubierta de pecas, y luego a un niño bajito, afroamericano, de la misma edad, con pinta de haber estado llorando antes de que ella llegara. Estaba sentado con las piernas cruzadas y tenía en su regazo a una niña latina de tres o cuatro años con la cara enterrada en su playera. El pelo castaño y fino de la pequeña se le escapaba en mechones despeinados de las dos largas trenzas que le caían por la espalda, atadas con dos moños rosas, y la playera y los pantalones cortos a juego que vestía estaban sucios y manchados. El último niño, muy pequeño, rubio, delgado y con una herida enorme en el antebrazo, estaba un poco apartado de los demás y tenía el pelo en la cara. Todos parecían esperar a que Jessica hiciera algo.

—¿Qué es este sitio tan horrible?

Se secó las manos en la playera y se sacudió el pelo como si lo tuviera lleno de arañas. Se detuvo a la mitad del movimiento y volteó hacia los niños como si los estuviera viendo por primera vez. Entreabrió la boca.

—Son los niños —soltó un grito ahogado—. Quiero decir, son los niños a los que secuestraron, ¡y están vivos!

De repente, se acordó de la mujer del hospital, la madre cuyo hijo habían secuestrado. «Tenemos que encontrar a ese niño y llevarlo de vuelta a su casa», le había dicho

Jessica a John, y las palabras le sonaron entonces huecas incluso a ella misma. Ahora tenía a los niños enfrente. «No es tarde para salvarlos», pensó, repentinamente decidida. Miró al niño rubio.

—¿Tú eres Jacob? —le preguntó con el corazón en vilo, y él abrió los ojos de par en par como respuesta.

—Eh, todo saldrá bien —dijo, tratando de creérselo ella primero—. Soy Jessica.

Ninguno contestó, sino que se miraron los unos a los otros tratando de llegar a un consenso silencioso. Jessica los dejó en eso y se puso de pie para inspeccionar el lugar.

Era una estancia fría y húmeda, con las paredes de ladrillo y el techo muy bajo, tanto que Jessica no podía ponerse de pie. Los muros de la habitación tenían las tuberías a la vista, y de algunas salía humo. Había un gran tanque en un rincón, que probablemente era un calentador de agua, y en el otro extremo del cuarto había una puerta. Jessica fue hasta ella.

—¡No! —chilló la pelirroja.

—No pasa nada —dijo Jessica, tratando de usar un tono tranquilizador—. Vamos a salir todos de aquí. Sólo voy a comprobar si está cerrada con llave —dijo, y su voz le sonó alegre y cordial. Estaba siendo condescendiente; siempre había odiado ese tono en los adultos cuando era niña—. Sólo voy a mirar —dijo con voz más normal.

Caminó con brío hacia la puerta.

—¡No! —gritaron tres voces.

Jessica titubeó, pero finalmente agarró la manija con firmeza y la giró. No pasó nada. Detrás de ella, los niños dejaron escapar un suspiro de alivio.

—No se preocupen —dijo Jessica volviendo con ellos—. Siempre hay otra salida —escudriñó sus rostros sucios y ansiosos—. ¿Qué pasó aquí? —preguntó.

El niño que tenía a la otra pequeña en el regazo le dirigió una mirada suspicaz.

—¿Por qué deberíamos decírtelo? Podrías ser una de ellos.

—Estoy aquí adentro igual que ustedes —apuntó Jessica. Se dejó caer a su lado para ponerse al nivel de los pequeños—. Me llamo Jessica.

—Ron —repuso él. La niña del regazo le dio un golpecito en el hombro, y él se inclinó para que le susurrara algo al oído—. Ella se llama Lisa —añadió.

—Alanna —dijo la pelirroja casi gritando.

El niño rubio no dijo nada. Jessica lo miró, pero no preguntó.

—Hola, Ron, Lisa, Alanna y Jacob —dijo Jessica con una paciencia inconmensurable—. ¿Pueden contarme qué pasó?

—Me comió con su panza —susurró Lisa.

Jessica notó que palidecía al instante.

—¿Te refieres a la payasa? —preguntó Jessica con suavidad—. ¿La robot?

Los niños asintieron al unísono.

—Yo estaba en el bosque —explicó Alanna. Se puso una mano en el estómago e hizo el gesto de algo saliendo disparado—. ¡Fium! —dijo con semblante serio.

—Yo iba en mi bici de camino a casa —dijo Ron—. Había una mujer en la carretera… No sé de dónde salió, y me caí de la bici intentando no atropellarla —se señaló las rodillas. Jessica se fijó en que las tenía llenas de costras. «Lleva aquí el tiempo suficiente para que las heridas hayan cicatrizado», pensó, pero se mordió la lengua, pensando que si lo interrumpía, dejaría de hablar—. Cuando me levanté, estaba de pie sobre mí —siguió Ron—. Pensé que quería ayudarme. Le dije que estaba bien, y ella sonrió y entonces… —miró a la niña de su regazo un momento y luego continuó—. Te lo juro, se le abrió la panza y de ahí le salió una cosa enorme de metal, y… —sacudió la cabeza—. No nos vas a creer.

—¿La cosa te agarró y te arrastró hacia dentro? —preguntó Jessica con voz suave.

Él la miró sorprendido.

—Sí —contestó—. ¿Te atrapó a ti también? —le preguntó.

—No, pero he visto cómo lo hace —dijo, aunque era una verdad a medias—. ¿Y luego qué pasó?

—No lo sé. Lo siguiente que recuerdo es despertarme aquí.

—¿Y ella? —Jessica señaló a la niña pequeña.

Él se encogió de hombros, un poco avergonzado.

—En cuanto se despertó, se subió a mis brazos.

—¿La conoces?

—¿De antes?

Ron miró a la pequeña de nuevo.

—No, ninguno nos conocemos de antes —intervino Alanna.

Jessica miró al niño rubio, pero él apartó la vista.

—Bueno, a ver, escúchenme —dijo Jessica. Todos la miraron. «Qué miedo. Ni que yo fuera adulta o algo así», pensó con cierta incomodidad. Respiró hondo—. Yo ya me he… enfrentado a cosas así antes.

—¿En serio? —Alanna parecía escéptica.

Ron la miraba con cautela.

Lisa abrió un ojo y luego volvió a enterrar la cara en la playera de Ron.

—No soy una de ellos —se apresuró a aclarar Jessica—. Estoy aquí encerrada con ustedes porque me descubrieron intentando averiguar más sobre ellos.

—¿Sabías que estábamos aquí? —preguntó Ron.

—La verdad no, pero me alegro de haberlos encontrado… Todo el mundo los está buscando. Quienes los secuestraron quieren lastimar a una amiga mía, ya lo hicieron en realidad, y vine aquí para detenerlos, para salvarla de ellos. Ahora que sé que están aquí, voy a salvarlos a ustedes también.

—Estás aquí encerrada como nosotros —dijo Alanna, y esta vez parecía creer sus palabras.

Jessica reprimió una sonrisa, de repente divertida por la situación.

—Tengo amigos afuera que van a ayudarnos, vamos a sacarlos de aquí —Alanna aún parecía desconfiada, pero Lisa miraba a Jessica entre el pelo que le caía por la cara y se había soltado de la playera de Ron por primera vez—. Lo prometo, todo saldrá bien —les aseguró Jessica con un destello de confianza.

Miró a los niños con determinación y calma, sorprendida al darse cuenta de que sus palabras eran sinceras.

ϒ

—¡John! ¡Charlie!

Carlton entró como un bólido a casa de John y la puerta golpeó la pared al abrirse de repente.

Marla pegó un brinco y se incorporó en el sofá.

—Carlton, ¿qué pasa?

El chico escudriñó la sala sin responder. Marla estaba sola; tenía la televisión encendida con el volumen bajo. La puerta de la habitación de John estaba cerrada, así que se dirigió hacia ella.

—No hay nadie —dijo Marla con tono reprobatorio, pero Carlton entró a mirar de todas formas—. John no está, y Charlie tampoco —gritó Marla.

—Pues yo me encontré a uno de ellos —dijo Carlton con voz grave—. A una de las dos Charlies, pues. La mala. ¿Dónde está John? ¿Dónde están todos?

—John y Charlie fueron a un sitio; parecían tener prisa y no me dijeron adónde iban.

—¿Y Jessica?

—No la he visto. Probablemente esté en su casa.

—Vengo de su casa, y allí no está —Carlton miró a Marla; el miedo era palpable entre ambos—. Charlie… la otra Charlie, ni siquiera la oí entrar; no tocó la puerta. Era como si supiera que Jessica no estaba.

—Espera, cállate un momento —dijo Marla de pronto señalando la televisión.

—¡Marla, esto es serio! —exclamó Carlton, alarmado.

—Mira eso; llevan todo el día poniendo este comercial.

El rostro caricaturesco de una niña pequeña, maquillada como un payaso, inundó la pantalla.

—*¡Ven disfrazado de payaso y come gratis!* —exclamó una voz atronadora, y luego el plano cambió para dar paso a la fachada de un restaurante.

—¡Es… es ella! —gritó Carlton—. ¡El letrero, la chica del letrero, la payasa!

Marla se acercó y entrecerró los ojos.

Carlton se detuvo a pensar un momento.

—Era más alta y, la verdad, un poco atractiva. Era todo muy confuso, demasiadas emociones.

—Llevan todo el día poniendo estos comerciales. Restaurante nuevo, personajes animatrónicos…

—Es como si la niña del letrero hubiera crecido y quisiera darme pizza… —dijo, quedándose en la luna.

—¡Carlton! —exclamó Marla, devolviéndolo al presente.

—¿Sabes dónde está? ¿Ese restaurante nuevo? —preguntó.

—Sí —confirmó Marla. Apagó la televisión y se puso de pie—. Vamos.

Carlton la miró de arriba abajo con cara seria y sacó el otro auricular del bolsillo.

—Ponte esto en la oreja —le dijo—. Es lo único que tenemos; confía en mí.

—Okey —Marla le arrebató el auricular de la mano mientras se dirigía a la puerta—. Espero que me lo expliques todo durante el camino.

Carlton no contestó y se precipitó hacia la calle tras ella.

$\mathcal{M}$ientras conducían por el pueblo fantasma, Charlie notaba los ojos de John fijos en ella. No había dicho una palabra desde que subieron al coche, y empezaba a temer el momento en el que tuviera que hablar otra vez. John dio una vuelta pronunciada que hizo tambalear el vehículo, y ella salió despedida hacia delante en el asiento contra el cinturón de seguridad.

—Lo siento —dijo John avergonzado.

Charlie se relajó por fin.

—No pasa nada —lo tranquilizó con una breve sonrisa—. Sé que puede parecer raro que pregunte esto ahora, pero ¿dónde está mi coche?

—Me temo que lo tiene tu doble —la miró nervioso, y ella forzó una sonrisa tortuosa y asintió.

—Sería un poco raro denunciarlo —respondió alegremente.

John sonrió. Se detuvo en una señalización de alto y el gesto se esfumó.

—Es aquí —anunció en voz baja.

Charlie abrió la puerta y salió. Estaban al pie de una colina; John se había estacionado al lado del arco estrecho que tenía una estrella de metal en la punta. En lo alto de la colina, había una casita.

—Muy bien, acabemos con esto —dijo Charlie. Miró a su alrededor con nerviosismo, casi esperando que se les acercara alguien corriendo—. Vamos.

Mientras subían la pendiente, John la miró varias veces como si quisiera decirle algo, pero no lo hizo. Cuando llegaron al patio de la entrada, Charlie le puso una mano en el brazo.

—¿Sigue ahí dentro? —preguntó—. Me refiero a Jen. Él asintió.

—Sí. Eso creo, al menos. ¿Estás segura de que quieres hacer esto?

—Tengo que hacerlo.

—Entraré yo primero —se ofreció—. Puedo… taparla si quieres.

La miró angustiado. Charlie dudó.

—No —dijo por fin, y agarró la manija con mano firme.

La puerta no estaba cerrada con llave, y Charlie estudió la estancia con aprensión al entrar. Estaba todo patas arriba, con todos los muebles en medio. Al principio no detectaron nada raro. Hasta que la vieron.

Había una mujer en el rincón, al principio del pasillo; estaba acurrucada contra la pared, en posición fetal, y el pelo oscuro le caía pesadamente por la cara. Charlie oyó que alguien tomaba aire; tardó un rato en darse cuenta de que había sido ella misma. Extendió rígidamente una mano hacia atrás, incapaz de expresar con palabras lo que necesitaba, pero John la vio y le agarró la mano, acercándose a ella.

—¿De verdad es ella?

—Sí —susurró John—. ¿Quieres acercarte a verla? —preguntó vacilante.

Charlie negó con la cabeza.

—No. Ya no es ella —musitó, y dio media vuelta para apartar la imagen de su cabeza. Respiró hondo—. ¿Dónde... dónde me encontraron... a mí? —se señaló con el dedo para asegurarse de que John entendía a qué Charlie se refería.

—Por allí.

John la condujo hasta el pasillo, dando un largo rodeo para no acercarse al cadáver de Jen; Charlie se obligó a no mirarla directamente: sólo vio de reojo, al pasar, una forma oscura y hecha un ovillo. Al final del pasillo, la puerta del armario estaba abierta, y dentro se veían baúles y cajas de cartón. La ventana estaba abierta también. Cuando Charlie respiró el aire fresco, se dio cuenta de que el resto de la casa olía fuertemente a moho y humedad.

—Aquí —dijo John.

Estaba de pie junto a un gran baúl verde con la tapa abierta.

—¿Ahí dentro? —preguntó Charlie desolada mientras pasaba por encima de varias cajas hasta llegar junto a John. Miró hacia el interior: había una almohada pequeña, nada más—. ¿Estaba ahí dentro? —preguntó, en cierto modo decepcionada.

—Sí. Seguro que Jen te metió ahí por alguna razón. Debía de saber lo de la impostora. Quizá te puso ahí justo antes de que llegáramos.

Charlie alargó la mano y cerró el baúl.

—Quiero echar un vistazo.

—¿Qué buscamos? —preguntó John.

Ella se encogió de hombros y abrió otro baúl.

—Cualquier cosa —repuso—. Si hay algo que nos sirva, estará aquí. Tenemos que saber a qué nos enfrentamos.

Buscaron un rato en silencio. Ninguna de las cajas estaba etiquetada. Charlie las abría al azar: revolvía el contenido de las que tenían papeles y dejaba las otras de lado, como aquellas que guardaban artículos para el hogar y similares: platos, cubiertos y cachivaches que Charlie recordaba de su infancia, incluso algunos de sus antiguos juguetes. Estudió a conciencia una caja que contenía documentos financieros de Jen, y luego los volvió a dejar donde estaban, al no encontrar nada que le llamara la atención. Se disponía a abrir otra caja cuando vio que John la miraba raro.

—¿Qué? —preguntó.

Él sonrió, pero había una sombra de tristeza debajo.

—Lees muy rápido —se limitó a decir.

—¿Nadie te ha enseñado a leer en diagonal? —repuso sin más, y volvió a concentrarse.

Abandonó la pila de cajas que había estado mirando y se fue hasta el rincón opuesto del cuarto. Movió un montón de sábanas y toallas cuidadosamente dobladas y se sentó con las piernas cruzadas en la alfombra. Desde donde estaba ni siquiera veía a John, aunque lo oía revolviendo papeles y murmurando para sí. Estudió cuidadosamente las pilas de cajas y entonces la vio: tenía escrito HENRY con la letra pulcra de su tía. Apartó tres abrigos y otra caja hasta tenerla en sus manos.

Se quedó un rato mirando las letras. La tinta se había despintado con los años. Charlie siguió el trazo con el dedo índice; el pulso le aleteaba en la garganta como si el corazón quisiera salírsele del pecho. «Papi.» Abrió la caja y lo primero que vio, hasta arriba, fue una vieja camisa de franela verde de cuadros, tan usada que el tejido parecía algodón de lo fino y suave que estaba. La tomó con delicadeza y apretó la cara contra ella, inhalando las fibras. Sólo olía a polvo y a viejo, pero el tacto del tejido en su mejilla hizo que se le llenaran los ojos de lágrimas. Respiró despacio, intentando reprimirlas, y por fin recobró la compostura, aunque una parte de ella aullaba por la injusticia de no poder pararse ni un momento a aferrarse a aquella levísima presencia y llorar. Tímidamente, Charlie se echó la camisa sobre los hombros de forma que le cayera por la espalda mientras se inclinaba de nuevo sobre la caja. Dentro había un montón de cajas más pequeñas; abrió la primera, donde encontró una foto enmarcada en la que aparecían ella y Sammy de niños, en aquellos escasos y valiosos años antes de que todo saltara por los aires. Debajo de la foto había un sobre, dirigido, con la letra de su padre, a «Jenny». Charlie sonrió y sacudió la cabeza. «Se me hace rarísimo que alguien pudiera llamar "Jenny" a mi tía Jen.» Abrió la carta.

Queridísima Jenny:

Había escrito una larga lista de instrucciones para ti; horarios, claves y procedimientos. Me has consentido mucho; pero sólo ahora, al final, me doy cuenta de cuánto me ha ayudado a superar esta época oscura, pero también lo definitivamente vacía que ha estado. Lo tenía todo planeado al detalle; he trabajado sin descanso. He deformado y distorsionado lo que me rodea hasta el punto de que ya nunca podré estar seguro de haber vuelto del todo a la realidad, y aunque conseguí derribar todo lo que había levantado para engañarme, creo que mi cabeza aún podría jugarme una mala pasada. No necesito llevar a cabo análisis clínicos que evalúen los efectos a largo plazo de estos dispositivos para saber que me he infligido un daño permanente. Siempre veré lo que quiera ver, pero lo peor es la astilla, más que una estaca, que tengo clavada en lo más profundo del corazón y que me recuerda cada día más que lo que veo es una mentira. Tú, con paciencia e indulgencia, has intentado hacerme feliz, pero de alguna forma también me has sacado de este mundo que he construido. Creo que quizás habría sido mejor para ti no consentirme tanto; así podría haberte mantenido apartada de mi burbuja, haberme convencido de que estabas loca, como todo el mundo. Pero, en lugar de eso, tu amor constante me hizo escucharte y hacerte partícipe, y la consecuencia de ello fue ver la verdad en tus ojos y ser partícipe de ella yo también.

Tengo a mi Charlie aquí conmigo. Nunca tendrás que volver a consentirme con respecto a ella. En lugar de disfrutar, he derramado incontables lágrimas sobre ella. He vertido mi agonía sobre ella, hasta el punto de que se ha convertido en otro recordatorio no de lo que un día tuve, sino del dolor insoportable que me provoca lo que me ha sido arrebatado. Ha terminado reflejando mi dolor; durante mucho tiempo me consolaba en sus ojos, pero ahora sólo veo en ellos la pérdida, una pérdida infinita y debilitante. Sus ojos nunca volverán a llenarme. De hecho, me han vaciado.

Mantén todos los armarios cerrados. Deja que sean la tumba de mi negación y de mi luto. Mi última instrucción irrevocable tiene que ver con el cuarto armario. Ése no basta con tenerlo cerrado, tiene que estar sellado y enterrado. Mi dolor estaba empezando ya a despertarme y devolverme a la realidad cuando entré en la que debía ser su última fase. Cuando emergí levemente de las profundidades de mi desesperación, vi que no me quedaba otra opción que interrumpir mi trabajo, pues lo único que hacía era alimentar mi propio delirio. Mi antiguo y fiel socio, de quien ahora sólo espero que esté bajo tierra, me arrebató lo que yo había empezado y lo hizo suyo, y le infundió quién sabe qué clase de mal. Conseguí detenerlo y encerrar a cal y canto lo que había creado, y tú, Jenny, debes asegurarte de que siga bajo llave.

Te pediría que demolieras la casa si confiara en que es posible. Mantenla en pie y asegúrate de que el mundo la olvide. Luego, algún día, tras varias décadas, cuando nadie se acuerde, llénala con todo tipo de materiales inflamables y préndele fuego; y quédate cerca vigilando por si tienes que dispararle a cualquier cosa que surja de los escombros, sea lo que sea o se parezca a quien se parezca.

Me voy con mi hija.

Te quiero y te querré siempre,

HENRY

Υ

—¿Charlie?

John estaba de pie detrás de ella. Sin decir palabra, le extendió las hojas. Él las tomó y ella apartó la caja en la que estaba la carta y contempló la siguiente. Estaba cerrada con cinta de embalar, pero el lado adhesivo estaba viejo y seco, y los extremos despegados del cartón. John pasaba las páginas mientras leía. Charlie sintió un escalofrío a pesar del aire cálido que entraba por la ventana; metió los brazos en las mangas de la camisa de su padre y se las arremangó hasta los codos.

—¿Entiendes algo? —preguntó John en voz baja. Charlie lo miró y sacudió la cabeza—. Hazte para allá —dijo con una leve sonrisa, y ella le hizo un hueco en el escaso espacio entre las cajas. Se sentó frente a ella con las piernas cruzadas en una posición incómoda. Le dio las hojas de nuevo y ella las volvió a repasar—. ¿Qué querrá decir lo de los armarios? —preguntó John.

—No lo sé —dijo Charlie con la boca seca.

—Piensa —protestó John—. Tiene que significar algo.

—No lo sé —repitió Charlie—. Tú estuviste allí; siempre estaban vacíos. Excepto el de Ella.

—Eso no lo sabes —dijo John con suavidad—. Había uno que estaba cerrado con llave —continuó, casi para sí mismo.

—Ya da igual, ¿no? —repuso Charlie—. La casa ya no está. A menos que tengas ganas de ponerte a rebuscar entre los escombros, esto es todo lo que tenemos.

Sacó la caja con la cinta despegada de la caja grande y se la pasó a John. Lo único que quedaba debajo era una caja fuerte que se abrió sin dificultad en cuanto forzó un poco la tapa. También estaba llena de papeles: hasta arriba había un dibujo a lápiz de una cara familiar.

—Es Ella —dijo John, mirando por encima de su hombro.

—Sí —confirmó Charlie.

Su padre había reproducido las delicadas facciones de la muñeca con exquisito detalle, no sólo el rostro, sino también el cabello brillante y sintético, al igual que los diminutos pliegues de su vestido oscuro y almidonado. Tenía los ojos abiertos, tan inexpresivos que no concordaban con el resto del dibujo, que era una representación vívida y perfecta de algo inerte.

—No sabía que dibujara también —dijo John.

Charlie sonrió.

—Decía que dibujaba las cosas para poder verlas, no al revés.

Le pasó a John el dibujo; debajo había otro de Ella, esta vez de perfil. El siguiente mostraba un primer plano de Ella, también de costado.

—Fue él quien fabricó a Ella, ¿no? —preguntó John.

Charlie ladeó la cabeza para examinar el dibujo.

Hojeó el resto de los papeles más rápido y sacudió la cabeza, confundida.

—Todos son de Ella.

John tomó la caja de cartón que quedaba y rasgó la cinta adhesiva; sonó como si se rompiera un tejido. Se le quedó pegada en los dedos al arrancarla y, con el rabillo del ojo, Charlie vio que forcejeaba con ella para quitársela. Hojeó los dibujos de nuevo.

—Mira las anotaciones.

Le pasó el primer dibujo que habían estado observando, cada vez más impaciente mientras él escudriñaba la letra meticulosa pero diminuta del padre de Charlie. Lo leyó despacio en voz alta.

—«Altura: 81 cm; Diámetro craneal…» —levantó la vista—. Sólo son medidas —Charlie le pasó otro dibujo—. Parece lo mismo —dijo John, y se fijó en las anotaciones—. «Altura: 118 cm.» —John movió la página por si estaba leyendo mal.

—En este dice 164.5 centímetros —leyó Charlie con un dibujo en la mano que parecía idéntico a los demás—. No lo entiendo —dijo, dejando la hoja sobre su regazo—. ¿Hizo otra Ella? —pasó un dedo por la línea de crecimiento del pelo de Ella, borrando un poco la marca de grafito del lápiz, y entonces se le ocurrió algo—. Me pregunto si trataba de compensarme.

—¿A qué te refieres?

—A si intentaba darme… una compañera; una amiga, por lo que pasó.

Miró a John a los ojos, incapaz de decir en voz alta lo que pensaba.

—¿Te refieres a Sammy? ¿Crees que, como habías perdido a tu hermano gemelo, quería darte una muñeca que… creciera contigo? —preguntó John, incrédulo.

Ella asintió, aliviada al ver que le había entendido, a pesar de que no había sido del todo explícita.

—Puede ser —dijo Charlie con voz queda.

John tenía los ojos contraídos de preocupación, y apartó la mirada para estudiar los dibujos de nuevo.

—Pero no tiene mucho sentido, ¿no? —preguntó Charlie—. ¿Qué iba a hacer yo con una muñeca de más de metro y medio que se moviera por rieles? —tomó la carta de nuevo y la sujetó como si fuera un talismán, aunque no necesitaba volver a leerla—. ¿Habría una versión más grande de Ella en el armario cerrado?

Los ojos de John vagaron sin rumbo por la habitación en silencio y luego se enfocaron de nuevo. Charlie se miraba la mano en silencio, abriendo y cerrando los dedos lentamente. El silencio se instaló entre ellos, asfixiante, hasta que John tomó a Charlie de la mano, sobresaltándola.

—Yo vi tu sangre.

—¿Cómo? —dijo Charlie, perpleja.

—Vi tu sangre aquella noche. Sangraste. No creo que Ella sangre, ¿no? —era absurdo, pero John la miraba incómodo, como si esperara una respuesta. Pasaron varios segundos y Charlie no sabía qué decir—. Aquella noche creí que estabas muerta —susurró finalmente.

—Pero no estoy muerta, ¿no? —lo miró a los ojos—. Estoy viva, ¿verdad?

Lo tomó de la mano y él la sujetó con fuerza. John tomó la mano de Charlie entre las suyas. Ella lo miró desconcertada.

—¿John? —repitió nerviosa, y se le tensó la mandíbula.

Cuando parecía a punto de hablar, Charlie giró la cabeza de repente hacia la ventana.

—¿Qué pasa? —preguntó John, alarmado.

Charlie se llevó un dedo a los labios e inclinó la cabeza para aguzar el oído. «Hay alguien afuera.» John la miró concentrado, y entonces abrió mucho los ojos al oír el ruido él también: los pasos crujieron una última vez sobre la grava de la entrada y luego se apagaron.

«Por atrás», articuló John sin emitir sonido alguno. Charlie asintió, dejó caer las manos y se apoyó en el baúl que tenía detrás para levantarse. John se apresuró a ayudarle, pero ella se zafó.

—Vamos —susurró—. ¿Hay una puerta atrás?

—No lo sé —caminó hacia el pasillo y le hizo un gesto para que lo siguiera—. Charlie, date prisa.

John había volteado hacia ella y señalaba la puerta con urgencia. Ella metió la carta en su bolsillo trasero y lo siguió abriéndose paso con cautela entre el desorden del armario.

Ya en el pasillo, el aire denso y mohoso la golpeó como una ráfaga, y tragó saliva para detener la náusea, tratando de no pensar en el cuerpo de su tía tirado en el suelo de la habitación de al lado. Avanzaron de puntitas por el corredor hasta la parte delantera de la casa, donde estaba la puerta. Al final del pasillo, John se detuvo y Charlie esperó, a la escucha. Sólo había silencio, pero entonces el timbre sonó desde la entrada, y se apresuraron a resguardarse de nuevo en la oscuridad del corredor.

—Mira —señaló con la cabeza la puerta que había enfrente del armario, la cual estaba ligeramente abierta—. ¿Estaba así antes?

—Sí —contestó Charlie—. Bueno, creo que sí.

Se acercaron muy despacio a la puerta entreabierta: Charlie respiraba lo menos profundamente que podía para no hacer ruido, aunque el corazón le latía con una fuerza atronadora. Cuando llegaron al umbral, oyó un susurro, como alguien pisando unas hojas. John y Charlie se separaron y se colocaron cada uno a un lado de la puerta, Charlie en la parte de las bisagras y John en la de la manija; muy despacio, él empujó la puerta para abrirla por completo. Charlie vio el alivio dibujado en el rostro de John antes de observar lo que había en la habitación: una cama, una cómoda y absolutamente nada más, ni siquiera un armario. Había una ventana abierta. John volteó hacia Charlie:

—Creo que tenemos escapatoria —dijo.

Ella esbozó una sonrisa temblorosa.

—Quédate aquí mientras reviso —susurró John, y antes de que pudiera contestar, ya había abierto la puerta por completo y se dirigía con sigilo hacia la ventana abierta, atravesando la habitación en línea recta.

Charlie se quedó en el pasillo sujetando la puerta para poder ver la recámara en toda su amplitud.

Lo observaba nerviosa. «Deprisa», apremió a John en silencio. Mientras pensaba aquello, notó que la puerta ya no se abría más, como si algo la bloqueara. ¿Había algo detrás? Despacio y sin hacer ruido, se hizo a un lado y acercó un ojo a la estrecha abertura que había entre el marco y la hoja, entre las bisagras. El corazón se le detuvo en seco.

Otro ojo le devolvió la mirada.

Charlie trastabilló hacia atrás. La puerta tembló un instante y se cerró de golpe. Desde el interior de la habitación se oyó un fuerte ruido que golpeaba la pared una y otra vez.

—¡John! —gritó Charlie aporreando la puerta.

De repente, la casa se quedó en silencio. Instantes después, la puerta se abrió y una figura se deslizó a través de ella con movimientos gráciles, entrando al pasillo con cuidado, como para no despertar a un bebé. Charlie miró incrédula a su doble mientras su mente registraba vagamente las casi imperceptibles diferencias entre ambas. No había palabras.

—Tú no eres yo —logró decir Charlie.

Entonces, su propio rostro le dedicó una sonrisa cruel.

—Yo soy la única tú que importa.

CAPÍTULO 12

—¿*F*unciona? —preguntó Marla dando golpecitos nerviosos al auricular que llevaba en la oreja.

Carlton aceleró.

—El mío funcionó —contestó con brusquedad. La miró; tenía las manos entrelazadas con tanta fuerza que los nudillos se le habían puesto blancos—. O sea, es que no podrás saber si funciona hasta que...

—¿Hasta que qué? —repuso Marla.

—Pues hasta que estés en peligro y...

—¿Y qué? —Marla parecía impaciente.

—Y no te mueras —Carlton asintió con gesto tranquilizador.

—¿Y entonces cómo sabes si no funciona? —la voz de Marla había perdido toda su energía.

—Bueno, si no funciona, no tendrás que preocuparte por ello mucho tiempo —sonrió.

—Okey —Marla dejó de juguetear con el dispositivo y dejó caer la mano en el regazo.

—Funcionará. Puse los cables en el tuyo exactamente igual que en el mío.

—Yo no suelo estar metida en estas cosas —dijo Marla—. Yo siempre aparezco después, con los abrazos y los curitas. Si esto fuera una película, yo sería la niñera en apuros, no la heroína protagonista —había un dejo de amargura en su voz, y Carlton la miró sorprendido—. ¡Carlton, ve la carretera!

Él volvió a concentrarse en lo que estaba haciendo y giró el volante con pericia.

—Marla, yo te he visto metida en estas cosas… ¿O no te acuerdas de Freddy's?

Ella asintió con desgano.

—Y no subestimes el poder de los abrazos y los curitas —añadió mientras reducía la velocidad justo cuando apareció en su campo de visión el letrero del restaurante, CIRCUS BABY'S PIZZA, reluciente en la noche, que bañaba la mitad del edificio en una estridente luz roja—. Este lugar no tiene pierde —comentó Carlton mientras entraba al estacionamiento.

Una vez que dejaron atrás el letrero fosforescente, su luz brillante y embrujada se mezcló con el fondo: el estacionamiento estaba vacío.

—Aquí no hay nadie. ¿Estás seguro de esto? —preguntó Marla con voz ansiosa.

—No, pero sé lo que vi —Carlton condujo lentamente hasta la entrada mientras señalaba el dibujo de la niña-payaso que había sobre el letrero de la entrada—. Eso fue lo que me atacó.

Se estacionaron a un costado del edificio. Carlton deslizó la linterna por la pared, la cual alumbró una hilera de ventanas altas y rectangulares. Los cristales estaban oscurecidos, tan opacos que no se veía nada adentro, y los marcos eran de metal negro y liso, sin ningún sitio aparente por donde forzarlas para abrirlas. Carlton sacudió la cabeza y señaló la parte trasera del edificio. Marla asintió y aferró su linterna como si fuera una cuerda salvavidas.

Había más lugares para estacionarse detrás del edificio; en la pared trasera había varios botes de basura en fila y dos contenedores, uno a cada lado de una puerta metálica. La única luz provenía de un foco anaranjado vacilante que colgaba sobre la puerta casi como si fuera un adorno.

—Parece que podemos entrar por aquí —susurró Carlton.

—Mira —Marla dirigió la linterna hacia unas huellas frescas en el lodo que discurrían junto a la pared y llegaban hasta la puerta—. ¿Jessica? —miró a Carlton.

—Puede ser.

Marla tomó la manija y empujó con fuerza la puerta, pero no se movió ni un ápice.

—No creo que encontremos otra forma de entrar —dijo en voz baja.

Su amigo sonrió.

—¿Crees que no vengo preparado? —dijo Carlton mientras sacaba una funda de piel lisa de su bolsillo. Se la extendió—. Detenme esto —le pidió, y seleccionó varias herramientas de metal mientras ella sostenía la cajita.

—¿Son ganzúas? —preguntó Marla.

—Si hay algo que he aprendido viendo a mi papá, es que se puede forzar una cerradura si es por una buena causa —sentenció Carlton con voz solemne.

Se inclinó sobre la cerradura, tratando de mantener la cabeza apartada de la luz, y empezó a juguetear con las ganzúas.

—Por Dios. No se puede forzar una cerradura... ¿no? ¿Es legal tener esto? —preguntó Marla.

Él la miró; sostenía la cajita alejada del cuerpo como si quisiera apartarse del allanamiento.

—Es legal siempre y cuando no fuerces ninguna cerradura —repuso Carlton—. Y ahora estate quieta para que pueda forzar ésta.

Marla miró alrededor con nerviosismo, pero no dijo nada. Él volvió a concentrarse en la puerta, aguzando el oído para escuchar el sonido de los cilindros que se movían hasta conseguir desbloquear el mecanismo completo.

—Estás tardando muchísimo —gimoteó Marla.

—En ningún momento dije que fuera bueno para esto —repuso él, ausente—. ¡Lo logré! —sonrió triunfante.

La puerta se abrió con un chirrido y reveló un pasillo ancho en ligera pendiente hacia arriba. Estaba a oscuras, pero unos metros más adelante se adivinaba el tenue resplandor de unas luces fosforescentes. Marla cerró la puerta detrás de ellos procurando no azotarla. La luz provenía de una puerta abierta a la izquierda del pasillo: esperaron, pero no se oía nada, y empezaron a moverse pegados a la pared. A medida que se acercaban, Carlton olisqueó el aire.

—Shh —lo calló Marla.

El chico giró la cabeza hacia la puerta.

—Pizza —susurró—. ¿No la hueles?

Marla asintió y le hizo un ademán impaciente para que siguiera.

—De todos los olores que hay en este sitio, ¿ése es el que te llama la atención? —en efecto, la puerta abierta era la de la cocina, estancia que escudriñaron brevemente antes de entrar. Carlton se acercó a un refrigerador enorme y lo abrió—. ¡Carlton, olvida la pizza! —exclamó Marla consternada, pero en el refrigerador sólo había recipientes con ingredientes.

Carlton cerró la puerta.

—Nunca se sabe quién puede esconderse dentro de esas cosas —dijo en voz baja mientras salían de la cocina.

Al final del pasillo había unas puertas abatibles con dos pequeñas ventanas redondas justo a la altura de los ojos de Carlton, así que se asomó a ver qué había en aquella sala y, acto seguido, empujó la puerta. Marla soltó un grito ahogado.

—Qué miedo —dijo Carlton en voz baja.

El salón-comedor que tenían ante ellos estaba iluminado con las mismas luces fosforescentes tenues, lo que le confería a aquel lugar tan nuevo una extraña aridez. Había mesas y sillas en el centro, y máquinas de videojuegos y zonas de esparcimiento junto a las paredes, pero ambos dirigieron la mirada de inmediato al pequeño escenario que se encontraba en el rincón opuesto. El telón púrpura estaba cerrado y no había nada, excepto una cuerda amarilla brillante que lo cruzaba y un le-

trero con un dibujo de un reloj; al lado decía PRÓXIMO
ESPECTÁCULO A LAS: escrito a mano, pero el reloj no
tenía manecillas. Marla se estremeció y Carlton le dio
un codazo.

—No es igual —susurró.

—Es exactamente igual —repuso.

Carlton miró a su alrededor y los ojos se le iluminaron al ver una alberca de pelotas que salía de la pared
frontal en semicírculo, con una marquesina de plástico
rojo ribeteada de blanco por encima.

—Mira, en aquel pasamanos —señaló Jessica.

Al otro lado del salón, tres niños pequeños trepaban
con soltura por la estructura de barras rojas y amarillas.
Carlton, perplejo, miró a Marla sorprendido y corrió
hacia ellos.

—¿Están bien? ¿Dónde están sus padres? —les preguntó sin aliento, y entonces notó que se le secaba la
boca.

Los niños no eran humanos ni estaban vivos. Sus
rostros animatrónicos estaban pintados como si fueran
payasos, con rasgos absurdamente exagerados: uno tenía una nariz redonda y roja que le ocupaba media cara
y una peluca blanca de rizos sintéticos; otro lucía una
enorme boca blanca delineada y una mueca roja pintada;
el tercero, un payaso sonriente de mejillas sonrosadas
con una peluca de arcoíris, era casi bonito, excepto por
el resorte gigante que sustituía el centro de su torso y
rebotaba arriba y abajo cada vez que se movía. Todos tenían los ojos negros, sin iris ni pupila, y a Carlton no le
dio la sensación de que lo vieran. Agitó las manos, pero

ellos no giraron la cabeza, sólo siguieron agarrándose de las barras con sus manos regordetas y desplazándose por la estructura con asombrosa pericia. Emitían un fuerte zumbido, como si fueran muñecos a los que les hubieran dado cuerda para subir y bajar. De repente, el niño del resorte lanzó su torso por encima de las barras, haciendo que el resorte se extendiera como un cable largo en espiral, se sujetó a una barra y sus pies salieron disparados por el aire hasta unirse con la otra mitad de su cuerpo.

—Lo siento, no son los niños a los que buscamos, sigan en lo suyo —susurró Carlton con voz temblorosa mientras las criaturas seguían brincando arriba y abajo, por encima y por debajo de la estructura.

—No nos ven —dijo Marla en voz baja.

Carlton tardó un rato en reparar en su voz.

—¿Qué? —preguntó, con los ojos fijos aún en los niños-payaso.

—Que no nos ven —repitió ella—. Estas cosas funcionan —se dio un golpecito en la oreja.

—Okey, muy bien —dijo Carlton, apartándose de la escena. Marla sonreía aliviada—. Pero debemos tener cuidado de todas formas —le advirtió—. No puedo garantizar que funcionen con todo, y definitivamente no sirven con las personas.

Marla se estremeció y asintió enseguida.

—Hay un cuarto detrás del escenario —anunció.

—Parecen unos juegos —dijo Carlton con voz grave.

Marla se detuvo junto al escenario y acercó la mano al telón como si se dispusiera a mirar detrás.

—No —la regañó Carlton tomándola de la mano—. Lo último que queremos es llamar la atención —Marla asintió.

La sala de juegos desprendía un olor sofocante a plástico, y los juguetes relucían como nuevos. Había una docena de máquinas de videojuegos y dos de *pinball*, una (como ya era más que predecible) decorada con payasos; la otra, con dibujos de faquires. Carlton dio un amplio rodeo para evitarlas. Marla lo agarró de la manga y señaló una puerta cerrada en la pared de la izquierda con un letrero rojo donde decía SALIDA, y él asintió. De camino hacia ella, pasaron de puntitas junto a un juego de esos de poner a prueba tu fuerza, dominado por un payaso a tamaño natural que movía sin parar la cara hecha de placas de metal dentadas, como asintiendo, aunque sus ojos no parecían moverse al compás de sus movimientos. Cuando llegaron a la puerta, Carlton respiró hondo y empujó la barra suavemente. Se abrió de inmediato, y Marla suspiró aliviada. Carlton la empujó para abrirla del todo y que pasara su amiga; entonces se quedó helado al oír cómo el inconfundible repiqueteo de los servomotores rompía el silencio tras ellos.

Los dos giraron sobre sus talones a la vez; Carlton protegió a Marla con el brazo; el corazón se le disparó, pero nada se movía. Escudriñó la sala hasta que lo vio: el payaso de encima del juego de fuerza los miraba con la cabeza inclinada hacia un lado. Carlton volteó hacia Marla y ella asintió con cuidado en señal de que también lo había visto. Muy despacio, retrocedió a través de la puerta mientras Carlton vigilaba al animatrónico, que no parecía moverse. Una vez que Marla franqueó la puerta y estuvo a salvo, Carlton agitó los brazos con la esperanza de que no lo viera. El payaso se mantuvo inmóvil, aparentemente estático de nuevo. El chico se escabulló de la sala y cerró la puerta cuidadosamente tras de sí. Dio media vuelta y casi se cae encima de Marla, quien estaba pegada a la pared.

—Cuidado —susurró con afecto mientras se apoyaba en su hombro.

Acto seguido, levantó la vista y osciló sobre sus pies, desorientado al ver varias figuras distorsionadas y amenazantes. Respiró hondo, y entonces la habitación se enfocó: espejos. Ante ellos había un montón de espejos como los de las casas de la risa de los parques de diversiones que devolvían una imagen distorsionada de lo que reflejaban. Los ojos de Carlton fueron saltando de uno a otro: en el primero, Marla y él se veían altísimos, casi hasta el techo; en el siguiente, estaban inflados como globos, casi sin espacio entre ellos; en el tercero, sus cuerpos parecían normales, pero tenían cabezas diminutas, como reducidas.

—Okey —susurró—. ¿Cómo se sale de aquí?

Como en respuesta a su pregunta, dos espejos empezaron a rotar muy despacio hasta quedar uno frente al otro, formando una estrecha puerta en el muro de paneles-espejo. Detrás de la angosta abertura había más espejos, pero Carlton no veía cuántos ni hacia dónde estaban orientados, porque cada uno de ellos se reflejaba en los demás, de forma que los reflejos se duplicaban hasta hacer imposible discernir qué era real y qué no. Marla cruzó el hueco y lo llamó a señas para que la siguiera: logró ver un destello en sus ojos, pero Carlton no sabía si era emoción o la extraña y tenue luz. La siguió y, tan pronto como pasó por la abertura, los espejos empezaron a girar de nuevo y los encerraron dentro. Parecían estar en un estrecho pasillo que se bifurcaba, con paredes de paneles de espejo que iban del suelo al techo.

—Es un laberinto —dijo Marla, y le sonrió al ver su expresión—. No te preocupes —añadió—. Soy buena para los laberintos.

—¿Eres buena para los laberintos? —dijo Carlton, irritado—. ¿Qué se supone que significa eso, «soy buena para los laberintos»?

—¿Qué hay de malo en decir eso? Siempre he sido buena para los laberintos —Marla movió la cabeza.

—¿O sea, laberintos de bloques de paja? ¿De los que recorríamos cuando teníamos cinco años? ¿A eso te refieres?

—Pues de aquel salí antes que nadie.

—Trepaste por encima de las pacas. Hiciste trampa.

—Rayos, es verdad —Marla se sonrojó—. No soy buena para los laberintos.

—Saldremos de ésta juntos.

Carlton la tomó de la mano el tiempo suficiente para evitar que le diera un ataque de pánico y luego la soltó.

Ella miró ambos caminos, pensativa, y luego señaló una de las direcciones con gesto decidido.

—Probemos por ahí —dijo.

Tomó el camino que había elegido y Carlton la siguió con la vista fija en los talones de su amiga. Apenas unos pasos después, la oyó dar un gritito ahogado y levantó la cabeza: no había salida.

—¿En serio no podemos seguir? —exclamó sorprendido.

—No, el panel se cerró —siseó.

—Por aquí, campeona de laberintos de paja —dijo Carlton en tono burlón—. Volvamos por donde veníamos.

Empezaron a desandar el camino y, en ese momento, Carlton vio también cómo se movían los paneles: a medida que se desplazaban al punto por donde habían entrado, un espejo se deslizaba hacia ellos bloqueándoles el paso. Un segundo después, otro panel se movió para abrir un pasillo nuevo. Marla titubeó y Carlton la empujó.

—No tenemos otra opción, vamos —dijo.

Ella asintió y se adentraron aún más en el laberinto.

En cuanto cruzaron el nuevo umbral, el panel se cerró tras ellos. Miraron alrededor en busca de una nueva apertura, pero no había nada: estaban rodeados de espejos por todas partes. Carlton recorrió el reducido perímetro a toda velocidad mientras el pánico se apoderaba de él.

—Carlton, espera, se abrirá otra —susurró Marla.

—*S-é que están a-quí* —retumbó una voz desconocida.

Parecía venir de todas partes, como un eco, y rebotaba de un panel a otro. Era un sonido mecánico, y se entrecortaba a mitad de las palabras. Intercambiaron una mirada: Marla estaba lívida de miedo.

—¡Por allí! —señaló Carlton. Se había abierto un panel mientras estaban distraídos. Se apresuró hacia aquella dirección, pero chocó contra un espejo y se dio un golpe en la cabeza—. Au.

—Es por allí —dijo Marla, señalando el lado opuesto del recinto.

—*Lo-s encont-raré...* —la voz entrecortada tenía un tono un tanto extraño e inestable.

—¡Carlton!

Marla estaba en el hueco con una mano estirada; él corrió hacia ella y ambos consiguieron pasar justo cuando el panel volvía a su sitio.

—¿Qué ibas a hacer, quedarte ahí parada y dejar que te aplastara? —siseó Carlton.

—No me había planteado que pudiéramos quedarnos atrapados entre dos paneles. Este lugar se merece una demanda —Marla se enderezó—. Ha sido una noche maravillosa, pero creo que quiero que me lleves a mi casa ya —dijo con voz tranquila.

—¿Que te lleve a tu casa? ¡Llévame tú a mí! —exclamó Carlton.

Se calló y aguzó el oído.

—*S-é dón-de est-án...*

Estaban en otro pasillo; éste tenía dos rincones para elegir. Intercambiaron una mirada de desaliento y dieron vuelta a la izquierda, moviéndose despacio. Carlton mantenía la vista fija en los zapatos de Marla, quien iba frente a él, e intentaba no mirar las paredes que tenían a los costados, donde varias hileras de dobles suyos caminaban en silencio a su lado, deformados y distorsionados en los espejos, y, de vez en cuando, con apariencia normal. Cuando lograron llegar al rincón, Carlton percibió un destello con el rabillo del ojo, un reflejo de un reflejo de unos ojos gigantes que los miraban fijamente. Agarró a Marla por el hombro.

—¡Allí! —exclamó la muchacha con un escalofrío.

—Yo también lo vi.

—Anda, vamos, vamos —susurró Marla—. Tú sígueme. Y tranquilo: recuerda que no pueden vernos.

—*Estoy muy c-erca...* —la voz mecánica reverberó en la sala.

—Es sólo una grabación —susurró Carlton—. Viene de todas partes a la vez. Me parece que aquí adentro no hay nada.

Marla asintió, aunque no parecía muy convencida. Un poco más adelante, los paneles empezaron a moverse otra vez, bloqueándoles el paso: Carlton miró atrás... El otro extremo del pasillo también se había cerrado. Marla se pegó más a él.

—*Los veo...*

—Cállate —susurró Carlton.

Intentó respirar más despacio para no hacer ruido, imaginándose el aire entrando y saliendo, llenándole los pulmones sin tocar las paredes. El panel de su derecha empezó a abrirse muy despacio, y ellos se hicieron hacia atrás. Marla soltó un grito ahogado y Carlton la agarró por el brazo al verlo: había algo detrás del espejo que se abría, aunque no conseguía distinguir qué era. Retrocedieron aún más, dando pasos pequeños y cautelosos. Carlton buscó una salida entre los paneles de espejo, pero sólo vio su rostro por todas partes, abultado y deforme.

—*Aquí están...*

El panel se abrió y dio paso a un caleidoscopio morado, blanco y plateado que se reflejaba en todos los espejos de forma inconexa. Carlton parpadeó intentando entender lo que veía en los reflejos; entonces una figura se hizo visible en el centro y accedió a la improvisada estancia.

Era un oso, muy parecido a Freddy Fazbear, pero completamente distinto: su cuerpo metálico era blanco resplandeciente con detalles morados. Tenía un micrófono en la mano; la parte de arriba centelleaba como una bola de discoteca. En el torso, en el centro de una pechera morada de metal, había un altavoz pequeño y redondo. A tan sólo unos metros de ellos, el nuevo Freddy giró la enorme cabeza a ambos lados sin reparar en ellos. Carlton miró a Marla, quien se tocó la oreja con la mano y asintió. Él se llevó un dedo a los labios. Freddy dio dos pasos adelante y ellos retrocedieron y se pegaron a la pared. Freddy miró a ambos lados de nuevo.

—S-é dón-de est-án...

El sonido era ensordecedor, tanto que hizo que a Carlton le castañearan los dientes, pero la boca de Freddy no se movía... La voz salía del altavoz que tenía en el pecho.

Carlton aguantó la respiración cuando los ojos del oso se dirigieron hacia él; se recordó a sí mismo que era invisible. Sin embargo, el animatrónico se quedó mirando adonde estaba, titubeando, antes de pasar de largo con la vista. El chico notó que el sudor le perlaba la frente.

La pared que tenían detrás se movió y Carlton se equilibró justo a tiempo para no caerse. Marla hizo lo propio. El panel se abrió despacio y ellos se escabulleron justo cuando Freddy comenzó a caminar con lentitud en dirección a ellos, hacia la nueva salida, donde estaban ambos. Marla le tocó el brazo a su amigo y lo guio hacia un lado justo cuando Freddy pasó pesadamente junto a ellos; su superficie brillante casi rozó la nariz de Carlton.

—*Estoy muy c-erca…* —tartamudeó Freddy con voz amenazadora mientras desaparecía al dar vuelta en la esquina.

El panel empezó a cerrarse y Marla señaló desesperada la puerta por la que había entrado Freddy. Corrieron hacia ella y consiguieron pasar justo antes de que se cerraran los espejos.

Carlton y Marla se miraron, jadeando como si acabaran de correr varios kilómetros.

—¿Era Freddy? —susurró ella.

Él negó con la cabeza.

—No sé, era diferente —dijo Carlton.

—¿Cómo? ¿Diferente de qué?

—De los otros animatrónicos que hemos visto hasta ahora. Me… me miraba —balbuceó Carlton incómodo.

—Todos nos miran.

—No, me miraba de verdad.

—*¡Los oigo! ¡Salgan!* —gritó Freddy, como si les pisara los talones.

La voz reverberó por todo el laberinto de espejos, tan imposible de ubicar como antes. Carlton respiró hondo para tranquilizarse.

—¿Cómo vamos a salir de aquí? —susurró, tratando de parecer más tranquilo de lo que se sentía—. ¿Dónde estamos?

—Mira esa luz.

Marla señaló hacia lo alto, a las vigas del techo, desde donde un foco rojo iluminaba el laberinto entero.

—¿Qué tiene?

—Vi esa luz cuando entramos: estaba por lo menos a seis metros, y ahora la tenemos sobre nuestras cabezas. Sólo debemos alejarnos de ella —dijo con confianza. Carlton estudió el techo un momento, pensando en lo que Marla acababa de decir—. Te lo dije: soy buena para los laberintos —le guiñó un ojo—. Sólo tenemos que esperar a que se abran los espejos correctos —dijo señalando un panel concreto.

—Pero podemos tardar años —protestó Carlton desesperado.

—Tardaremos más si no nos fijamos en qué dirección vamos —dijo Marla—. Vamos.

Se alejó por el camino que había indicado y Carlton la siguió.

—*Estoy muy c-erca...* —la voz de Freddy resonó por el laberinto.

—Sonó como si estuviera otra vez detrás de nosotros. Dio la vuelta —apuntó Carlton.

—Okey, okey. Entonces nosotros también daremos la vuelta.

—Tú encuentra la salida —dijo en voz baja.

Marla asintió y ambos avanzaron con cautela, flanqueados por todos sus dobles distorsionados.

Los paneles móviles los obligaban casi a caminar en círculos hasta que les daban la oportunidad de desplazarse hacia la dirección deseada. Marla aprovechaba la primera oportunidad, tomando a Carlton de la mano, para pasar casi corriendo por el hueco hasta que tenían que detenerse otra vez o los obligaban a dar media vuelta.

—Shh —siseó Carlton, frenético.

Marla empujó con decisión el costado de uno de los paneles, pero no se movió; Carlton se acercó a ayudarle y dejó caer todo su peso contra el espejo, pero ni siquiera con la fuerza de ambos se desplazó.

—No sé por qué pensé que funcionaría —susurró Marla.

—*Ya c-casi los teng-o...* —canturreó Freddy.

Marla miró alrededor, insegura.

—Se me ocurrió una idea terrible —dijo Carlton muy despacio. Marla lo miró alarmada—. ¿Sigues teniendo claro dónde estamos? ¿O, al menos, en qué dirección debemos ir?

—Creo que sí —contestó ella mientras volvía a escudriñar las vigas del techo; un gesto de comprensión le llenó el rostro.

—Con eso me basta —repuso Carlton.

—¿Qué vas a hacer? —preguntó Marla, aunque al instante pareció arrepentirse de hablar.

Carlton sacó la linterna del bolsillo, la agarró con firmeza, tomó impulso y golpeó con el mango el espejo que tenía enfrente. El vidrio se rompió en pedazos con un ruido cristalino y agudo; un dolor sordo se extendió por su brazo.

—*Los est-oy oyend-o...* —la voz de Freddy brotaba de todas partes.

—¿Lo dice sólo porque sí o de verdad nos escuchó? —preguntó Marla.

El panel del espejo roto se abrió, pero, antes de que pudieran pasar por el hueco, oyeron el rumor de unos pasos pesados y el crujido de los cristales hechos pedazos. Carlton aguantó la respiración y le hizo un gesto a Marla. Freddy entró a la estancia con paso firme y se detuvo inmediatamente en el centro; la parte superior de su cuerpo rotó para explorar los alrededores. Carlton y Marla dieron un rodeo de puntitas para no pisar los vidrios del suelo y se metieron por el panel abierto que estaba detrás del animatrónico. En el pasillo, Carlton le dirigió a Marla una mirada inquisitiva, y ella señaló con el dedo. Él asintió, corrió hasta el espejo más alejado y lo rompió.

En apenas un instante, Freddy volteó hacia ellos. Miraba a todas partes con los ojos muy abiertos. Un momento después, otro panel empezó a abrirse más allá del espejo recién roto. Carlton y Marla corrieron hacia él rompiendo los cristales al pisarlos.

—¡Allí! —gritó Marla.

Carlton levantó la vista y vio un letrero de SALIDA encima de una puerta, a pocos metros de donde estaban. Marla miró a Carlton y articuló una frase sin emitir sonido alguno: «Ya casi lo logramos».

—¡*Vuelvan aquí!* —gritó la voz lunática de Freddy, y entonces los tres entraron al último pasadizo: se veía una taquilla pintada de colores vivos y, detrás, una salida. Marla y Carlton se miraron y apretaron el paso con cautela—. ¡*Ya los tengo!* —vociferó Freddy.

El altavoz estaba justo detrás de la cabeza de Carlton, tanto que el chico se asustó y tropezó.

Apoyó una mano en el espejo para recuperar el equilibrio y salió corriendo detrás de Marla, pero chocó con su propio reflejo y se dio de bruces contra el cristal.

—¡Marla, espera! —gritó. La veía reflejada en tres espejos, pero no estaba seguro de hacia dónde había ido—. Espera.

Se sobó la frente y se buscó en el espejo más cercano para tratar de ver si estaba sangrando. No era así, pero algo no estaba bien. Tardó un segundo en darse cuenta de que se le había caído el auricular. Miró a su alrededor aterrorizado, y, de repente, Freddy apareció detrás de él en el reflejo.

Carlton se quedó helado; la enorme cabeza del oso blanco y morado lo miraba desde el espejo por encima de su hombro. Volteó al suelo y vio el auricular a sus pies; con un rápido movimiento, se agachó para agarrarlo. Le temblaban las manos. Logró ponérselo otra vez en la oreja, pero no consiguió activar el interruptor. Cuando alzó la vista, Freddy estaba de pie junto a él; lo levantó del suelo con una fuerza inusitada y repentina. Carlton se revolvió y cayó al piso de nuevo; el auricular volvió a desprendérsele fruto del golpe.

Freddy retrocedió y miró un momento a Carlton; los ojos se movían de un lado a otro. La boca se abrió lo suficiente para poder ver dos hileras de dientes blancos y pulcros. Carlton se tiró al suelo, hacia donde estaba el auricular, justo cuando el brazo de Freddy salía disparado, rompiendo otro panel de cristal. Carlton chocó de cabeza contra la pared, con un fuerte golpe. Reculó, adolorido.

Freddy movió la cabeza, primero de un lado a otro y luego girando por completo para mirar atrás; buscaba desesperadamente a Carlton. Éste, atenazado por el pánico, escudriñó el suelo y vio el auricular, pero estaba en tres sitios distintos, en tres espejos. El cristal crujió otra vez muy cerca, pero Carlton no apartaba la vista de los auriculares, pasando de uno a otro, intentando averiguar con urgencia cuál era el de verdad. De repente, una mano humana tomó el auricular en los tres paneles.

—¡Carlton! —gritó Marla.

Él se orientó hacia el lugar de donde venía el sonido y la vio, no un reflejo, sino a la propia Marla, quien le lanzó el auricular. Carlton lo atrapó en el aire, se lo puso en la oreja y lo encendió. Freddy se detuvo en el cuarto con los brazos estirados. Carlton no se atrevía a moverse, aunque el altavoz estaba a escasos centímetros de su cara. Con el rabillo del ojo vio que Marla se dirigía hacia la puerta con el letrero de SALIDA. Freddy giró la cabeza de un lado a otro de nuevo y se enderezó, abandonando la posición de ataque.

—*Lo-s encont-raré...* —retumbó la voz de su pecho, y bajó los brazos.

Marla giró la manija y empujó la puerta muy despacio, lo suficiente para comprobar que no estaba cerrada con llave. Casi sin respirar, Carlton se fue alejando de Freddy, sin quitarle el ojo de encima al animatrónico hasta que estuvo junto a Marla.

Con un movimiento fluido, Marla abrió la puerta. La atravesaron y la cerraron tras de sí. Había un pasador en la parte de arriba, hacia el que Carlton corrió a toda prisa, y luego pegó la oreja a la puerta. Al otro lado sólo había silencio; volteó hacia Marla y dejó escapar un suspiro, casi mareado del alivio. Estaban en un pasillo oscuro en el que no había ni un solo espejo.

—Un pasillo oscuro y aterrador —musitó Marla.

—Yo lo veo precioso —repuso Carlton.

Un grito rasgó el aire desde un lugar cercano y ambos se quedaron sin aliento.

—Parece que esto aún no ha terminado —dijo Carlton, quien se echó a correr hacia el sonido, con Marla pisándole los talones.

CAPÍTULO 13

—*T*odo el mundo en silencio, ¿okey? —susurró Jessica.

Los niños se limitaron a mirarla con los ojos muy abiertos y gesto solemne. Estaban todos amontonados en el rincón más alejado del cuarto pequeño, frío y húmedo, esperando sus instrucciones: Lisa, de tres años, seguía pegada a Ron, a quien había elegido como su protector, y Alanna tenía tomado de la mano al rubiecito, aunque él la retorcía sin parar. Jessica tragó saliva. «¿Por qué tengo que ser yo la líder? Con lo que me cuesta hacerme cargo de mí misma…»

Se agachó hasta ponerse al nivel de los niños, intentando reunir algo de valor. «Tenía que haberle hecho caso a mi madre y haberme inscrito a algún deporte de equipo. Pero no, tuve que ser la niña tranquila que siempre estaba mordisqueando la goma del lápiz en un rincón.»

Jessica estudió la puerta de nuevo y adoptó un tono más serio.

—¿Hay algo ahí afuera? —Alanna y Ron intercambiaron una mirada de preocupación—. ¿Qué es? Pueden contármelo —les suplicó Jessica.

—Viene por la puerta —dijo Alanna sin mirar a Jessica a los ojos—. Es... —la niña se quedó sin habla y se tapó la cara, murmurando algo incomprensible tras las manos.

—¿Quién es? ¿La... mujer que los secuestró? —preguntó Jessica tratando de contener su impaciencia.

Alanna sacudió la cabeza enérgicamente, con el rostro aún oculto.

—Creíamos que era un muñeco. No da miedo como todo lo demás —Ron trataba de encontrar las palabras; Lisa lo jaló de la playera y le dijo algo al oído en voz demasiado baja para que Jessica no oyera. Ron le dio un codazo—. Díselo —Lisa miró a Jessica con una expresión suspicaz en su carita regordeta.

—Está rota —dijo la niña, y luego volvió a esconderse en la playera de Ron, quien miró a Jessica angustiado.

—¿Quién? ¿Quién está rota? —preguntó Jessica muy despacio mientras se esforzaba por entender de qué podían estar hablando—. ¿Algo está roto? ¿Han roto a alguno? —preguntó esperanzada.

Los niños empezaron a sollozar otra vez y Jessica apretó los dientes.

—¿Qué pasa? —espetó casi con brusquedad, aunque ninguno pareció fijarse en su tono.

—No está rota —dijo Ron, con la voz cada vez más aguda a causa del pánico, y entonces el suelo tembló con un tremendo golpe seco.

Alanna se abrazó a la cintura de Jessica y Ron se apretujó contra ellas, arrastrando con él a Lisa. El niño rubio se quedó donde estaba, inmóvil y con un gesto de terror en la cara. Se oyó otro golpe seco, esta vez más fuerte, y luego varios más, cada vez más cerca. Jessica oía a lo que sea que hubiera afuera moverse en el pasillo, reverberándole dentro del pecho, mientras eso se acercaba a la puerta. Se oyó un ruido de madera rota. Jessica abrazó a los tres niños por los hombros al tiempo que algo propinaba tres golpes sucesivos en la pared que los hizo retroceder. Hubo un enorme estruendo final que parecía venir de todas partes.

—¿Qué es eso? —susurró Jessica escudriñando las paredes y también el techo, sin entender de dónde venían los ruidos.

A continuación, todo quedó en silencio. Esperaron. Jessica aguzó el oído y contó hasta diez, luego hasta veinte, y el ruido no volvía. Contó hasta treinta, hasta sesenta. «Tengo que hacer algo.» Se incorporó y se zafó con cuidado del abrazo de Alanna.

—Esperen aquí —susurró.

Caminó de puntitas hasta la puerta, pisando con toda la suavidad que le fue posible; mientras se movía notaba los ojos de los niños fijos en ella. La puerta era común y corriente, una puerta de madera con una manija de latón, como las que tienen los armarios. Jessica respiró hondo y alargó el brazo para tomar el picaporte.

Antes de que pudiera tocarlo, vio que giraba y la puerta empezó a abrirse. Jessica contuvo la respiración y retrocedió, desesperada por volver con el grupo, aunque no fueran más que niños. Al principio, sólo logró ver formas rosas y blancas, indistintas, y entonces su mente comenzó a entender lo que era: muy despacio, la enorme cabeza de un zorro pintado de colores fosforescentes se asomó al interior del cuartucho.

«¿Foxy?», pensó Jessica al ver las orejas puntiagudas de color rosa y los ojos amarillos. Tenía unos círculos pintados de rojo en las mejillas, iguales que los del antiguo animatrónico. La criatura la observó durante un buen rato, y ella le devolvió la mirada, incapaz de recordar cómo mover los pies; a continuación, la cabeza de zorro retrocedió y todos los niños gritaron al unísono. Algo nuevo entró disparado a la habitación, una larga extremidad segmentada que parecía una pata de araña. Cuando se apoyó en el suelo, una segunda pierna metálica invadió el espacio y se estrelló contra la pared más cercana. Los niños gritaron y Jessica corrió hacia ellos mientras buscaba desesperadamente una escapatoria. El cuarto estaba llenándose de brazos y piernas, extendidas y flexionadas, algunas con manos, otras mutiladas. Jessica buscó un lugar por donde escapar entre la masa cada vez más densa de extremidades. Su mirada se cruzó con los ojos amarillos de la cabeza de zorro, los cuales estaban suspendidos en el aire por unos tubos. Pero había otro par de ojos. «¿Tiene dos cabezas?» Un cráneo de metal sin piel descendió; estaba conectado a la masa superior mediante unos cables y parecía moverse de forma independiente.

Un agudo chillido se elevó por encima de los demás, un alarido que helaba la sangre.

—¡¡¡Lisa!!! —gritó Ron.

Jessica vio que aquella cosa había agarrado el brazo de la pequeña con una de sus patas y estaba jalándola hacia sí. La cabeza metálica la observó, y luego rotó sobre sí misma y balanceó sus cables hacia los demás, adoptando una actitud agresiva hacia ellos mientras las extremidades de metal enredaban a la niña y la arrastraban hacia la puerta.

—¡¡¡No!!! —gritó Jessica mientras trepaba por las trampas de resortes metálicos y agarraba la diminuta mano de Lisa.

Un violento impacto la lanzó hacia atrás, pero ella se aferró con fuerza a lo que había conseguido sujetar; sólo se soltó cuando cayó al suelo. Se puso de pie jadeando, pero la criatura ya se había batido en retirada a través del umbral de la puerta y había desaparecido. Jessica volteó buscando desesperadamente a los niños. El corazón casi le explotó de alivio cuando vio que Lisa estaba en el piso a su lado, y que Ron y Alanna estaban ayudándole a levantarse. Jessica fue junto a ellos.

—No pasa nada… —musitó, pero, de pronto, el alivio momentáneo se esfumó.

El niño rubio, el que probablemente era Jacob, no estaba.

—No pude sujetarlo —chilló Alanna como si le hubiera leído la mente a Jessica.

Ella miró hacia la puerta, desesperada, pero enseguida se puso seria.

—Lo encontraremos —dijo, porque era lo único que podía decir. Miró a su alrededor con impotencia, y se quedó helada al ver que la manija empezaba a girar de nuevo, muy despacio—. Quédense aquí —les ordenó en voz baja, y fue corriendo hacia la puerta.

Se colocó a un lado, lista para abalanzarse sobre cualquier cosa que entrara. «¿Éste es tu plan?»

La puerta se abrió y Jessica la embistió con un alarido, lista para darle una patada al nuevo intruso.

Carlton y Marla retrocedieron de un salto, asustados. Jessica se quedó mirándolos un momento; acto seguido, abrazó a Carlton, aferrándose a él con fuerza como si eso pudiera conseguir que dejara de temblar.

—¿Jessica? —dijo Marla, mirando a los niños.

Jessica apartó a Carlton.

—Algo se llevó a uno de los niños, a uno muy pequeño —les explicó atropelladamente—. No sé por dónde se fue.

Marla estaba junto a los niños, comprobando que no estuvieran heridos.

—Tenemos que sacarlos de aquí —anunció.

—Ay, no me digas, Marla. ¿De verdad? Mira que yo pensaba quedarme aquí pintándome las uñas —repuso Jessica, cortante.

Carlton se llevó la mano a la oreja y se quitó algo.

—Toma esto —le dijo.

—¿Qué es? Guácala —Jessica hizo una mueca instintiva y luego examinó el diminuto aparato—. ¿Es un audífono?

—No exactamente. Te hace invisible para los animatrónicos. Marla y tú saquen a los niños de aquí, yo encontraré al que se llevaron.

—Pero ¿cómo...? —Jessica tomó el aparato y lo estudió más de cerca—. ¿Tengo que ponérmelo en la oreja?

—¡Sí! ¡Tienes que ponértelo en la oreja! Luego te lo explico.

—Pero ¿tienes las orejas limpias? —se acercó y examinó la oreja de Carlton minuciosamente.

Marla le arrancó el auricular de la mano y se lo introdujo violentamente en la oreja a Jessica.

—¡Au! —gritó ella.

Marla volteó hacia los niños.

—¿No deberíamos ponérselos a los niños?

—Sólo hay dos auriculares, y los protegerán mejor ustedes si son invisibles, ¿no? —dijo Carlton, un poco irritado.

—¿Y si Jess y yo nos quedamos aquí con los niños y tú los sacas de uno en uno con los auriculares puestos? —insistió Marla.

Jessica negó con la cabeza de inmediato.

—¿Y si la cosa esa vuelve y nos mata a todos mientras esperamos a que Carlton vuelva de su paseíto? Tenemos que intentarlo, Marla, es el único camino.

Se quedaron todos callados un rato. Carlton las miraba alternativamente.

—Ya está decidido, ¿no? A ver, denme treinta segundos para salir de aquí: si algo me persigue, podré alejarlo de ustedes. ¿Algo que deba saber?

Carlton se quedó en el umbral de la puerta.

—Afton sigue vivo —dijo Jessica, y él asintió.

—Todo esto acabará hoy —dijo en voz baja—. Sea como sea. Ni un niño más va a morir a manos de ese psicópata. Se lo debo a Michael.

Jessica se mordió el labio.

—Se lo debemos todos —añadió.

Él forzó una sonrisa.

—Buena suerte.

—Buena suerte —contestó ella.

—Muy bien —Carlton apretó la mandíbula, cuadró los hombros y abrió la puerta para salir—. ¿En serio esto fue idea mía? —musitó, y cerró la puerta tras de sí.

—Marla, ¿sabes por dónde está la salida? —preguntó Jessica, y se sorprendió al oír su voz clara y firme.

Marla asintió y se puso de pie.

—Entramos por atrás. Pero creo que si volvemos por ese pasillo, podemos ir hacia el comedor principal; debería ser fácil salir por allí, ¿no?

—No apuestes por ello —murmuró Jessica con perspicacia.

Marla la miró muy seria.

—¿Se te ocurre algo mejor?

—La verdad no —Jessica se dirigió a los tres niños, quienes las miraban con los ojos como platos—. No tenemos que ir muy lejos —les dijo, tratando de buscar algo de esperanza que ofrecerles—. Necesito que vayan todos juntos y que no se separen ni de Marla ni de mí. Si lo hacemos así, todos estaremos bien.

La miraron como si supieran que estaba mintiendo, pero nadie dijo ni una palabra.

Jessica abrió la puerta con cuidado. El pasillo al que daba el cuartucho estaba a oscuras, pero Marla los guio por él como si de verdad supiera adónde se dirigía. Sostenía una linterna grande y maltrecha por delante. Parecía como si quisiera encenderla pero se estuviera conteniendo por temor a llamar la atención más de lo necesario. Los ojos de Jessica se acostumbraron a la tenue luz. Se situó en la retaguardia, alerta por si percibía el menor signo de peligro.

El pasillo se bifurcaba, y Marla tomó una de las direcciones sin vacilar. Un poco más adelante había luz: separados por intervalos de unos tantos metros, había unos focos pequeños y desnudos colgando de precarios cables, y la siguiente bifurcación del pasillo estaba más iluminada. «Estamos cerca», pensó Jessica mientras avanzaban con cautela.

Un chasquido sobresaltó a Jessica, quien se quedó helada.

—Marla —susurró.

Marla y los niños se detuvieron y giraron sobre sus talones. La chica señaló hacia arriba con gesto preocupado, y Jessica levantó la vista y descubrió que algunos de los focos sobre su cabeza se habían apagado; el cristal se había vuelto opaco, tiznado.

—Sólo son focos viejos —musitó Jessica.

Un foco se fundió con un repentino chisporroteo sobre la cabeza de Marla, y todos pegaron un brinco, sobresaltados. Alanna se llevó las manos a la boca y Ron le puso una mano en el hombro a Lisa.

—¿Podemos ir más rápido? —susurró Lisa.

Jessica aguantó la respiración. Retomaron su camino guiados por las luces que quedaban, pero sobre ellos sonó un ruido hueco y metálico en el techo. Marla palideció.

—Sigan caminando —dijo con voz tensa.

Jessica asintió firmemente. El repiqueteo siguió sonando; a veces parecía venir desde arriba; otras veces, de rincones oscuros fuera de su vista, rascando y rebotando por dentro de los conductos de ventilación o las cámaras de aire. Lisa gimoteó; los niños mayores estaban impávidos, pero Jessica alcanzó a ver el brillo de las lágrimas en sus mejillas. De repente, Marla se detuvo en seco. Jessica casi choca con Ron.

—¿Qué pasa? —siseó, y entonces lo vio: del techo caía una fina cortina de polvo.

Jessica levantó la vista y vio el conducto abierto justo encima de sus cabezas.

Un brazo de metal articulado y cubierto de resortes y cables cayó del conducto y se ancló al suelo justo al lado del pie de Jessica. Todos gritaron a la vez. El brazo se replegó y otras dos extremidades retorcidas se estrellaron contra el piso, salpicando una lluvia de yeso y polvo.

—¡¡¡Corran!!! —gritó Marla.

Se echaron a correr por el pasillo mientras la criatura descendía por el hueco, ya con su forma completa. La cabeza blanca y brillante de zorro giró hacia ellos y sonrió al verlos huir. Jessica miró atrás y la otra cabeza desnuda también cayó, sonriendo a su vez; un moño rojo unía ridículamente los dos cuellos. Jessica siguió corriendo; a su espalda sonó un enorme golpe seco. «¡Corran más rápido!», quería gritar, pero los demás estaban sin aliento y ya iban a toda prisa.

Los niños avanzaban todo lo rápido que podían, pero Lisa, la más pequeña, empezó a quedarse atrás. La criatura disparó una extremidad que pasó junto a Jessica, dirigida a la niña de nuevo. Jessica la tomó en brazos y la apartó de su alcance justo a tiempo. Se replegó para volver a atacar, pero Jessica apretó a la niña contra el pecho y siguió corriendo. Dieron vuelta en la esquina y, con un destello de esperanza, Jessica vio que el pasillo era corto y al final había unas puertas enormes. Marla aceleró el paso. Alanna y Ron la imitaron; Jessica siguió a su ritmo, en la retaguardia, con Lisa aferrada a ella con una fuerza sorprendente.

Marla llegó al final del pasillo y se dejó caer con fuerza contra la barra de seguridad, y las puertas se abrieron. Se apresuraron a entrar por ellas y Marla cerró, tomó un letrero y lo encajó entre las dos jaladeras.

—Sigan corriendo —dijo Jessica con una nueva recarga de adrenalina.

Miró a su alrededor: estaban pegados a la pared detrás de una máquina de palomitas y otra de algodón de azúcar. Volteó a ver el letrero con el que Marla había atrancado la puerta: en él, en letras grandes y redondas decía ¡A COMER! Ron se inclinó hacia un lado para mirar entre las dos máquinas.

—Espera —susurró, poniéndole una mano en el hombro.

Él se apartó como si se hubiera quemado con algo.

—No pasa nada —dijo Marla.

Jessica se sorprendió porque parecía que creía lo que decía. Detrás de ellos, algo volvió a estrellarse contra la puerta, haciendo que el marco se tambaleara. Jessica esperó con los ojos fijos en la improvisada barricada, pero nada atravesó la puerta.

—Tenemos que movernos despacio y en silencio —susurró, y los tres niños asintieron a la vez—. Quédense atrás —dijo Jessica, quien salió por detrás de la máquina de palomitas, alerta ante cualquier peligro.

Le llevó un segundo armarse de valor: las paredes del comedor estaban llenas de máquinas de videojuegos y zonas de juegos infantiles; afortunadamente, en el extremo opuesto del salón estaban las enormes puertas de cristal de entrada al lugar. Les hizo un gesto a los demás para que avanzaran; los niños, muy juntos, la siguieron por la estancia, con Marla detrás.

—Deprisa —los azuzó.

Marla asintió. Tomó a Lisa de la mano; Alanna y Ron iban detrás, con las caras contraídas por el agotamiento. De repente, Alanna gritó y Jessica pegó un brinco.

—¿Qué? ¿Qué pasa?

La niña señalaba unos juegos infantiles decorados con motivos selváticos que estaban a unos metros de distancia, donde dos niños, demasiado pequeños para estar allí, trepaban por los pasamanos.

—Tranquila, son muñecos —dijo Marla mirando a Jessica con cara de cansancio—. Los vimos cuando entramos.

Alanna volvió a gritar, corrió hacia Jessica y se sujetó a su cintura.

—¡Me mordió!

—¿Cómo?

Jessica bajó la mirada: el tobillo de Alanna estaba sangrando, aunque no era grave; a pocos metros gateaba un niño robot como los de los juegos infantiles.

—¡Jessica! —gritó Marla, tocándose el aparato de la oreja con nerviosismo—. A nosotras no nos ven, pero a ellos sí.

Mientras hablaba, los niños robot que estaban en el pasamanos bajaron con paso vacilante al suelo y empezaron a gatear hacia Lisa y Ron; ellos retrocedieron, pero apareció un cuarto robot: estaban acorralados. Marla tomó en brazos a Lisa y a Alanna, tratando de mantenerlas a salvo.

—¡Jessica! —gritó Marla—. ¡Ayuda!

—Me mordió —repitió Alanna, muerta de miedo.

Los niños se amontonaron mientras los bebés se acercaban gateando, despacio pero con determinación, con los ojos negros como insectos.

—A nosotras no nos ven —dijo Jessica con firmeza.

Se adelantó y tomó al bebé robot más cercano. Pesaba más de lo que parecía a simple vista. Jessica lo sostuvo lejos de su cuerpo. Estaba de espaldas a ella; lo aferró con fuerza mientras él seguía gateando en el aire, poniendo las manos y las piernas en posición una tras otra. Miró a su alrededor y vio la alberca de pelotas: tenía por lo menos un metro y medio de profundidad. Jessica tiró al bebé a las pelotas de colores con todo el ímpetu que pudo: aterrizó de lado, sin dejar de repetir sus movimientos, y se hundió muy despacio hasta desaparecer.

—¡Vamos, Marla! —gritó.

Marla dejó a Lisa y a Alanna al lado de Ron y se centró en el bebé que se dirigía gateando hacia ellos. Le temblaban las manos como si se dispusiera a agarrar una cucaracha gigante.

—¡Marla! —gritó Jessica.

Marla gritó y agitó las manos en el aire; de pronto, el bebé embistió, arañó el suelo y les mordió los pies a los niños. Lisa gritó y cayó al suelo. La pesada criatura la agarró por las piernas y reptó hasta subirse encima de ella. Marla se abalanzó sobre la criatura con un alarido y la arrancó de encima de la niña. Se puso a dar vueltas, sin dejar de gritar, y lanzó a la criatura por los aires. Pasó a apenas un centímetro de la cabeza de Jessica, se estrelló contra la red que estaba por encima de la alberca de pelotas y cayó adentro. Poco después, desapareció en su interior.

—¡Casi me pegas!

Jessica apenas tuvo tiempo de protestar cuando el tercer y último bebé robot aterrizó a sus pies con un fuerte golpe. Marla se tiró al suelo jadeando, con los ojos llenos de furia y pánico. Jessica miró a la criatura del piso mientras ésta volteaba para ubicar a los niños.

—Ah, no, ni lo sueñes.

Jessica lo levantó justo cuando empezaba a gatear. Lo sostuvo en el aire sobre la alberca de pelotas. El bebé giró la cabeza por completo y Jessica vio sus ojos de hormiga. Abrió la boquita de capullo de rosa, donde destellaron dos filas de dientes afilados de depredador, y mordió el aire al cerrarla. Jessica se estremeció y lo dejó caer. Miró fascinada cómo movía los brazos y las piernas en el aire mientras se hundía en la alberca.

—¡Jessica! —gritó Marla.

Jessica giró sobre sus talones. Las luces se habían encendido detrás de ellos para iluminar un gran escenario con un telón púrpura de fondo. En el centro del tablado, alumbrado por un foco, estaba el lustroso muñeco animatrónico Foxy, con la boca y los brazos abiertos, listo para actuar ante un público entregado. El zorro los miró con deleite.

—¿Estaba ahí hace un segundo? —susurró Jessica.

De repente, el cuerpo del zorro empezó a desmembrarse: en el centro de su torso se abrieron unas placas metálicas, igual que en los brazos y las piernas: se levantaban, se dividían en más partes y volvían a unirse, de forma que sólo quedó intacta su cabeza canina, que sonreía feroz mientras el cuerpo sufría una horrible transformación. Jessica se precipitó hacia los niños mientras, de una vez, un montón de extremidades metálicas como tentáculos emergían de lo que había sido Foxy. El esqueleto mutilado se estiraba, adaptándose a su nueva forma semiarácnida.

—¡Sácalos de aquí! —gritó Jessica.

Alanna y Ron estaban inmovilizados, sin poder apartar la mirada. Marla les dio una cachetada suave. Ron tomó a Lisa de la mano y todos se echaron a correr hacia la puerta principal.

—¡Jessica! —gritó Marla al llegar a la puerta—. ¡No podemos dejar que salga a la calle!

La criatura estaba encaramada al pasamanos, alargándose hasta alcanzar unas proporciones aterradoras, como si quisiera lucir sus enmarañadas patas metálicas.

—¡Tú sácalos! —repitió Jessica mientras se alejaba de ellos y se fijaba de nuevo en el zorro rosa y blanco, mutilado.

Aquella cosa empezó a bajar despacio del pasamanos, rodeando cada barra con todas sus extremidades y cambiando de forma a cada paso. Tanto la cara de zorro como la otra, vagamente humana, estaban atentas en los niños, ligeramente volteadas la una hacia la otra para que todos los ojos pudieran enfocar bien. Jessica respiró hondo y se quitó el auricular de la oreja, luchando por evitar que le temblaran las manos para poder meterlo a su bolsillo.

—¡Ey! —gritó tan fuerte como pudo, desgañitándose, y la cabeza canina se asomó por detrás del otro cuello y rotó el ojo para mirarla—. ¡Estoy aquí! —gritó con voz ronca.

La criatura se bajó del pasamanos con una agilidad amenazadora y comenzó a caminar hacia ella. Jessica miró a su alrededor. «Tuve que haber pensado esto un poco mejor.» Vio que Marla abría la puerta y empujaba a los niños hacia afuera, uno a uno, y luego volvía la vista atrás para mirar a Jessica.

Jessica asintió y le hizo un gesto para que saliera. Tomó una silla plegable de una mesa cercana, la levantó y se la lanzó a la criatura. Se estrelló con gran estruendo en el suelo, sin alcanzar ninguna de las extremidades del bicho. La cabeza de zorro se inclinó hacia un lado, con la boca abierta para enseñar todos sus dientes, y embistió; los apéndices metálicos golpearon el piso. Jessica dio media vuelta y se echó a correr.

Miró a su alrededor con desesperación, buscando una escapatoria, corriendo entre las mesas del centro del local; tiró una mesa al suelo, pero la criatura trepó por encima de ella como si no estuviera allí. Jessica corrió más rápido. El animatrónico le pisaba los talones: la cabeza de zorro cerraba las fauces y el cráneo sin piel lucía una sonrisa macabra, balanceándose desde su cuello. Jessica desanduvo a toda velocidad el camino que habían recorrido, se agachó para pasar entre la máquina de algodón de azúcar y el carrito de palomitas. El letrero que bloqueaba las puertas seguía donde lo habían dejado, así que lo arrancó y accionó la barra de seguridad, pero no se abrieron.

Algo se estrelló detrás de ella y, al darse la vuelta, Jessica vio el carrito tirado en el suelo y un montón de palomitas desperdigadas por las losetas blancas y negras. La criatura estiró una de sus extremidades y empujó la máquina de algodón de azúcar con pericia; se balanceó sin llegar a caerse, y el robot lanzó otra extremidad. Alcanzó a Jessica por la pierna, y la chica retrocedió a tropezones hasta la puerta, dejando escapar un involuntario grito de pánico. La cabeza de zorro y la calva se miraron entre sí por encima de los cables, y se giraron a la vez para posar los ojos sobre Jessica; la criatura hizo ondular sus extremidades, estirándolas en toda su longitud. Jessica se palpó el bolsillo en busca del auricular, pero no lo encontraba. Debía de habérsele caído mientras corría:

miró de un lado a otro sin mover la cabeza, muerta de miedo. Estaba acorralada, atrapada entre la pared y un escalódromo infantil: no podía escapar del monstruo.

En un único movimiento, la criatura agarró la máquina de algodón de azúcar con tres de sus extremidades y la hizo pedazos: los cristales salieron disparados en todas direcciones, y el bicho apartó el aparato sin ningún cuidado. Jessica se tapó la cara con las manos y se dio la vuelta, y justo cuando la máquina se estrelló contra las losetas detrás de ella, lo vio: las barras rojas y amarillas del pasamanos que estaba al lado subían hasta la parte alta de la estancia, justo donde empezaba un laberinto de tubos de colores anclado al techo que desaparecía por un túnel en la pared que debía de llevar a la habitación de al lado. «Ésa es mi vía de escape.»

Jessica puso un pie en el primer peldaño del pasamanos y empezó a trepar a la mayor velocidad que podía. Debajo de ella sonó un ruido ensordecedor, y cuando volteó vio que la criatura estaba destrozando la estructura del juego: el cráneo sin piel oscilaba con alegría arriba y abajo. Estiró un brazo y rompió el peldaño que estaba precisamente debajo de Jessica, quien subió deprisa, hasta meter la parte superior del cuerpo al tubo justo cuando una de las manos de la criatura atrapaba el último trozo de las barras. Jessica se arrastró en busca de algo a lo cual sujetarse y consiguió meter todo el cuerpo al tubo. Reptó lo más rápido que le daban los brazos y las piernas; el túnel temblaba con cada uno de sus movimientos. Se detuvo para mirar hacia abajo. Aunque la mayor parte del túnel de plástico estaba atornillada al techo, había zonas bastante extensas que no. «Esto está diseñado para niños, yo peso demasiado.» Jessica se balanceó con cuidado y el tubo se tambaleó con ella; las uniones de plástico crujieron. Jessica notó que la recorría un escalofrío. «Sin prisa, pero sin pausa.» Se miró las manos y las rodillas, asegurándose de que estaban bien apoyadas, y siguió avanzando a gatas.

Estaba dentro de un tubo estrecho y sin pintar, sobre un pasillo vacío iluminado por un único foco fosforescente desnudo que zumbaba y parpadeaba. Ese sonido parecía intensificarse cada vez más mientras ella recorría con mucho cuidado el camino de plástico, casi lastimándole los oídos, como si estuviera a varios metros bajo tierra. Abrió y cerró la mandíbula repetidamente en un intento por eliminar la molestia, pero el ruido persistía. Cuando llegó al segmento del tubo que se metía por la pared encima de la puerta, titubeó; intentó mirar lo que había al otro lado, pero estaba muy oscuro. Jessica respiró hondo y entró con cautela a la habitación contigua.

El silencio lo inundó todo: afortunadamente, el zumbido se había esfumado. La única luz estaba detrás de ella, pero no penetraba en la estancia, como si algo la filtrara. Miró atrás y vio el círculo de luz proveniente de la sala que acababa de abandonar, pero todo lo demás estaba a oscuras. Jessica pestañeó y esperó a que sus ojos se acostumbraran a la oscuridad, pero lo veía todo negro. «Okey, vamos.» Avanzó muy despacio, a tientas, deslizando las rodillas por las vigas de apoyo que había en algunas secciones del túnel. Pasados unos minutos, Jessica dio vuelta; se pegó en la cabeza con el plástico, no muy fuerte, y siguió la curva del tubo con todo el cuerpo sintiéndose vagamente triunfal.

Un punto de luz anaranjada apareció debajo de ella, y Jessica se sobresaltó; la mano se le escurrió de la viga de apoyo y chocó contra el plástico haciendo ruido. Recuperó el equilibrio con el corazón latiéndole a toda velocidad. De repente, dos luces verdes se encendieron a pocos metros de la primera. Desaparecieron, volvieron a aparecer y luego otro par, esta vez moradas, surgieron de la oscuridad detrás de estas últimas, y en ese momento Jessica vio el puntito oscuro en el centro de cada círculo. Jessica tensó el cuerpo y sintió que el corazón se le salía del pecho a medida que más y más pares de luces de colores se encendían por doquier. «Ojos. Son ojos.» La habitación que tenía debajo se fue llenando poco a poco de pares de ojos hasta que pareció imposible que hubiera tantas criaturas en ese espacio; todos miraban hacia arriba, sin pestañear, a Jessica. Ella avanzó despacio, con manos temblorosas, tanteando las vigas, y los ojos la siguieron. «No mires abajo.»

Jessica fijó la vista en la oscuridad frente a ella y siguió avanzando durante lo que le parecieron siglos; cada vez que miraba fugazmente hacia abajo, veía más y más pares de ojos vigilantes, pendientes de su progreso. Jessica se estremeció. Empezó a moverse más rápido, tanteando la superficie con cuidado antes de deslizar las manos y las rodillas por encima, hasta que el conducto se curvó ligeramente y apareció un círculo de luz tenue. Jessica gateó hacia él lo más rápido que se atrevió; el tubo oscilaba de forma precaria con cada movimiento. Reptó a través del agujero y volteó: la habitación estaba a oscuras otra vez; los ojos habían desaparecido.

Jessica sintió un escalofrío, retomó la posición y bajó la vista para mirar la estancia sobre la que estaba ahora. La luz era tenue e inestable, a intervalos con destellos de colores extraños, pero se veía bien. Jessica vio que la luz provenía de una especie de juegos de feria que inundaban la habitación; algunos parpadeaban y otros proyectaban una luz fija de todos los tonos posibles. Respiró hondo y miró hacia adelante, intentando ver adónde llevaba el tubo. «Espero que haya otra salida», pensó, y empezó a gatear de nuevo. El conducto de plástico hacía ruido por el peso, y era el único sonido en la habitación oscura. Jessica tragó saliva; ahora que se le había pasado la dosis de adrenalina, recordó lo mucho que odiaba los espacios cerrados. «Tú sigue moviéndote.» Llegó a una bifurcación: un lado parecía dar la vuelta por todo el perímetro de la habitación, y el otro pasaba a través de una pared que llevaba al laberinto de conductos de ventilación atornillados al techo de la estancia contigua. Escudriñó la habitación y tomó una decisión. Fue hacia el túnel que atravesaba el agujero en el muro, y se encontró de nuevo en el comedor principal.

Hizo una pausa y aguzó el oído. No se oía nada ni parecía haber movimiento alguno en el comedor; estiró el cuello para mirar hacia abajo a través de una de las ventanas de plástico y examinar la sala: la criatura no estaba a la vista. No se había fijado en los tubos de juguete que recubrían el techo hasta que se trepó a ellos, pero ahora los observó en toda su extensión; no se veía dónde acababan, y no había forma de bajar de allí. La estructura que había escalado para entrar a los túneles estaba completamente destrozada. «¿Cómo voy a salir de aquí?» Recorrió el laberinto con la mirada, impotente, sopesando todos los caminos que podía tomar, hasta que la vio: la alberca de pelotas donde habían lanzado a los bebés estaba al otro lado de la sala, y tenía una red de cuerda que colgaba a cuatro o cinco metros del suelo. El tubo pasaba justo por encima. Jessica respiró hondo y siguió avanzando a gatas sobre la sala con cuidado. Consiguió llegar a la primera curva, y de repente el tubo tembló. Se detuvo, pero la estructura volvió a temblar, y luego otra vez, y una más. Algo oscureció la luz en el comedor y Jessica miró hacia abajo.

El cráneo sin piel le sonrió con sus ojos amarillos, suspendido debajo de ella como salido de la nada. La cabeza osciló hacia los lados y se elevó hacia el túnel de plástico. Jessica levantó la vista aterrorizada y vio el cuerpo de la criatura justo encima de ella: rodeaba el tubo con las extremidades como un calamar monstruoso agarrando un barco. Ahogó un grito y sintió que el corazón se le salía del pecho, aunque se esforzó para no hiperventilar. La cabeza de zorro se puso al nivel de sus ojos y golpeó el costado del tubo en el preciso punto en el que estaba Jessica, quien gritó y se echó a correr a gatas, con tan poco cuidado que apretó con la mano entre las vigas de apoyo y la placa de plástico cayó al suelo. Jessica retrocedió para no caer ella también y dio vuelta en una esquina rápidamente, tomando una nueva dirección. La cabeza de zorro se elevó a toda velocidad y desapareció.

Reptó en línea recta con los ojos fijos al frente. La estructura seguía temblando; podía oír el plástico rompiéndose detrás de ella y las grandes placas de plástico del laberinto de tubos estrellándose con gran estruendo contra el suelo. Pronto llegó a la alberca de pelotas, y miró hacia abajo, a la red, vacilante. «¿Y ahora qué?» La estructura volvió a agitarse, pero esta vez fue diferente. Esta vez tembló como si alguien o algo estuviera dentro del laberinto con ella. La totalidad de la estructura oscilaba y se bamboleaba, a punto de soltarse de los tornillos que la sujetaban. Jessica le propinó una patada a la placa de plástico que la sostenía, se agarró a los lados del tubo y miró hacia abajo. Algo se movió en la alberca de pelotas: de la superficie emergieron tres cabezas de bebé, incorpóreas, observándola con ojos inexpresivos. Abrieron sus pequeñas fauces al unísono y ella pegó un brinco, golpeándose la cabeza con la parte superior del tubo de plástico.

—Estúpidos bebés —musitó.

Cuando volvió a mirar hacia abajo, vio que se movían de nuevo, nadando entre las pelotas y mordiéndolo todo, aparentemente al azar. Jessica se estremeció y se quedó inmóvil, paralizada de forma repentina y sin saber qué hacer. Por un momento, rogó que no fuera demasiado tarde para quedarse en silencio sin más y esperar a que pasara el peligro.

La estructura volvió a temblar una y otra vez en una rápida sucesión de golpes. Una espiral de metal reluciente atravesó el túnel volando, y entonces Jessica vio la brillante cabeza de zorro con la boca abierta en una sonrisa imposible. Gritó, cayó de lado por el agujero y aterrizó pesadamente en la red de cuerda. Se hundió y aguantó sólo un segundo antes de empezar a escurrirse hacia abajo.

Se agarró a la red con desesperación; las cuerdas le quemaban las manos y los pies se le enredaban en los huecos, pero pronto consiguió equilibrarse y escaló a la parte superior hasta conseguir sujetarse a la barra de metal que servía de apoyo. Miró el agujero en la parte inferior del tubo por el cual se había caído, a la espera de que saliera algo más, pero nada. Se percibía movimiento en los tubos, apenas visible a través del plástico grueso. Jessica lo examinó presa del pánico, intentando localizar a la criatura, pero se movía toda la estructura: cada uno de los tubos parecía tener vida propia. Entonces se dio cuenta de que el movimiento parecía fluir siempre hacia la misma dirección. Lo siguió con los ojos, tubo a tubo, hasta llegar a una tapa de plástico que estaba justo encima de ella. Con un estallido, la tapa salió disparada y los tornillos volaron por los aires, golpeando a Jessica en la cabeza. El cráneo del zorro descendió sobre ella. Más partes de su cuerpo se abrieron paso por la abertura también, extremidad tras extremidad, y se fueron asentando delicadamente en el borde del tubo, como un gato que se prepara para saltar sobre un ratón.

Algo se cayó del bolsillo de Jessica con un repiqueteo. Era el auricular, que debía de haberse perdido dentro del otro bolsillo. Se agarró con fuerza y forcejeó violentamente para recuperarlo. La cabeza de zorro se retorció de un lado a otro hasta que el último trozo de monstruo salió del tubo para acoplarse a la masa metálica, posada como un buitre en la desvencijada infraestructura de túneles.

Por fin, el zorro embistió.

Jessica se puso el auricular en la oreja y saltó. La criatura se estrelló contra la red en el preciso punto donde ella estaba, y las extremidades se metieron por los agujeros de la misma. Jessica aterrizó de espaldas sobre una máquina de videojuegos y luego cayó al suelo con un golpe seco, sin aliento, hasta que empezó a jadear. El animatrónico forcejeó para liberarse de la red. Sus extremidades se retorcían; el cuerpo del monstruo hizo descender la malla, rompiendo la estructura con su peso. La criatura estaba atrapada, tenía todas las extremidades enredadas. No paraba de agitarse y dar golpes al aire con sus apéndices parecidos a serpientes. La red se movía de un lado a otro, cada vez más tensa, hasta que cedió. El animatrónico cayó en picada a la alberca, y las pelotas de colores salieron disparadas contra los bordes. Se movía con desesperación, aún enredado, y de pronto empezó a retorcerse. Jessica, con los ojos como platos, contempló cómo se hundía lentamente en la alberca de pelotas con un sonido que recordaba al metal triturando metal; pasado un rato, desapareció por completo, aunque las pelotas saltaban sin parar y el crujido no se detenía. De repente, le pareció ver a uno de los bebés de ojos negros masticando satisfecho. Tomó una temblorosa bocanada de aire y corrió hacia la entrada. Jessica salió como bólido a través de las puertas y respiró el aire fresco de la noche, a punto de desmayarse.

—¿Estás bien? —preguntó Marla, alarmada.

—Estoy bien —Jessica miró a cada uno de los niños para confirmar que estaban todos y que se encontraban a salvo. «Todos menos uno. Carlton, ¿lo encontraste?» Se obligó a sonreír—. Vamos, ¿quién quiere ir de visita a una estación de policía?

Carlton se escabulló rápidamente por el pasillo, escudriñando las paredes y el suelo en busca de signos de lucha o forcejeo, cualquier cosa que le indicara que algo había pasado por allí. Había otra puerta un poco más adelante en el pasillo. Se detuvo junto a ella para girar con cuidado la manija, apartándose del marco por precaución. Se preparó, empujó la puerta y esperó. No salió nada, así que se asomó con mucha cautela: la habitación estaba completamente vacía.

—¿Antes de la tormenta viene la calma? —musitó para sí mientras cerraba la puerta.

Cuando llegó a una bifurcación en el pasillo, se detuvo. «¿Dónde estás, pequeño?» Cerró los ojos y aguzó el oído. Primero no oyó nada, pero luego percibió un ruido amortiguado, como si alguien estuviera arañando la pared, por donde Marla y él habían llegado. Carlton se dirigió hacia el ruido y apoyó la oreja contra el muro. El ruido seguía allí. Era un sonido extraño que no conseguía identificar, pero parecía de algo que se movía. Dio un paso atrás y examinó la pared: era lisa, color beige, con una gran rejilla de ventilación plateada cerca de la moldura, de aproximadamente un metro de alto y casi lo mismo de ancho. «Qué raro...» Se arrodilló ante la rejilla y encendió la linterna, que sorprendentemente aún funcionaba, a pesar de haberla usado como instrumento romo. Dirigió el haz de luz hacia la salida de aire y entrecerró los ojos tratando de ver algo, pero las lamas estaban demasiado juntas y no se distinguía nada.

Un sonido distante emergió de las profundidades del conducto; resultaba ininteligible, pero sin duda era una voz. Carlton jaló la rejilla con las uñas y se movió con facilidad; la extrajo por completo y pudo ver un túnel oscuro de más de un metro de altura. Metió la linterna: las paredes eran de cemento, la de un lado pintada de rojo y la otra de azul, ambas con el color deslavado. Sobre ellas había palabras incomprensibles garabateadas a lápiz, y el suelo de linóleo amarillo estaba marcado con huellas negras de tenis, arañado, y enroscado de los bordes.

—Un lugar nuevecito, pues —murmuró Carlton mientras se agachaba y entraba a cuatro patas con la linterna siempre al frente.

Resultaba perturbador imaginarse a alguien poniendo un piso nuevo para luego marcarlo deliberadamente con el fin de que pareciera viejo; unas manos adultas imitando la concienzuda letra infantil y los dibujos sencillos. Alumbró el espacio a su alrededor: en la pared roja había un dibujo de una casa y unos muñecos; debajo alguien había escrito MI CASA con la «s» trazada al revés. Volvió a oír la voz, la cual reverberó con debilidad por el túnel, así que avanzó a gatas sosteniendo la linterna con la mano en una posición incómoda.

El color de la pared cambiaba cada pocos metros, pasando por todos los colores del arcoíris, con dibujos infantiles espaciados de forma irregular por todas partes. Llegó a lo que le pareció una abertura que daba a un nuevo túnel, pero cuando dirigió la linterna hacia el agujero, resultó ser un cubículo en el que apenas cabía un niño, y a duras penas. En el rincón había un tenis azul de tamaño pequeño, con las agujetas desatadas. Carlton tragó saliva. «¿Qué es este sitio?»

La luz alumbró una cara que gritaba en silencio. Carlton pegó un brinco y se le cayó la linterna al suelo. La recuperó con el corazón saliéndosele del pecho y volvió a dirigirla hacia la figura: era un muñeco de esos que salen disparados de una caja, un payaso de tez blanca con la boca abierta en una risa perpetua.

—Esto no es un conducto de ventilación —musitó Carlton mientras apartaba el haz de luz de la cara pintada y seguía recorriendo el colorido pasillo plagado de escondites y marcas de arañazos—. Esto es parte de la sala de juegos.

La luz se detuvo sobre un arcoíris que pasaba por encima de uno de los cubículos. Arriba decía SALA DEL ESCONDITE.

—Esto no augura nada bueno.

Carlton hizo una mueca. La voz del niño reverberó de nuevo, esta vez un poco más fuerte, y Carlton se sacudió de encima el mal presentimiento. «Ya voy, pequeño», le prometió en silencio.

Dio vuelta en una esquina y frenó en seco: en uno de los cubículos había un bebé animatrónico, inmóvil, bocarriba. A Carlton le temblaron los codos y las rodillas. «No te muevas, por favor.»

Los ojillos negros de insecto lo miraron inexpresivos desde el plácido rostro de plástico; no se movía, parecía desactivado. Él retrocedió por precaución y giró la linterna hacia el camino que tenía enfrente; se estaba acercando a una curva, pero seguía sin haber rastro de la salida por ninguna parte. Siguió avanzando, dejando atrás los dibujos de casas y muñecos que empezaban a parecerle sospechosamente repetitivos.

—*Te v-eo…*

Carlton giró sobre sus talones. No había nada a la vista, excepto una puerta cerrada. Era del tamaño de los cubículos, del de un niño, con una ventanita en forma de corazón en la parte superior. Cuando pasó el haz de luz por la puertita, algo centelleó a través de la ventana. Carlton se puso rígido, pero, antes de poder pensar siquiera en moverse, la puerta se salió de las bisagras y Freddy se arrastró desde el interior con energía y una sonrisa depravada en el lustroso rostro blanco y morado; salió pesadamente del reducido espacio en el que estaba metido. Carlton retrocedió frenético, y Freddy lo imitó, quedando a tan sólo unos centímetros de él. Carlton miró a su alrededor, dio media vuelta y gateó lo más rápido que pudo por el túnel, golpeando el suelo con las rodillas y las manos con tanta fuerza que se lastimó, corriendo por su vida. Miró atrás: Freddy lo perseguía, también a gatas, y sus brazos y sus piernas mecánicas avanzaban demasiado veloces como para que Carlton pudiera albergar esperanza alguna. Dio vuelta en una esquina y Freddy lo atrapó por el pie; los dedos de hierro se hundieron en su talón. Carlton le propinó una patada con el otro pie, luchando por zafarse, y se incorporó y se echó a correr totalmente encorvado, raspándose la espalda con el techo. Detrás oía a Freddy cerniéndose sobre él; sus manos y sus rodillas hacían vibrar el suelo.

Carlton dio vuelta en otra esquina y notó una oleada de alivio: había un conducto de ventilación en el túnel; un conducto de ventilación de verdad que llevaba a una amplia estancia. Levantó la rejilla de una patada sin dudar un instante y se escabulló hasta la habitación contigua.

La sala era enorme y parecía diseñada para albergar un único y gigantesco juego mecánico: era un anillo de asientos inclinados, unidos por unos enormes brazos metálicos formando una espiral, como una versión terrorífica de un carrusel que podía girar a toda velocidad a la vez que subía y bajaba en un movimiento repugnante. Al otro lado había una puerta donde decía SALIDA. Antes de que Carlton pudiera precipitarse hacia la puerta, Freddy salió del túnel y se puso de pie; sus ojos reflejaban asquerosamente la oscuridad.

—*Ahora te veo perfectamente* —atronó el altavoz del pecho de Freddy.

Carlton dio media vuelta, dispuesto a echarse a correr, pero chocó contra el juego, se mordió el labio y empezó a sangrar.

Se giró justo a tiempo para ver a Freddy abalanzándose sobre él. Carlton se metió debajo del juego y el animatrónico falló por poco; golpeó el costado metálico del carrusel inclinado. El sonido reverberó en la enorme estancia vacía. El chico se estremeció y dio un salto atrás antes de que otro golpe alcanzara el juego, resonando con tanta intensidad que le hizo castañear los dientes. Carlton levantó la vista: el metal se había abollado por encima de su cabeza, cediendo ante la fuerza de Freddy.

—*No tienes escapatoria…*

Carlton huyó a gatas, trepándose a las pesadas vigas de acero que aseguraban el juego, anclándolo al suelo. Las relucientes pantorrillas blancas y moradas de Freddy lo perseguían con calma, siguiéndolo por todo el perímetro del carrusel mientras Carlton pasaba por debajo de pesados cables y misteriosos y amenazadores engranajes.

—*Ya c-asi te t-engo…* —anunció Freddy.

—Todavía no —musitó Carlton mientras sacaba el pie con cuidado de un cable con el que se había enredado.

Estiró el cuello tratando de examinar la habitación en la que estaba: no podía aventajar a Freddy de ninguna manera y, aunque lo consiguiera, el muñeco lo perseguiría sin descanso. Carlton estaba arrinconado contra el extremo del juego que se encontraba más pegado al suelo; por encima tenía el panel de control. Estiró la cabeza hacia arriba y vio una enorme palanca de encendido que estaba casi al alcance de su mano.

—*No tien-es a dón-de huir…*

Carlton esperó a que Freddy se metiera debajo del juego, apretando y contrayendo el cuerpo para llegar hasta Carlton, que estaba entre las vigas. Entonces el chico salió por la parte inferior del carrusel y se estiró lo suficiente para accionar la palanca y encender el mecanismo. Acto seguido, se tiró al suelo y se tapó la cabeza. Freddy intentó alcanzarlo, pero el juego se balanceó abruptamente.

Carlton vio que Freddy se sacudió golpeado por las partes móviles de la máquina, hasta que el juego giró con un fuerte impulso. Se llevó las manos a la cabeza al oír el ensordecedor sonido que siguió al impacto: un chirrido *in crescendo* producido por el metal rasgado y los engranajes oxidados. El carrusel se ralentizó y se bamboleó precariamente sobre su eje. Carlton no se movió: desde donde estaba podía ver el engranaje inferior en movimiento, desgarrando el cuerpo de Freddy con cada inexorable giro. Trozos de metal morado aparecían y desaparecían para luego caer al suelo, desperdigados por la potencia de la máquina. Un globo ocular amarillo apareció en un hueco entre dos engranajes, y Carlton observó, paralizado por la fascinación, cómo el resto del cuerpo destrozado quedaba pulverizado por las vigas rotatorias y luego se desplomaba en varios amasijos sin forma.

La maquina chirrió hasta casi hacer que le estallaran los tímpanos, se ralentizó y chisporroteó varias veces hasta detenerse por completo. Carlton se quedó inmóvil un buen rato. Se puso de pie y se alejó del carrusel, con cuidado de no pisar ninguno de los fragmentos de metal y plástico que había por el suelo. No se atrevió a meterse debajo de ese cacharro otra vez, pero le dio una patada y retiró el pie enseguida al ver que caía algo.

La mitad de la cabeza de Freddy, con un solo ojo y sin dejar de sonreír como un loco, cayó desde el carrusel junto a Carlton, giró parcialmente en el suelo y luego se detuvo; el ojo parpadeó, chisporroteó y se apagó al fin. Desde el altavoz del pecho, ya desmembrado e inmóvil, crepitó un ruido de estática. Luego volvió a emerger la voz:

—¡*Gracias por jugar, vuelve pronto!* —la voz se fue apagando hasta quedar en silencio.

A lo lejos, el niño gritó de nuevo, y Carlton volvió en sí.

—Aguanta, pequeño —susurró, y se encaminó a la puerta con decisión.

CAPÍTULO 14

Su doble la miró fijamente, estupefacta por un instante, hasta que Charlie vio su propio rostro curvándose en una radiante y cruel sonrisa. La otra Charlie no se movió, y el miedo de Charlie disminuyó al contemplar aquella extraña imitación, atónita. «Es mi cara.» Levantó la mano y se tocó la mejilla, y la otra chica la imitó; Charlie ladeó la cabeza y la chica reprodujo el movimiento con exactitud... No sabía si se estaba burlando o si sencillamente estaba en trance como ella. La doble era un poquito más alta que Charlie; bajó la mirada hacia sus pies: llevaba unas botas militares negras de tacón. Traía una playera roja de cuello V y una falda corta negra, y el pelo largo le caía en ondas brillantes, un peinado que Charlie había dejado de intentar siquiera en la secundaria. Tenía un aspecto pulcro, parecía segura de sí misma. Era como a Charlie le habría gustado ser: una versión de sí misma que había descubierto la plancha para el cabello y la sofisticación, y que ocupaba su lugar en el mundo sin pedir disculpas.

—¿Qué eres? —susurró Charlie, fascinada.

—Vamos —repuso la otra alargando la mano.

Charlie empezó a estirar la suya, pero se detuvo y la apartó. Se encogió y retrocedió por el pasillo, y la doble acortó la distancia que las separaba, acercándose tanto que Charlie habría podido sentir su aliento. Pasado un buen rato, se dio cuenta de que la otra Charlie no respiraba.

—Tienes que venir conmigo —dijo—. Padre quiere que volvamos a casa.

Charlie se sobresaltó al oír aquella frase.

—Mi papá está muerto —anunció.

Apoyó la espalda en la pared y se alejó todo lo posible de la cara de la otra chica.

—Bueno, ¿y no quieres tener uno vivo? —preguntó la otra Charlie con tono burlón.

—Tú no puedes darme nada, y mucho menos eso —contestó Charlie con voz temblorosa, retrocediendo poco a poco hacia el armario; la doble la seguía paso a paso.

Charlie miró por detrás del hombro de su doble, hacia la puerta abierta de la recámara; John salió al pasillo y se apoyó pesadamente en el marco de la puerta con una mano en el costado.

—¿Estás bien, Charlie? —preguntó en voz baja pero firme.

—¡Estoy perfectamente, John! —respondió alegremente la doble de Charlie.

—¿Charlie? —repitió John, ignorándola.

Charlie asintió sin atreverse a apartar los ojos de la impostora.

—Dijo que «padre quiere que volvamos a casa» —le informó Charlie.

John se acercó por detrás de la otra Charlie.

—¿Padre? ¿Te refieres a William Afton? —preguntó John.

Avanzó unos pasos a toda velocidad, agarró una lámpara por la base y la levantó en el aire, listo para atacar. La otra Charlie sonrió otra vez, alzó el brazo y abofeteó a John. A él se le cayó la lámpara y retrocedió a tropezones hasta chocar contra la pared; la doble intentó tomar a Charlie de la mano. La chica se zafó y se echó a correr por el pasillo con la doble pisándole los talones.

—¡Ey! ¡Eso sólo fue la primera ronda! —gritó John haciéndole señas a su atacante para que volviera.

Sujetó a la impostora del brazo y la atrajo hacia sí, alejándola de Charlie. La doble permitió que John la agarrara sin resistirse. El chico sintió que el miedo lo invadía, de pie frente a frente con la impostora. «¿Y ahora qué?»

—Como cuando éramos pequeños, al pie de aquel roble, John —susurró la doble.

Lo atrajo hacia sí y posó los labios sobre los suyos. Él abrió los ojos de par en par e intentó alejarla, pero no podía moverse. Cuando al fin lo soltó y se apartó, era Charlie, su Charlie, y un pitido agudo y molesto empezó a taladrarle los oídos. Se los tapó, pero el ruido aumentaba exponencialmente; durante los pocos segundos que pasaron antes de que se desmayara, vio la cara de Charlie mutando en mil formas distintas. La habitación empezó a dar vueltas sobre su eje hasta que la cabeza de John golpeó el suelo con fuerza.

La chica sonrió y miró a Charlie; a continuación estiró el pie y le dio una patada a John en las costillas, derribándolo de costado sobre un pesado baúl de madera. Charlie corrió hacia él, pero, antes de que pudiera alcanzarlo, la animatrónica la agarró del pelo, haciendo que se le llenaran los ojos de lágrimas. La impostora la jaló, levantándola varios centímetros del suelo, y luego la lanzó hacia un lado. Charlie intentó volver a ponerse de pie, pero tropezó con una caja de cartón y se estrelló con fuerza contra la pared opuesta, quedándose sin aliento, mientras John se incorporaba con paso inestable. Charlie logró ponerse de rodillas. Respiraba con gran dificultad mientras contemplaba que la otra Charlie se dirigía a grandes zancadas hacia John.

Él se enderezó, pero, sin darle tiempo a recomponerse, ella le dio un puñetazo en el estómago. John se dobló sobre sí mismo y, antes de poder ponerse de pie, la impostora lo golpeó en la nuca con el puño, como si fuera un martillo, y él, un clavo.

John cayó hacia delante sobre sus manos y sus rodillas e intentó ponerse de pie de nuevo. Volvió a embestir a la chica y logró alcanzarle el hombro, pero el golpe rebotó y él gritó de dolor, agarrándose la mano con pinta de haberle pegado a algo mucho más duro que si fuera de carne y hueso. La impostora lo tomó por los hombros, lo levantó del suelo y lo desplazó por la habitación hasta apoyarlo contra la pared opuesta. Lo soltó y dejó que se pusiera de pie; miró a Charlie un momento y le puso a John la palma de la mano sobre el pecho.

De repente, John empezó a mover la boca como un pez, incapaz de respirar, y se puso rojo. La impostora permanecía impávida, apretando cada vez más la mano abierta contra el pecho de su amigo.

—No puedo... —dijo John con voz entrecortada—. No puedo... respirar.

Agarró el brazo de la doble con ambas manos, pero no sirvió de nada, ella seguía apretándole el pecho con fuerza. John empezó a deslizarse lentamente hacia arriba por la pared, centímetro a centímetro; la presión empujaba su cuerpo entero hacia el techo.

—¡Basta! —gritó Charlie, pero su doble no se inmutó—. ¡Por favor!

Charlie se levantó a duras penas y corrió junto a John, pero la otra Charlie estiró el otro brazo y la agarró del cuello sin mover la mano del pecho de John. Sus dedos se cerraron alrededor del cuello de Charlie, apretándole la tráquea, obligándola a ponerse de puntitas. Charlie se ahogaba, y se puso a dar patadas y a mover la boca como pez. La impostora miraba a Charlie y a John alternativamente mientras los mantenía inmovilizados, luchando por respirar.

—Okey —resolló Charlie—. Quiero hablar. Por favor —suplicó con voz ronca.

La impostora los soltó.

John cayó como un muñeco al suelo.

—Está herido, déjame ayudarlo —rogó Charlie entre toses mientras trataba de levantarse.

—Estás tan unida a algo que... se rompe con tanta facilidad —dijo con tono burlón.

Charlie se esforzó para mirar detrás de ella, escudriñando ansiosa el pecho de John, que subía y bajaba. «Está vivo.» Respiró hondo y se giró para ver a la chica a la cara.

—¿De qué quieres hablar? —le preguntó con voz tensa.

Carlton dejó que la pesada puerta se cerrara detrás de él y se echó a correr sin mirar atrás: había otra puerta más adelante, con una pequeña ventana en la parte superior por donde se filtraba una luz tenue. El grito del niño reverberó de nuevo y Carlton se detuvo en seco, incapaz de distinguir de dónde venía. El sonido agudo atravesó el aire una vez más, y Carlton hizo una mueca al oírlo: era desgarrado y débil, el clamor de un niño que lleva mucho rato gritando. Carlton miró por la ventana de la puerta... Todo parecía desierto, así que abrió la puerta con cautela y se quedó parado en el sitio. Todo era igual: todos los pasillos, todas las habitaciones. Las luces vacilaban, los altavoces zumbaban. Había un foco a punto de fundirse, emitiendo un pitido agudo que resonaba por toda la estancia.

—Pequeño —susurró, pero no obtuvo respuesta, y de pronto se dio cuenta de que probablemente había estado persiguiendo ecos y luces durante los últimos diez minutos.

De repente, sintió el peso de la soledad, hasta que se convirtió en algo físico; el aire se hacía denso a su alrededor. La respiración se le ralentizó y cayó al suelo de rodillas para luego sentarse. Miró el pasillo vacío con desesperación y por fin se dejó caer hacia un lado, con la espalda contra la pared para al menos poder ver a su atacante antes de morir, quienquiera (o lo que sea) que fuera.

—He fracasado. No voy a encontrarlo —las lágrimas le asomaron a los ojos inesperadamente—. Lo siento mucho, Michael.

Los días que siguieron a la desaparición de Michael, su padre le hizo un montón de preguntas y repasaron una y otra vez aquella tarde, como si pensara que juntos podían recrearla y resolver el rompecabezas.

—Busqué la pieza que faltaba, te lo prometo, la busqué.

Había repasado cada momento de aquella fiesta en su cabeza, intentando desesperadamente dar con la pista que su padre necesitaba, con el detalle que pudiera aclararlo todo.

Habría podido hacer muchísimas cosas para evitar lo que ocurrió de haber sabido todo lo que sabía ahora.

«Pero ahora lo sé todo y sigo sin poder hacer nada.»

—Te fallé, Michael —Carlton se llevó la mano al pecho para tratar de calmarse y no hiperventilar—. Te fallé otra vez.

—A ver, ¿de qué quieres hablar? —repitió Charlie.

La otra Charlie entrecerró los ojos.

—Eso está mejor, mucho mejor.

La doble sonrió y Charlie se hizo hacia atrás, alejándose todo lo posible de ella. Resultaba perturbador ver que su propio rostro la miraba, acusador y petulante.

—Escucharé lo que tengas que decirme, pero, por favor, no le hagas más daño —suplicó Charlie con las manos levantadas en señal de rendición y el corazón agitado.

La doble de Charlie se puso roja de ira.

—Es por eso —siseó, acusándola con un dedo tembloroso.

—¿Qué? «¿Es por eso?» No te entiendo —sollozó Charlie.

La impostora se puso a caminar de un lado a otro; su enfado parecía haberse esfumado tan rápido como había llegado. Charlie aprovechó la oportunidad para mirar a John otra vez, quien había girado parcialmente sobre su espalda y se agarraba el costado con la cara enrojecida por el inmenso dolor. «Necesita ayuda.»

—¿Qué eres? —gruñó Charlie, notando cómo la inundaba la furia al mirar a John.

—La pregunta no es qué soy yo. Es qué eres tú. ¿Y qué te hace tan especial, una y otra vez?

La doble de Charlie se acercó a ella con ira renovada y la agarró del cuello otra vez, levantándola del suelo. La inmovilizó contra la pared y le enseñó los dientes.

El ardid de la impostora se desvaneció para dar paso a una cara de payaso pintada que parecía aún más furiosa que su fachada humana. Las placas blancas del rostro se abrieron como los pétalos de una flor y revelaron otra cara, ésta hecha de resortes y cables, con los ojos negros y desnudos, y unas puntas afiladas que hacían las veces de dientes. «Éste es su auténtico rostro», pensó Charlie.

—Pregúntame otra vez —gruñó.

—¿Qué? —dijo Charlie con voz entrecortada.

—Dije que me lo preguntes otra vez —rugió el monstruo de metal.

—¿Qué eres? —gimoteó Charlie.

—Ya te dije que ésa no es la pregunta correcta —la chica metálica mantuvo a Charlie a cierta distancia de ella y la miró de arriba abajo—. ¿Dónde lo escondió? —sostuvo el cuello de Charlie con una mano y le puso la otra en el pecho, y entonces le pasó un dedo por el esternón. A continuación, la miró a la cara, la tomó de la barbilla y la obligó a mirar hacia un lado. Pareció perderse en sus pensamientos apenas un instante, pero enseguida volvió en sí—. Pregúntame otra vez.

Charlie miró los ojos del rostro metálico. Las placas de la cara se cerraron sobre el amasijo de metal retorcido y volvieron a recrear el rostro de payaso, con sus mejillas sonrosadas y sus labios brillantes. Pronto retornó el espejismo y Charlie se encontró observando sus propios ojos de nuevo. Se empezó a notar asombrosamente tranquila al darse cuenta de cuál era la pregunta correcta.

—¿Qué soy yo?

La impostora aflojó la mano y bajó a Charlie hasta que tocó el suelo con los pies.

—No eres nada, Charlie —dijo la impostora—. Me miras y ves un monstruo sin alma; qué irónico. Qué retorcido. Qué ingenuo —soltó el cuello de Charlie y dio un paso hacia atrás, y sus labios perdieron la sonrisa por un instante—. Qué injusto.

Charlie estaba otra vez de rodillas, luchando por reunir fuerzas. La impostora se acercó, se arrodilló junto a ella y puso una mano sobre la suya.

—No estoy segura de si esto funcionará, pero vamos a intentarlo —susurró.

Le pasó los dedos por el pelo a Charlie y la sujetó firmemente de la nuca.

La niña llevaba un trozo de papel en la mano, y estaba emocionada y contenta. Una estrella dorada y brillante relucía en la hoja, encima de las palabras que había escrito la profesora de la guardería. Alguien le tocó la espalda con suavidad y la animó a entrar a la habitación, que estaba a oscuras. Ella entró corriendo con ímpetu; allí estaba él, de pie junto a su escritorio.

—¿Cuánto tiempo estuve allí de pie hasta que me dijo que me fuera?

Charlie rebuscó en su mente, pero las respuestas no acudían a ella.

—No me «dijo que me fuera» —repuso la otra voz de Charlie.

Su entusiasmo no cedió, sino que mantuvo la paciencia y la alegría. Tras el primer empujón, volvió a intentarlo. Sólo después del segundo empujón dudó si volver, pero regresó con cuidado una vez más, sosteniendo el papel en el aire. A lo mejor no lo había visto.

—Claro que lo vio —le dijo la otra Charlie.

Aquella vez dolió; el suelo estaba frío y le dolía el brazo sobre el que había caído. Buscó la hoja de papel: estaba en el suelo frente a ella; la estrella dorada brillaba en el centro de la página, pero él la estaba pisando. Levantó la vista para ver si se había dado cuenta, con lágrimas en los ojos. Sabía que tenía que desistir, pero no podía. Estiró el brazo para intentar jalar de una esquina la hoja, pero estaba demasiado lejos. Al final se puso en cuatro patas y gateó hacia el papel, con el vestido sucio, e intentó sacarlo del zapato grande que estaba encima. No lo conseguía.

—Y entonces fue cuando me pegó.

Después de aquello, le resultaba difícil distinguir algo en la habitación. Todo era un borrón de lágrimas y dolor, y la cabeza le daba vueltas. Pero claro que consiguió distinguir algo: una muñeca de metal, un payaso. Su padre había vuelto a centrar su atención en ella y la estaba limpiando con cariño. De repente, su dolor se desvaneció y fue sustituido por fascinación, convirtiéndose en obsesión.

—¡¿Qué es todo esto?! —gritó Charlie.

Ahora se estaba mirando al espejo, con un labial en la mano que había robado de la bolsa de su profesora. Pero no se estaba pintando los labios con él, sino dibujándose unos círculos rojos en las mejillas. Los labios se los pintó después.

—¿Me escuchas? —le susurró su doble.

La noche lo inundaba todo. Las habitaciones estaban a oscuras, los pasillos en silencio, en el laboratorio no se movía nada. Sus pies se posaban con suavidad sobre las losetas blancas y pulidas. Había una cámara pequeña en un rincón con una luz roja encendida que parpadeaba, pero daba igual lo que grabara, era demasiado tarde para detenerse.

Apartó la sábana que cubría a la hermosa chica-payaso y le hizo gestos para que hablara. ¿Dónde estaba el botón que siempre apretaba él?

Primero se encendieron los ojos, y luego otras luces del interior. Enseguida, el rostro pintado examinó la habitación, reparó en ella y la saludó con una dulce sonrisa y voz suave.

—Entonces se oyó un grito —la visión se había fragmentado. Charlie se apartó—. Entonces se oyó un grito —repitió la impostora—. Provenía de mí, pero... —hizo una pausa y se señaló la cabeza con un gesto de curiosidad—. Pero recuerdo verla gritar —pareció quedarse pensativa un momento, y de pronto la ilusión se disipó y volvió a adoptar la forma de payaso—. Es extraño recordar el mismo instante desde dos pares de ojos, pero fue entonces cuando nos fusionamos en una sola.

—No me creo esa historia —gruñó Charlie—. No me creo esa historia en absoluto. ¡No estás poseída! Si crees que voy a creerme por un segundo que estoy hablando con el espíritu de una niña dulce e inocente, estás loca.

—Quiero que me llames Elizabeth —dijo la animatrónica con voz suave.

—¿Elizabeth? —repuso Charlie—. Si de verdad eras aquella niña, Elizabeth, no puedo creer que hayas sido capaz de todo esto.

—Mi furia no proviene de ella —dijo Elizabeth, y su rostro pintado cambió: parecía un animal herido, vulnerable pero aún en posición de ataque.

—¿Entonces de dónde viene? —gritó Charlie.

—Mi furia proviene de otro padre.

Elizabeth se acercó otra vez a Charlie, volvió a agarrarla del cuello y la empujó hacia un destello de luz blanca y de dolor, aunque todo estaba en calma.

Una mano le acariciaba el pelo. El sol se ocultaba sobre un campo de trigo. Una bandada de pájaros aleteaba en lo alto; sus gorjeos reverberaban por el paisaje.

—*Qué felicidad estar aquí contigo* —*dijo una voz amable.*

Ella levantó la mirada y se acurrucó, recargándose en él.

—No, eso es mío —protestó Charlie.

—No —intervino Elizabeth—. Eso no es tuyo. Te diré lo que sí es tuyo.

El sonido de la agonía inundó la estancia. Las paredes se oscurecieron; unos chorros de agua caían por detrás de las cortinas de las ventanas. Un hombre estaba tirado en el suelo en posición fetal abrazando algo con fuerza y, cuando abrió la boca, la habitación entera tembló con el sonido de su angustia.

—¿Quién es? —preguntó Charlie ansiosa—. ¿Qué tiene entre los brazos?

—¿No la reconoces? —dijo Elizabeth—. Es Ella, por supuesto. Es lo único que le quedó a tu padre cuando tú ya no estabas.

—No es verdad, ésa no es Ella.

Charlie sacudió la cabeza.

—Se pasó dos meses llorando sobre esa muñeca de trapo barata —gruñó Elizabeth con tono incrédulo—. Lloró sobre ella, sangró sobre ella, vertió su dolor sobre ella. Todo muy dañino. Empezó a tratarla como si aún tuviera una hija.

—Ése era mi recuerdo: yo, sentada con mi papá, mirando la puesta de sol. Estábamos esperando a que salieran las estrellas. Es mi recuerdo —le espetó Charlie, furiosa.

—Mira otra vez —le ordenó Elizabeth, obligándola a visualizar la imagen de nuevo.

Una mano le acariciaba el pelo. El sol se ocultaba sobre un campo de trigo. Una bandada de pájaros aleteaba en lo alto; sus gorjeos reverberaban por el paisaje.

—*Qué felicidad estar aquí contigo* —*dijo una voz amable.*

Aferró a la muñeca con fuerza y sonrió a pesar de las lágrimas que le corrían por el rostro.

—Por supuesto, no le bastó con eso. Tenías que crecer, así que hizo más.

Los brazos colgaban a ambos lados de la mesa de trabajo. Las bisagras eran lo suficientemente firmes para sostener algo no muy pesado, y los ojos eran más realistas que todos los que había hecho antes. La incorporó, le extendió los brazos hacia delante, colocó una bandejita encima de ellos y luego una taza de té sobre la bandeja. Frunció el ceño, frustrado, mientras giraba una manija de latón una y otra vez hasta que la habitación tembló y parpadeó con un destello de luz. Luego todo se quedó inmóvil y la niña lo miró sonriente.

—¡Ese recuerdo es mío! —gritó Charlie.

—No, ese recuerdo es suyo —la corrigió Elizabeth.

—*Jen, te juro que es mucho más que otra muñeca animatrónica. Tienes que verla. Camina y habla.*

—*Claro que camina y habla, Henry* —había molestia en la voz de Jen—. *Camina porque todo lo que haces camina, y habla porque todo lo que haces habla. Pero la razón por la que ésta es tan real es porque estás destruyendo tu mente con todas esas frecuencias y códigos.*

Jen levantó los brazos en el aire.

—*Recuerda, Jen. Me recuerda. Recuerda nuestra familia.*

—*No, Henry. Eres tú quien recuerda. Tú sigue friéndote la cabeza con esos rayos y apuesto a que podrás conseguir que la tetera te hable de tu familia perdida.*

—*Mi familia perdida* —repitió Henry.

Jen hizo una pausa; parecía arrepentida.

—*No tiene por qué ser así, debes dejar todo esto atrás. Tu mujer y tu hijo aún pueden formar parte de tu vida, pero tienes que superar esto.*

—*Está en esa muñeca.*

Señaló a Ella, quien estaba muy erguida con su tacita de té en la bandeja. En un rincón había una muñeca de trapo sentada en una silla de madera, con la cabeza colgando por encima del apoyabrazos y los ojos mirando al vacío de la habitación.

—Le llevó un rato entender que era la muñeca de trapo, la muñeca de trapo que habían comprado en una tienda cualquiera. Quizá nunca te sentía cuando no estaba, no lo sé. Pero, con el tiempo, empezó a ponerte dentro de su Charlie, de cualquier Charlie nueva que construía.

Charlie estaba sin habla, recordando todos aquellos momentos con su padre, cuestionando cada uno de ellos.

Estaba sentada en el suelo de su taller, construyendo una torre con bloques de madera; él estaba inclinado trabajando. Se giró hacia ella y le sonrió, y ella le devolvió la sonrisa con cariño. Su padre volvió a concentrarse en el trabajo y la criatura abigarrada que estaba en el rincón más alejado y oscuro se retorció. Charlie se sobresaltó y tiró los bloques al suelo, pero su padre no pareció oír nada. Empezó a reconstruir la torre, pero ya no podía dejar de mirar a la criatura, a aquel esqueleto de metal retorcido con los ojos abrasadores de plata. Se retorció otra vez, y ella sintió el impulso de preguntar, pero no consiguió pronunciar palabra.

—¿Dolía? —susurró Charlie.

La imagen era tan clara en su cabeza que casi podía oler el aroma metálico y caliente del taller. Elizabeth se quedó inmóvil, y entonces, de repente, el espejismo se desvaneció y las placas metálicas retráctiles de su cara de payaso se abrieron revelando el amasijo de resortes, cables y dientes serrados. Charlie retrocedió y Elizabeth avanzó un poco más, manteniendo la distancia entre ambas.

—Sí —siseó, y los ojos se le encendieron con un resplandor plateado—. Sí. Dolía.

Las placas del rostro volvieron a su sitio, pero los ojos mantuvieron su resplandor. Charlie parpadeó y apartó la mirada; la luz la cegaba y le hacía ver unos puntos en su campo visual. Elizabeth la miró con amargura.

—Entonces, ¿me recuerdas?

—Sí —Charlie se frotó los ojos y la visión se le fue aclarando—. En el rincón. No quería mirar. Creía que era... Creía que eras... otra persona —dijo, y su voz le sonó débil e infantil.

Elizabeth se echó a reír.

—¿Acaso alguna de aquellas cosas se parecía a mí en lo más mínimo? Yo soy única. Mírame.

—Me duelen los ojos —protestó débilmente Charlie.

Sin embargo, Elizabeth la tomó de la barbilla y la acercó hacia sí. Charlie se protegió cerrando los ojos para no mirar la luz, y Elizabeth la abofeteó con una fuerza inusitada.

—Mírame.

Charlie inhaló, temblorosa, y obedeció. El rostro de Elizabeth volvía a ser el de Charlie, pero la luz plateada y fría emergía de donde deberían haber estado los ojos. La chica dejó que inundara su visión, velando todo lo demás.

—¿Sabes por qué mis ojos siempre brillaban? —preguntó Elizabeth con suavidad—. ¿Sabes por qué me retorcía y me estremecía en la oscuridad? —Charlie sacudió la cabeza imperceptiblemente y Elizabeth le soltó la barbilla—. Porque tu padre me dejaba encendida todo el tiempo. En todo momento, todos los días, estaba despierta y sin terminar. Lo observaba hora tras hora mientras él hacía juguetes para la pequeña Charlie, unicornios y conejitos que se movían y hablaban, mientras yo permanecía a oscuras, esperando. Abandonada.

El resplandor de los ojos se debilitó un poco. Charlie pestañeó, tratando de disimular su alivio.

—Ni siquiera sé por qué te cuento todo esto. Si tú ni siquiera estabas allí todavía.

Elizabeth giró la cara, casi con asco.

—Sí estaba —contestó Charlie—. Estaba allí. Me acuerdo.

—Que te acuerdas —se burló Elizabeth—. ¿Estás segura de que estabas presente cuando se generaron todos aquellos recuerdos?

Charlie rebuscó en su cabeza algo que le confirmara los recuerdos a los que se aferraba con tanta decisión.

—Mira hacia abajo —susurró Elizabeth.

—¿Qué? —gimoteó Charlie.

—Tu recuerdo. Estoy segura de que es claro y luminoso, como estabas allí… —Elizabeth sonrió—. Mira hacia abajo.

Charlie regresó a su recuerdo, de pie frente a la mesa de trabajo de su padre. Estaba inmóvil; estaba muda.

—Mira hacia abajo —volvió a susurrar Elizabeth.

Charlie se miró los pies, pero no vio ningún pie, tan sólo las tres patas del tripié de una cámara atornilladas al suelo.

—Estaba creando recuerdos para ti; creando una vida para su muñequita de trapo, para convertirla en una niña de verdad. Estoy segura de que muchos de esos recuerdos han sido alterados, editados, mejorados, pero no te equivoques: Charlie no estaba allí.

Elizabeth se acercó más a Charlie.

—Él nos fabricó: una, dos, tres —Elizabeth le rozó el hombro a Charlie y luego se llevó la mano al pecho—. Cuatro.

Sus ojos parpadearon y el resplandor plateado se hizo más débil hasta que parecieron casi humanos.

—Charlie primero sería un bebé, luego una niña pequeña y después una adolescente malhumorada —miró a Charlie de arriba abajo con desdén, y luego su gesto se hizo más limpio, a medida que seguía hablando—. Luego al fin sería una mujer. La Charlie definitiva. Perfecta. Yo —el rostro de Elizabeth se tensó—. Pero algo cambió mientras Henry trabajaba, retorcido de dolor, en su niña.

»A la Charlotte más pequeña la construyó con el corazón roto. Lloraba todo el rato, día y noche. La segunda Charlotte la hizo cuando estaba sumido en lo más profundo de su locura, cuando casi se creía sus propias mentiras; estaba tan desesperada por el amor de su padre como él por el de ella. A la tercera Charlotte la creó cuando empezó a darse cuenta de que había perdido la cabeza, cuando se cuestionaba todos y cada uno de sus pensamientos y le suplicaba a su hermana Jen que le recordara lo que era real. La tercera Charlotte era extraña.

Elizabeth miró a Charlie con desprecio, pero ella apenas se dio cuenta. «La tercera Charlotte era extraña», repitió en silencio. Agachó la cabeza y rozó el tejido de franela de la camisa de su padre con el dedo pulgar antes de levantar la vista de nuevo. El rostro de Elizabeth estaba rígido de rabia; estaba casi temblando.

—¿Y la cuarta? —preguntó Charlie con voz vacilante.

—No hubo cuarta —espetó—. Cuando Henry empezó a construir la cuarta, su desesperación se convirtió en rabia. Soldó, enajenado, el esqueleto, vertió su ira en la forja donde dio forma a los huesos. No era una Charlotte empapada en dolor. Cobró vida gracias a la furia de Henry —sus ojos resplandecieron otra vez con la luz de plata, y Charlie trató de mantener la calma y se prohibió pestañear. Elizabeth se acercó más, hasta estar a apenas unos centímetros de Charlie—. ¿Sabes cuáles fueron las primeras palabras que me dijo tu padre? —siseó. Charlie sacudió la cabeza al instante—. Me dijo: «Estás mal».

»Al principio intentó arreglar el error que había visto en mí, pero lo que estaba mal, y el propio Henry se dio cuenta, fue lo que me había insuflado la vida.

—La rabia —susurró Charlie.

—La rabia —Elizabeth se levantó y sacudió la cabeza—. Mi padre me abandonó —contrajo el rostro en una mueca—. Henry me abandonó —se corrigió—. Por supuesto, no pude comprender estos recuerdos hasta que recibí un alma, hasta que me adueñé de un alma —sonrió—. Una vez que estuve dotada de alma, volví a experimentar esos recuerdos de una forma nueva: no como un juguete desorientado que se retorcía tratando de recibir una rabia que me consumía y que me resultaba incomprensible, sino como una persona. Como una hija. Es una cruel ironía que la única forma de escapar de mi papel de hija rechazada fuera adoptar el de otra.

Charlie se quedó callada, y por un momento recordó el rostro de su padre, su sonrisa siempre tan triste. Elizabeth se echó a reír de repente, sacándola de su ensimismamiento.

—Tú tampoco eres Charlie, ¿sabes? Ni siquiera eres el alma de Charlie —se burló Elizabeth—. Ni siquiera eres una persona. Eres el fantasma del arrepentimiento de un hombre, eres lo que queda de un hombre que lo perdió todo, eres las lágrimas de tristeza que caían sin contemplaciones sobre la muñeca que un día fue de Charlie —Elizabeth la miró de repente furibunda, atravesándola con la mirada—. Y apostaría a que...

Agarró a Charlie de la barbilla, la obligó a ponerse de pie y examinó su torso un momento. Hizo un movimiento rápido con la otra mano y Charlie emitió un grito ahogado; la habitación daba vueltas otra vez. La mano de Elizabeth desapareció y volvió a aparecer sosteniendo algo.

—Mira bien antes de perder la consciencia —susurró Elizabeth.

Ante los ojos de Charlie había una muñeca de trapo que reconoció de inmediato.

—Ella —intentó susurrar.

—Ésta eres tú.

La habitación se sumió en la oscuridad.

«¿Qué fue eso?» Carlton levantó la cabeza y aguantó la respiración, esperando a oírlo de nuevo. Pasado un momento volvió a escucharlo: alguien sollozaba, y el sonido provenía de muy cerca. Tomó una bocanada de aire y sintió que la determinación se apoderaba de él de nuevo. Tras varias horas de focos a medio fundir y ecos distantes, estaba cerca. Se puso de pie de un salto: al otro lado del pasillo había una puerta entreabierta, y del interior emergía un resplandor anaranjado y vacilante. «¿Cómo pude no fijarme en esto?» Carlton cruzó el pasillo deslizando los pies por el suelo para no hacer ruido. Al llegar a la puerta, se asomó con cuidado por la rendija: la luz naranja provenía de un horno abierto en la pared, tan grande que dentro habría cabido un coche pequeño. El horno era la única luz en la habitación a oscuras, pero alcanzó a distinguir una mesa larga con algo oscuro encima.

Oyó el lloriqueo de nuevo, y esta vez Carlton identificó de dónde provenía: un niño pequeño y rubio estaba acurrucado en el rincón más oscuro de la estancia, enfrente del horno. Carlton corrió hacia dentro y se arrodilló junto al niño, quien lo miró ausente. Tenía varios cortes sangrantes en el brazo y otro en la comisura de los labios, pero Carlton no vio más heridas.

—Hola —musitó nervioso—. ¿Estás bien?

El niño no contestó y Carlton lo agarró por los brazos para cargarlo. Al tocarlo, notó que le temblaba todo el cuerpo. «Está aterrorizado.»

—Ven conmigo, vamos a salir de aquí —le dijo Carlton.

El niño señaló a la criatura que estaba sobre la mesa.

—Sálvalo a él también —suspiró con voz lacrimosa—. Le duele mucho.

El niño cerró los ojos. Carlton miró la enorme figura inmóvil que estaba sobre la mesa junto al horno: no se había detenido a pensar que pudiera ser una persona. Escudriñó la habitación para asegurarse de que nada más se movía, le dio al niño una palmadita en el hombro y se puso de pie.

Se aproximó a la mesa con cautela, pegado a la pared, en lugar de cruzar por el centro de la habitación. A medida que se acercaba, el olor a metal y aceite quemado lo asaltó, y se tapó la cara con la manga, haciendo esfuerzos para no vomitar mientras examinaba la figura bocabajo.

«No es una persona.» Sobre la mesa, iluminada por la vacilante luz anaranjada, había una masa de metal: un esqueleto fundido y grumoso hecho de protuberancias y formas amorfas metálicas imposibles de distinguir. Carlton lo miró un buen rato y luego regresó la vista hacia el niño sin saber muy bien qué decir.

—Calor —gruñó una voz.

Carlton giró sobre sus talones y se encontró con un hombre perverso que surgió de entre las sombras.

—El calor es la clave de todo —prosiguió el hombre mientras se acercaba a la mesa renqueando—. Si lo mantienes a la temperatura adecuada, se vuelve maleable, moldeable, y altamente efectivo; o quizá la palabra sea «contagioso». Sospecho que podría aplicarse a cualquier cosa, pero lo mejor es aplicarlo a algo que puedas controlar, al menos hasta cierto punto —William Afton se situó bajo la luz, y Carlton retrocedió involuntariamente, aunque la mesa los separaba—. Es una alquimia interesante —continuó William—. Puedes hacer algo que controles por completo, pero entonces no tendrá voluntad propia, como un arma, supongo —pasó la mano marchita por el brazo plateado de la criatura—. O puedes tomar una pizca de… polvos mágicos —sonrió— y crear un monstruo que puedas controlar en gran medida, uno con un potencial ilimitado.

«Carlton.» Dio un paso atrás y gritó sorprendido: la voz sonaba tan clara en su cabeza que la reconoció al instante.

—¿Michael?

Esa sola palabra fue suficiente. Carlton se giró hacia la mesa con una clarividencia nueva y terrible. Sabía exactamente qué era lo que tenía enfrente: los endoesqueletos de los animatrónicos originales de Freddy's, soldados y fundidos, paralizados e irreconocibles. Y todavía habitados en su interior por las almas de los niños asesinados hacía muchos años. Aún insuflados de vida, de movimiento, pero… atrapados, y padeciendo un dolor horrible. Carlton se obligó a mirar a William Afton a los ojos.

—¿Cómo pudiste hacerles esto? —preguntó, casi temblando de rabia.

—Son muy colaboradores —dijo William con tono neutro—. El proceso sólo funciona de verdad si ellos me dan libremente una porción de sí mismos —las llamas se alzaron sin previo aviso, y el calor surgió en olas dolorosas desde el horno abierto. Carlton se tapó los ojos y la criatura de la mesa convulsionó. William sonrió—. Les da miedo el fuego. Pero aún confían en mí. No me ven como soy ahora; sólo me recuerdan como era antes, ¿sabes?

Carlton apartó la mirada: era como si lo estuvieran hipnotizando. Recorrió la habitación desesperadamente con los ojos en busca de algo con lo cual atacar, cualquier cosa. La estancia estaba llena de trozos de metal y de piezas mecánicas. Carlton agarró una tubería de hierro que estaba junto a sus pies y la levantó como si fuera un bate de beisbol. Afton estaba mirando extasiado a la criatura de la mesa, aparentemente indiferente a todo lo que lo rodeaba. Carlton vaciló y se quedó mirándolo un momento. «Parece que podría desmoronarse por sí mismo —pensó al fijarse en el cuerpo frágil y encorvado de Afton, y en la piel de su cabeza, que apenas parecía cubrirle el cráneo. Entonces volvió a mirar a la criatura de la mesa—. Creo que tengo la autoridad moral suficiente», decidió con gravedad, y alzó la tubería por encima de su cabeza mientras rodeaba la mesa sigilosamente hacia donde estaba Afton.

De repente, algo jaló sus brazos por encima de la cabeza y la tubería se le cayó de las manos con un fuerte golpe. Carlton forcejeó contra los cables que le apresaban las muñecas, pero no conseguía liberarse. Muy despacio, fue elevándose en el aire, con los brazos dolorosamente estirados hacia los lados por dos cables que salían de extremos opuestos de la habitación y no parecían estar anclados a nada.

—Nunca he probado esto con un ser humano —musitó William mientras empujaba el émbolo de una especie de jeringa mecánica sobre el pecho de la criatura fundida que estaba sobre la mesa.

Giró el utensilio hacia los lados, extrayendo algo con gran dificultad. La jeringa era de un material opaco, por lo que Carlton no lograba ver el contenido, pero el corazón se le aceleró cuando empezó a sospechar adónde iba dirigida. Jaló con más fuerza los cables que lo sujetaban, pero cada vez que lo hacía sólo conseguía mover los hombros de un lado a otro. Afton extrajo la jeringa de la criatura y asintió satisfecho, y luego volteó hacia Carlton.

—Suelo inyectar esto en algo mecánico; algo que haya creado. Nunca lo he probado con algo… vivo —William le dirigió a Carlton una mirada calculada—. Será un experimento interesante.

Levantó la jeringa mecánica y la colocó con cuidado sobre el corazón de Carlton. Él jadeó, pero, antes de que pudiera intentar moverse siquiera, William le clavó la larga aguja en el pecho. Carlton gritó; sin embargo, de pronto se dio cuenta vagamente de que quien gritaba era el niño rubio del rincón: Carlton movía la boca como un pez y resollaba, pero no conseguía emitir sonido alguno. El pecho le ardía con un dolor cegador. La sangre le empapaba la camisa y se le pegaba a la piel mientras convulsionaba aprisionado por los cables.

—Espero, por tu bien, que mi experimento funcione; porque, si no, no sé cómo vas a sobrevivir —dijo William con tono amable.

Hizo un gesto en dirección a los cables y Carlton cayó al suelo; el dolor del pecho era gigantesco, como si le hubieran disparado con una escopeta. Escupió sangre al suelo; se hizo un ovillo y cerró los ojos mientras sentía que el dolor se intensificaba. «Por favor, haz que pare —pensó, y a continuación—: por favor, no me dejes morir.»

—Quizás el corazón haya sido demasiado directo —se lamentó William—. Bueno, ése es el *quid* de la cuestión: aprender a base de ensayo y error.

Volvió la mirada hacia el niño rubio, quien seguía acurrucado y llorando en el rincón.

CAPÍTULO 15

$\mathcal{L}$os pasos reverberaban interminables en la oscuridad, recorriendo el espacio cerrado de un lado a otro.

—¿Todavía me oyes? —sonó una voz.

Charlie estaba perdida en la oscuridad, dando vueltas en silencio mientras intentaba salir a la superficie.

—A diferencia de ti —dijo la otra Charlie, invisible—, yo sí era real. Yo era una niña real y me merecía la atención que tú recibías. Tú no eras nada.

Charlie abrió los ojos; la habitación seguía dando vueltas. Intentó respirar, pero siempre se le quedaba el aire a medio camino. Había una muñeca tirada en el suelo unos metros más adelante. Alargó un brazo convulso hacia ella, luchando por respirar.

—¿Quieres saber de dónde proviene mi odio? No es de esta máquina donde habito. Tampoco es de mi vida anterior, si quieres llamarla así.

Charlie arañó el suelo con las manos, incapaz de mover el resto del cuerpo. Alcanzó a la muñeca con las yemas de los dedos y la atrajo hacia sí.

—Odio porque ni siquiera ahora soy suficiente —susurró Elizabeth—. Extendió los dedos metálicos frente a su rostro—. Ni siquiera después de esto; ni siquiera después de adoptar la forma de lo único que padre amaba soy suficiente —su voz empezó a llenarse de ira—. No puede reproducir lo que me ocurrió a mí, o quizá le dé demasiado miedo intentarlo consigo mismo. Yo hui de mi prisión, emergí de entre las llamas y los escombros del último gran fracaso de Henry y me reuní con mi padre. Me entregué a él para que me estudiara, para que me usara, para que desentrañara los secretos de mi creación. Y, aun así, es a ti a quien quiere.

Charlie se puso a cuatro patas con dificultad y se arrastró hacia el pasillo. Elizabeth no parecía inmutarse, sino que la seguía con paso lento sin intentar atraparla, sólo para no perderla de vista.

—Puede que consiga recrearte. De algún modo, Henry consiguió poner dentro de ti una parte de él, y eso es algo nunca antes visto. Es… único.

Charlie siguió avanzando a gatas, sin prisa pero sin pausa: empezaba a notar que recuperaba las fuerzas, pero siguió moviéndose despacio y con torpeza, alejándose todo lo posible de Elizabeth. Miró hacia la izquierda y la derecha por el pasillo en busca de algo, lo que fuera, que le concediera alguna ventaja. La puerta de la habitación contigua estaba abierta, y alcanzó a ver un escritorio: sobre él había un pisapapeles redondo de piedra. Sin apretar el paso, Charlie gateó por la habitación, arrastrando las piernas como si le dolieran, mientras los pasos lentos y pacientes de Elizabeth la seguían.

—¿Me pasas el verde? —dijo una voz.

Carlton pestañeó. Estaba sentado, incorporado, pero apenas consciente, como si hubiera estado soñando despierto.

—El verde —repitió la vocecilla—. Porfa…

Carlton miró a su alrededor en busca de algo verde; el suelo era blanco y negro, y estaban sentados en un lugar un poco oscuro. Había un niño encorvado sobre una hoja de papel, dibujando. Carlton levantó la vista. «Estamos debajo de una mesa. Debajo de una mesa en Freddy's.» Vio varios dibujos desperdigados frente a él en el piso y unas cuantas crayolas esparcidas sobre las losetas. Carlton localizó una crayola verde que había rodado hasta la pared, la alcanzó y se la dio al niño, quien la tomó sin levantar la vista.

—Michael —musitó Carlton, reconociéndolo de inmediato.

Michael siguió dibujando.

—¿Dónde…?

Carlton miró a su alrededor, pero lo que veía no tenía ningún sentido. Las luces de la pizzería estaban encendidas, pero no alcanzaba a ver nada a más de metro y medio a la redonda, como si una niebla engullera todo lo que había más allá. Agachó la cabeza para sacarla con cuidado de debajo de la mesa, pero la fuerte luz le lastimaba los ojos, así que se puso la mano a modo de visera y volvió debajo de la mesa. Michael no se había movido; seguía dibujando con el ceño fruncido por la concentración. Carlton estudió los dibujos del suelo con la vaga sensación de que algo no estaba bien. «Yo no debería estar aquí», pensó, aunque una parte de él se sentía totalmente en casa.

—¿Qué haces? —le preguntó a Michael en un susurró.

Él levantó la mirada del dibujo.

—Tengo que juntarlos —le explicó Michael—. ¿Ves? —señaló fuera de la mesa, hacia la pizzería.

Carlton entrecerró los ojos para intentar ver algo en el horizonte borroso. Al principio no vio nada, pero pronto empezaron a aparecer: dibujos y más dibujos de colores, algunos por las paredes, otros flotando en el aire.

—Están todos separados, rotos —dijo Michael. Revolvió entre las hojas que tenía frente a él y encontró dos donde aparecía el mismo niño, las colocó una encima de la otra y empezó a trazar líneas—. Estos dos van juntos —explicó Michael sosteniendo el dibujo en alto: los dos dibujos se habían unido en uno solo; los papeles cuadraban de algún modo, los trazos eran más visibles y los colores más vibrantes.

—¿Y qué es lo que estás juntando? —le preguntó Carlton.

—A mis amigos.

Michael señaló un dibujo solitario que había pegado en la pared. En él aparecían cinco niños, tres varones y dos niñas, juntos y sonrientes, con un conejo amarillo justo detrás.

—Yo conozco ese dibujo —dijo Carlton despacio. Aún sentía la mente nublada, y cada vez que intentaba desentrañar el misterio, se le escapaba—. ¿Quién es él? —preguntó señalando al conejo.

—Es nuestro amigo —Michael sonrió sin levantar la vista de su labor—. ¿Puedes traerme más?

Carlton miró de nuevo la pizzería: el espacio donde alcanzaba la vista se había expandido un poco más, y ahora adivinaba las siluetas de otros niños que parecían intentar atrapar los papeles que volaban por el lugar, tratando de agarrar los dibujos. Carlton salió de debajo de la mesa, se puso de pie y caminó entre la neblina espectral y colorida. Un niño con una playera de rayas blancas y negras se le acercó corriendo, persiguiendo una hoja.

—¿Qué haces? —le preguntó Carlton mientras el niño cerraba la mano en el aire y la hoja se escapaba volando entre la bruma.

—Mis hojas volaron —gritó el niño, para después salir corriendo.

Carlton dio media vuelta y vio a otro niño vestido igual en el extremo opuesto del lugar, persiguiendo otras hojas. Una niña con el pelo largo y rubio pasó corriendo a su lado, y él giró sobre sus talones y volvió a verla a lo lejos: había dobles de todos los niños y cada uno perseguía hojas distintas.

Sólo había una figura que se mantenía inmóvil en aquel caos, desfasado con respecto al entorno. Al principio, parecía un hombre encorvado sobre una mesa, pero la cabeza de Carlton palpitaba con cada oleada de confusión. De pronto, la persona se convirtió en un conejo amarillo, y no estaba inclinado sobre una mesa, sino sobre cinco niños tomados de la mano. La segunda imagen se desvaneció y el conejo parecía un hombre otra vez, de pie en la oscuridad. Los niños pasaban corriendo a su lado como si no lo vieran; mientras Carlton miraba, varios niños lo atravesaron sin inmutarse. Se acercó al hombre y, a medida que se aproximaba, el conejo amarillo volvió a aparecer y se giró hacia él un momento antes de disiparse como el humo para dar paso al hombre de nuevo.

—Esto no es real —jadeó Carlton, tratando de analizar las dos realidades superpuestas que parecían dar vueltas a su alrededor.

Había tres figuras que parecían fijas, mientras que el resto iba y venía: el hombre de pie junto a la mesa, un niño rubio que estaba en un rincón (el único niño que no corría y que no estaba repetido) y un cuerpo tirado en el suelo, hecho un ovillo sobre un charco de sangre. «¿Ese soy yo? ¿Estoy muerto?»

—¡No, bobo! —exclamó un niño—. ¡Estás con nosotros!

El émbolo de la jeringa retrocedió con un fuerte chasquido: el hombre de las sombras había extraído algo del cuerpo de metal que estaba sobre la mesa. De repente, otro dibujo voló por el aire y otro niño espectral apareció corriendo tras él.

La niña rubia, con un moño rojo que le rebotaba sobre los hombros, pasó corriendo como bólido.

—¡Detente! —le ordenó Carlton, y ella obedeció sin apartar la vista de los dibujos que estaba persiguiendo—. ¿Quién es él? —Carlton señaló el conejo amarillo que aparecía y desaparecía.

—Es nuestro amigo. ¡Me ayudó a encontrar a mi perrito! —exclamó antes de salir corriendo de nuevo.

—No lo saben —susurró Carlton mientras la observaba desaparecer en la neblina que los rodeaba.

Examinó los dibujos que flotaban por el aire y empezó a atrapar aquellos que le resultaban familiares.

—¿Qué haces? —le preguntó el niño de la playera de rayas.

—Voy a ayudarles a juntarlos —dijo Carlton estirando el brazo para tomar otro dibujo que flotaba a su lado.

Cuando por fin llegó hasta el escritorio, Charlie se estiró y se apoyó en él para ponerse de pie, fingiendo hacer un gran esfuerzo. Hizo una mueca al dejar caer el peso sobre los pies para seguir pareciendo más débil de lo que se sentía; en realidad, había recuperado casi la totalidad de sus fuerzas. Se apoyó pesadamente sobre la mesa como si buscara un lugar donde recargarse y puso una mano directamente sobre el pesado pisapapeles.

—Ambas sabemos que tampoco podrá recrearte a ti —Elizabeth ya estaba cerca—. Y la pregunta es: ¿Acaso queremos que lo haga? Además... —Elizabeth se acercó a Charlie por atrás, moviéndose más rápido—. Creo que te odio más de lo que lo quiero a él.

Levantó la mano en ademán de ataque y Charlie giró sobre sus talones y dirigió la piedra sobre ella con un movimiento uniforme. Hizo un tremendo crujido al impactar contra la cara de Elizabeth, tanto que Charlie salió disparada hacia atrás y soltó el pisapapeles. Chocó con fuerza contra el suelo, cayendo con todo su cuerpo sobre su mano.

Elizabeth se tambaleó hacia atrás con la mano en la cara, pero no podía ocultar el daño sin su espejismo. Un lado entero de la iridiscente mandíbula blanca se había desprendido y se veían los cables por debajo. Ladeó la cabeza un momento, como si estuviera efectuando una comprobación del sistema; Charlie no esperó a ver el resultado. Se puso de pie de un salto y se echó a correr, empujando a Elizabeth a su paso, por donde había venido. Oyó que Elizabeth se movía; se metió al armario del pasillo y cerró la puerta.

—Sé que puede sonar un poco infantil —gritó Elizabeth; su voz sonaba al final del pasillo—. Pero, si no me quiere a mí, tampoco te tendrá a ti.

Los pasos se acercaron y Charlie miró a uno y otro lado, buscando desesperadamente un lugar donde esconderse en el pequeño armario. De repente, al dar media vuelta, vio algo familiar. «Tú.» El robot sin rostro blandiendo un cuchillo, el maniquí que su padre había construido con un único propósito: acabar con su vida.

—Tu padre te creía tan especial que no podía dejar ir tu preciado recuerdo.

En aquella oscuridad, el semblante inexpresivo casi le transmitía paz. Había sido construido con un único fin;

cumplió con su deber y permanecía en silencio desde entonces, como un monumento al dolor y la pérdida.

La puerta del armario se movió levemente cuando Elizabeth asió la manija; Charlie veía su sombra por debajo de la puerta. Agarró la ropa que estaba colgada detrás, abrigos y vestidos viejos, y la echó hacia delante para ocultar el robot lo mejor que pudo.

—No puedes vencerme —susurró Elizabeth—. No eres como yo —añadió con deleite.

Charlie esperó, delante de la criatura inexpresiva, sin esconderse. Suavemente, Elizabeth abrió la puerta.

—No debería estar aquí —le susurró Charlie a Elizabeth.

Oyó a John tosiendo en la habitación contigua y la invadió una oleada de alivio. «Se pondrá bien. Está vivo.» Elizabeth miró hacia atrás como si considerara ir con él, pero luego volvió a ver a Charlie y dio dos pasos deliberados hacia delante.

—¡Charlie! —gritó John desde afuera.

—No pasa nada, John —contestó Elizabeth con una voz imposible de distinguir de la de Charlie—. Salgo enseguida.

En un instante, adoptó de nuevo la apariencia de Charlie, no la Charlie adulta de la que se había disfrazado hasta entonces, sino Charlie tal y como era en realidad, como el reflejo de un espejo. Se movió de forma extraña, volviendo la vista hacia John un momento; luego le dedicó a Charlie una sonrisa cruel.

—¿Cuánto tiempo crees que tardará en darse cuenta? —susurró.

—Tienes razón, Elizabeth —dijo Charlie. La sonrisa de Elizabeth se desvaneció—. Nunca debí estar aquí.

—¿No?

Elizabeth dio un último paso, eliminando la distancia entre ellas. Agarró a Charlie del cuello y se apretó contra ella.

—Ninguna de las dos debimos estar aquí.

Charlie se llevó la muñeca de trapo al pecho. Elizabeth frunció el ceño, confundida, y miró por encima del hombro de Charlie, viendo así el robot que estaba detrás. Charlie movió imperceptiblemente la otra mano, que tenía detrás de la espalda, e hizo un gesto invisible con rapidez. Una polea de metal chirrió.

Charlie cerró los ojos, abrazada a la muñeca; cuando el cuchillo las atravesó, no sintió dolor.

Elizabeth dejó escapar un grito ahogado cuando la hoja se hundió también en su cuerpo, un sonido casi humano. Charlie observó el rostro de Elizabeth, rígido por la sorpresa. Pronto desapareció y se vio sustituido por las placas de metal pulido de su apariencia robótica. Unas chispas inundaron el aire a medida que la visión de Charlie empezó a tornarse borrosa; el olor a plástico quemado llegaba desde muy lejos.

—No es justo —la voz de Elizabeth chisporroteó, estática—. Nunca llegué a tener una vida.

Charlie hizo un esfuerzo para tomar aire, aferrando la muñeca de trapo contra el pecho. Estiró el brazo hacia la mano de Elizabeth, que colgaba flácida a un lado, y la tomó. Elizabeth la miró confundida, y Charlie jaló la mano con gran dificultad hasta llevarla a la muñeca de trapo. Como pudo, rodeó la muñeca con los dedos de Elizabeth; a continuación, sin soltarle la mano, empujó con las pocas fuerzas que le quedaban, deslizando la muñeca por los diez centímetros de hoja que las separaban hasta pegarla al pecho de Elizabeth. Intentó sonreír, pero todo estaba oscuro; ya no veía, se le había olvidado cómo se hacía. Charlie sintió que su cabeza caía hacia delante y ya no pudo levantarla. Elizabeth se retorció un rato más, haciendo tintinear la hoja que las atravesaba a ambas; luego su cabeza también cayó hacia delante, descansando sobre la frente de Charlie.

—¡Charlie! —John estaba gritando su nombre—. ¡¡Charlie!!

«Yo también te quiero.» Las palabras no salieron de su boca. Y luego fue la nada, que lo inundó todo.

—¡Aquí! ¡Aquí! —gritó Carlton.

El niño de la playera de rayas le ayudó a alinear dos hojas más. Michael pasó la crayola por encima, uniéndolos en un único dibujo. Un segundo niño con playera de rayas apareció de entre la niebla y se sentó encima del que ya estaba en el suelo con ellos, fusionándose con él a la perfección. Sólo Carlton pareció darse cuenta de la fusión de los dos niños, ya que ni siquiera el propio pequeño de la playera de rayas pareció ser consciente.

Junto a ellos estaba la niña del pelo rubio y rizado: habían encontrado todos sus dibujos y los habían juntado; ahora tenía un aspecto sólido y real, no fantasmagórico como los demás. Hablaba con frases completas y sus habilidades cognitivas se habían reforzado poco a poco a medida que sus dibujos se iban uniendo unos con otros. Carlton se esforzaba por encontrar los dibujos que les faltaban a los demás sin perder de vista a las tres figuras estables (el hombre, el niño del rincón y el cuerpo), y cada vez tenía más claro que se le estaba acabando el tiempo. El hombre estaba haciendo una serie de preparativos para lastimar al niño del rincón.

—¿Dijiste que salvó a tu perro? —le preguntó Carlton a la niña rubia, desesperado por hallar alguna respuesta.

—Mi mami me dijo que se había ido al cielo, pero oí a mi papi decir que lo había atropellado un coche. Pero yo sabía que no era cierto, Bonnie me dijo que no era verdad; me dijo que él había encontrado a mi perrito.

Se apartó con la mano un mechón de pelo del hombro.

—¿Y te llevó con tu perrito?

—Me llevó, pero no me acuerdo…

—Pero ¿fue él quien te ayudó? —Carlton señaló al conejo amarillo del dibujo donde estaban los cinco niños.

—¡Sí! Fue él —sonrió—. Me llamo Susie —añadió—. Y ella es Cassidy —una niña de pelo largo y negro se acercó con más dibujos en las manos—. ¿Y tú?

Carlton miró brevemente a un niño pequeño con pecas.

—Yo… —le costaba hablar, no le quitaba el ojo de encima al hombre que estaba en el centro de la habitación mientras unía dos dibujos más.

—¡Eso es! —exclamó Michael, orgulloso.

Otra imagen traslúcida del niño pecoso se metió debajo de la mesa y se fusionó con el que ya estaba allí: al instante, perdió parte del halo fantasmagórico y se hizo más sólido.

—Yo soy Fritz —sonrió y pareció llenarse de vida.

William Afton cerró los puños, se estudió las manos un momento y miró los monitores médicos que estaban en el rincón.

—Siento que se me acaba el tiempo —miró a Carlton, pensativo, pero el chico seguía tirado en el suelo, inmóvil—. Qué lástima —gruñó—. Esperaba aprender algo. Pero quizás ése no sea el problema —miró hacia la mesa metálica—. Tal vez sólo necesitemos un poco de vida nueva en esta masa de metal —le sonrió al niño rubio, quien se acurrucó e intentó retroceder, aunque ya estaba todo lo pegado a la pared que le era posible—. Tendrás que perdonarme, porque no sé cómo hacerlo —William dio varios pasos hacia él—. Se me ocurren unas cuantas cosas que podemos intentar. En el peor de los casos, será divertido; como en los viejos tiempos —sus labios se retrajeron, revelando dos filas enteras de dientes amarillentos y manchados.

La puerta chirrió al abrirse. William volvió los ojos para mirar hacia el umbral y vio una masa sin forma de metal que se arrastraba hacia él arañando el suelo.

—¿Qué haces tú aquí? —le preguntó William.

La cabeza de zorro pintada de blanco estaba volteada en un ángulo alarmante; era obvio que no funcionaba correctamente. Las extremidades también estaban torcidas hacia atrás, algunas rotas y sueltas. Los restos de la criatura se adentraron a la habitación. El ojo de la cabeza de zorro giró sobre su eje, buscando el techo. William señaló un rincón.

—Ya no me sirves de nada; quítate —dijo con tono autoritario.

Luego retrocedió sorprendido: detrás del zorro venía otro séquito de piezas mecánicas rotas, con los cables expuestos como enredaderas, jalando unos de otros para sostenerse. Sobre la espalda de aquel amasijo estaba la cara blanca y morada de un oso. «¡Estoy aquííííí!», atronó el altavoz desde algún punto entre la masa, estática y crujiente.

William hizo una mueca, perturbado por la presencia de las criaturas destrozadas.

—Atrás —dijo, dándole una patada a la cara de Freddy. El amasijo de piezas se apartó sin oponer resistencia, casi con tono de decepción, y se detuvo unos metros más allá—. Qué desperdicio —siseó Afton. Se volvió hacia el zorro, quien aparentemente era el que se encontraba en mejor estado—. Tráeme a ese niño —le ordenó.

El animatrónico miró hacia el rincón con su único ojo.

—Tengo que hacer algo por él —dijo Susie alegremente mientras se ponía de pie.

—¿Algo por quién? —preguntó Carlton, alarmado, sujetándola del brazo.

—Por Bonnie —sonrió señalando al conejo amarillo, cuya imagen aparecía y desaparecía junto a la mesa—. Acaba de pedirme que haga algo por él. Quiere traernos a un amigo nuevo y necesita mi ayuda.

—Bonnie no es tu amigo —dijo Carlton sin soltarle el brazo.

Jadeó al pensar en el daño inminente al que se enfrentaba el niño rubio; la niña forcejeaba para soltarse.

—¡Que sí es mi amigo! ¡Encontró a mi perrito! —gritó, zafándose al fin.

—¡No, no vayas! —suplicó Carlton.

«John.»

—¡Atrás! —gritó John despertándose bruscamente.

Levantó los brazos para bloquear un ataque y retroceder. Se golpeó la cabeza con el armario que tenía detrás.

—Au —gruñó, y recordó dónde estaba.

Rodó sobre sí mismo, sujetándose el costado con cuidado, y se quedó totalmente quieto, inclinando la cabeza para poder aguzar el oído. El silencio reverberaba en la atmósfera, llenando la habitación de vacío.

—Charlie —susurró, y de pronto recordó todo lo ocurrido.

«El pasillo.» John se puso de pie, atenazado por el miedo, apoyándose en la puerta del armario. El pie derecho cedió bajo su peso en cuanto intentó apoyarlo en el suelo; un dolor lacerante le atravesó el tobillo. Apoyó una mano en la pared para mantener el equilibrio y saltó con su pierna izquierda hasta la puerta.

Chocó con fuerza contra el marco de la puerta, haciendo una mueca al sentir un gran dolor en las costillas. Entrecerró los ojos tratando de ver en la oscuridad.

—¡Charlie! —gritó.

La puerta del armario del pasillo estaba abierta y dentro parecía haber siluetas, pero no distinguía nada. Fue hasta el armario apoyándose en la pared e intentando ignorar el tobillo lesionado. No se veía nada a través de los abrigos que estaban colgados; empezó a apartarlos, pero se detuvo de manera abrupta, evitando apenas la hoja de un enorme cuchillo que casi parecía una espada y le apuntaba directamente. Parpadeó hasta que sus ojos se acostumbraron a la penumbra: la hoja estaba conectada a un brazo de metal extendido; en realidad, la figura que al principio creía que sostenía el cuchillo estaba atravesada por él; detrás había algo más, algo que le resultaba familiar. Se apartó un poco y se inclinó para mirar el rostro sin vida de la otra criatura acuchillada.

Se quedó mirando un rato, sintiendo que el calor le subía a la cara. De pronto, dio media vuelta y se encogió sobre sí mismo a causa de las náuseas. Cayó al suelo de rodillas con una arcada; sus costillas protestaron al contraerse, pero no tenía nada en el estómago que vomitar. Resolló tratando de que se le pasara, pero los retortijones y los espasmos no cedían, era como si le estuvieran dando la vuelta por dentro.

Cuando por fin se calmó, John apoyó la frente en la pared con los ojos llenos de lágrimas. Estaba mareado, pero se puso de pie. Sentía como si hubieran pasado años. No volvió a mirar hacia adentro del armario.

Cojeó hasta la puerta, rechinando los dientes a cada paso, pero no se detuvo hasta salir de la casa. No miró atrás.

—¡Allí! —exclamó Michael, distrayendo momentáneamente a Susie en su intento por escapar.

El último fantasma de la niña del pelo negro largo llegó y se sentó con ellos. Cuando se fusionó con las demás que eran como ella, pestañeó, levantó la vista y respiró hondo con calma.

—Ahora ya estamos todos juntos —dijo Michael con una sonrisa.

Los dibujos del suelo habían desaparecido; cinco niños de aspecto real estaban sentados con Carlton debajo de la mesa. Ya no tenían aquella apariencia espectral.

—El conejo no es tu amigo —repitió Carlton.

Susie lo miró confundida y señaló el único dibujo que quedaba, el grande en el que aparecían los cinco niños con el sonriente conejo amarillo.

—Dije que lo traigas a la mesa —dijo William furioso, llamando la atención de Carlton desde entre las sombras.

El zorro animatrónico giró la cabeza, pero, antes de que William pudiera gritarle otra vez, llegaron ruidos desde el pasillo. La puerta se abrió, empujada por algo que parecía llevar un rato chocando contra ella, y un montón de muñecos mecánicos entraron a la habitación, gateando y reptando por el suelo, todos en un estado lamentable, con distintos grados de destrozo. Estaban los bebés trepadores y el payaso desgarbado que cuidaba el juego de feria del comedor; había otros que Carlton no reconoció: muñecas andantes con las caras pintadas de payaso, animales de circo desmembrados y otras cosas que no podía siquiera nombrar.

—Atrás —ordenó William a la macabra procesión, y apartó a un bebé con el pie, luchando por no perder el equilibrio.

El niño rubio había dejado de llorar y miraba asombrado a las criaturas, acurrucado, tapándose media cara con una mano.

—¿Ahora les tienes miedo? —William se dirigió al niño—. No les tengas miedo a ellos. Tenme miedo a mí —gruñó con fuerzas renovadas. Apretó la mandíbula y avanzó con pasos rígidos pero decididos hacia el niño—. Yo soy lo único en esta habitación que debe darte miedo —dijo. El niño lo miró de nuevo, con el rostro aún lleno de terror—. Soy igual de peligroso que siempre —rugió William.

Tomó al niño por el brazo y lo arrastró hacia la mesa.

—¡No, no, no! —gritó Carlton mientras veía cómo la figura sombría subía al niño a la mesa.

Miró a los demás niños con impotencia, pero ellos le devolvieron unas miradas inexpresivas.

—¿No lo ven? ¡Está lastimando a ese niño!

Los niños negaron con la cabeza, confundidos.

—Está en peligro, tengo que ayudarle. Déjenme salir —Carlton intentó levantarse, pero las piernas le pesaban y lo mantenían anclado al espejismo.

—Sólo es Bonnie —Susie sonrió.

—¡Bonnie no es su amigo! Los lastimó, ¿no se acuerdan? —gritó Carlton cada vez más frustrado.

Tomó el último dibujo de la pared, el que mostraba a los cinco niños de pie con el conejo amarillo, lo puso en el suelo y agarró una crayola roja. Se inclinó sobre el dibujo y empezó a hacer gruesos trazos, apretando con fuerza el crayón sobre el papel. Los niños se acercaron para ver qué estaba dibujando.

—Hagámoslo —dijo William Afton desde las sombras.

Carlton levantó la mirada y vio al niño revolviéndose sobre la mesa, donde William lo tenía amarrado. La mesa se estaba calentando, empezaba a desprender aquel resplandor anaranjado.

—Me estoy quedando sin ideas —dijo William, incapaz de disimular su ansiedad—. Pero si no voy a sobrevivir a esto, entonces tú tampoco —apretó el pecho del niño, quien forcejeaba para liberarse.

—¡Ahhhh! —gritó el niño cuando tocó con el codo la mesa donde se extendía el resplandor anaranjado. Apartó el brazo y se lo agarró con el otro, sollozando, y luego chilló al tocar la mesa sibilante con el pie. Lo quitó también, aullando de dolor.

—Veamos adónde nos lleva esto —dijo William.

—¡Miren! —gritó Carlton, golpeando el dibujo con la crayola.

Los niños se amontonaron. El conejo ahora tenía los ojos color rojo oscuro y le goteaba sangre de la boca. Los niños miraron a Carlton confundidos, pero un destello de comprensión iluminó sus rostros.

—Lo siento —dijo Carlton con desesperación—. Éste… es el hombre malo. Él. Éste es el hombre malo —Carlton señaló del dibujo a William Afton y viceversa—. Éste es el hombre malo que los lastimó, y ahora está a punto de hacerle daño a otro niño —les explicó Carlton con voz suplicante.

Una mano agarró la pierna del pantalón de William, quien se la sacudió.

—Aléjate de mí —gruñó, pero la mano insistió.

El amasijo de objetos conectados a la cabeza morada de Freddy se estaba arremolinando alrededor de los tobillos de William, pinchándolo con sus piezas mecánicas.

—¡Ya te dije que te alejes de mí! —repitió.

Las piernas le temblaron y tuvo que soltar al niño; se balanceó intentando recuperar el equilibrio. En busca de algo firme a lo cual sujetarse, dirigió las manos instintivamente hacia la mesa. Retrocedió, resollando de dolor, y se cayó al suelo, observando impotente cómo el niño rubio se bajaba de la mesa y huía corriendo hacia la pared de atrás.

Afton intentó incorporarse mientras los cables y mecanismos diseminados por la habitación se dirigían hacia él; se reunieron formando una masa en el centro del taller y treparon sobre el cuerpo de William, amenazando con engullirlo. Él se fue quitando las piezas de encima y las tiraba a un lado, donde se rompían contra el suelo de cemento del sótano. William se puso de pie, inestable. Miró al niño otra vez: era lo único que le importaba. Dio tres laboriosos pasos adelante, con varias piezas aún rodeándole las piernas. La cabeza blanca de zorro había enrollado sus extremidades alrededor de la pierna de Afton, jalándolo del tobillo; el oso morado le hundió las fauces en la pantorrilla y lo mordió. Uno de los bebés se le había subido a la espalda y empezó a moverse adelante y atrás, haciendo oscilar su frágil cuerpo. Otro bebé se apoderó de su otro tobillo y le clavó los dientes en la piel. La sangre goteaba en el suelo a cada paso que daba, pero los ojos de William seguían fijos en el aterrorizado niño. Su furia era cada vez mayor. En un arrebato de ira, se arrancó el bebé robot de la espalda y lo golpeó contra la cabeza del oso metálico, rompiéndole la mandíbula y desprendiéndose así de las fauces que le aprisionaban la pierna.

Por fin, William llegó hasta el niño. El pequeño rubio gritó cuando William le rozó la cara con sus dedos huesudos, pero entonces Afton notó que algo ardiente le rodeaba la cintura y lo jalaba hacia atrás. Se retorció furioso y lo vio: la criatura de la mesa estaba de pie y sus dos brazos de metal fundido lo alejaban del niño. El metal se contraía y se movía como si fuera piel, con movimientos erráticos y artificiales. Las coyunturas chasqueaban y crujían al moverse; cada uno de sus movimientos parecía completamente imposible.

—¡No! —gritó William al oír el crepitar de las llamas de su bata de hospital que ardía en fuego, pegada como estaba a la ígnea criatura.

Carlton abrió los ojos y respiró. Respiró de verdad. Se llevó la mano al pecho, intentando tranquilizarse, y se limitó a levantar los ojos hacia la amalgama de metal y cables que estaba metiendo a William Afton al gigantesco horno. El humo y las llamas se alzaron con un sonoro rugido. A continuación, la habitación se quedó en silencio. Las criaturas y las piezas que se retorcían en el suelo se detuvieron de golpe y no volvieron a moverse más.

Carlton notó que el desgarrador dolor de su pecho crecía y se sumió en la oscuridad.

«Carlton.»

Carlton abrió los ojos. Michael estaba pacientemente sentado junto a él, como esperando a que se despertara.

—¿Él ya está bien? —Michael le dirigió una sonrisa ansiosa.

Carlton levantó la vista y vio cuatro figuras pequeñas que desaparecieron en un río de luz. Debajo de la mesa ya sólo quedaba Michael.

—¿Él está bien? —repitió, esperando su confirmación.

—Sí —susurró Carlton—. Él está bien. Vete con tus amigos.

Sonrió, pero Michael no se levantaba. Estaba mirando el pecho de Carlton, donde alguien había puesto un dibujo sobre su herida.

—Esto es tuyo —dijo Carlton tomando el dibujo.

—Sin él te morirás —susurró Michael.

—No puedo quedármelo —Carlton sacudió la cabeza y Michael se lo extendió de nuevo—. Dámelo la próxima vez que nos veamos.

Michael sonrió y el dibujo empezó a desvanecerse, flotando aún unos segundos más en el lugar donde lo había colocado Michael, hasta que la imagen fantasmagórica desapareció por completo, hundiéndose en el pecho de Carlton.

«Gracias.» Carlton oyó el eco de la voz de Michael, pero ya se había ido y sólo quedaba la luz.

«¡Carlton!» John.
  «¡Carlton, aguanta!»
  «¡Vamos a sacarte de aquí!»
  Marla. Jessica.
  «¡Carlton!»

CAPÍTULO 16

—¿Y después qué pasó?

Marla se había arrimado tanto a la cama de Carlton en el hospital que estaba prácticamente sobre ella.

—¡Au, Marla! La enfermera dijo que tengo que dormir y que no debo exponerme a mucho estrés ahora mismo —alargó el brazo para agarrar un jugo que tenía cerca, pero Marla lo apartó de su alcance.

—Vamos, porfa… Si prácticamente ya soy enfermera. Además, quiero saber qué pasó —Marla levantó una serie de tubos y los apartó de su camino para poder acercarse más.

—¡Marla! ¡Esos tubos están conectados a mi cuerpo! ¡Para mantenerme con vida! —buscó desesperadamente en el buró—. ¿Dónde está el botón para llamar a la enfermera?

La chica tanteó los bordes de la cama hasta encontrar el aparatito con el botón rojo y se lo puso en el regazo, a todas luces bajo su protección.

—Ni jugo ni enfermera; cuéntame qué pasó.

—¿Dónde está mi papá… Clay? —levantó la vista y recorrió la habitación hasta dar con su padre, que estaba de pie junto a la ventana con el rostro tenso por la preocupación.

—Estoy aquí —dijo, y sacudió la cabeza—. Nos diste un susto tremendo, y esta vez no fue ninguna broma.

Carlton sonrió, pero la sonrisa duró poco. Miró a su alrededor, angustiado.

—¿Los niños están bien? —preguntó, aunque no sabía si quería oír la respuesta.

—Están a salvo. Todos —dijo Jessica enseguida.

—¿Todos? —dijo Carlton, incrédulo y feliz.

—Sí. Lo salvaste a él también —Jessica sonrió.

—¿Y está bien? —preguntó de nuevo Carlton, ansioso por confirmarlo.

Jessica asintió.

—¿Y Charlie? —dijo con voz suave.

Jessica y Marla se miraron con inseguridad.

—No lo sabemos —dijo Clay adelantándose—. He estado buscándola… Y seguiré con la investigación, pero hasta ahora… —dejó la frase a medias y carraspeó—. Seguiré buscando —repitió.

Carlton bajó la mirada, pensativo. Volvió a levantarla para preguntar:

—¿Y la sexy Charlie?

Marla le dio una palmada en el hombro.

—¡Marla! —exclamó Carlton tras encogerse—. ¡Au! Casi me muero. ¡Hay sangre en mi cama!

—Eso es Tang de fresa. Te lo derramaste encima más o menos hace una hora —Marla puso los ojos en blanco.

—¿John?

Carlton lo vio en el umbral de la puerta, tan apartado que estaba casi en el pasillo. John lo saludó con la mano y esbozó una leve sonrisa.

—Te remendaron bien, ¿eh? —dijo señalando las vendas de Carlton.

—Ya ves.

«Algo no está bien», pensó al mirar un momento a su amigo, pero, antes de que pudiera formular la pregunta, una enfermera entró con paso ligero a la habitación.

—El horario de visitas ya terminó —se disculpó—. Tenemos que hacerle unos análisis.

Clay se acercó a la cama y desplazó a Marla un momento.

—Descansa, ¿okey? —dijo, dándole una palmadita en la cabeza.

—Papá —protestó—, no tengo cinco años.

Clay sonrió y se encaminó a la puerta. John lo detuvo.

—¿Vas a seguir buscando a Charlie? —le preguntó.

—Por supuesto —contestó Clay con tono tranquilizador, pero lo miró extrañado antes de salir de la habitación.

—No vas a encontrarla —dijo John suavemente.

Los demás lo miraron desconcertados. John salió por la puerta sin decir ni una palabra más y sin esperar a nadie.

—Oye, encontramos esto a tu lado. No sabía si era importante —dijo Jessica, llamando la atención de Carlton de nuevo: le extendió una hoja doblada llena de marcas de crayola. La desdobló: era un dibujo de una verde colina y cinco niños corriendo en ella, con el sol en lo alto.

—¿Es tuyo? —preguntó Jessica.

—Sí —Carlton sonrió—. Es mío.

—Okey.

Jessica lo miró con suspicacia y luego volvió a sonreír mientras salía de la habitación.

Carlton tomó el dibujo y miró por la ventana.

Entró a la habitación con mucho cuidado por miedo a despertarla. La estancia estaba a oscuras excepto por la luz que se filtraba por la pequeña ventana sucia, y ella se quedó observándolo un rato como si él no pudiera verla.

—*¿John? —musitó por fin.*

—*Sí. ¿Te desperté?*

Estuvo callada tanto tiempo que él pensó que estaba dormida, pero luego murmuró:

—*Dijiste que me querías.*

El recuerdo se hacía amargo en aquel punto… y lo perseguía desde… desde que todo terminó. «Dijiste que me querías», le susurró, y él balbuceó algo incomprensible como respuesta.

Se quedó de pie en el estacionamiento de grava un rato; se sentía miserable y en absoluto preparado para lo que se disponía a hacer. Tamborileó con los dedos sobre el poste de la cerca de metal, respiró hondo y franqueó la reja. Lentamente transitó por el camino que una vez había visto tomar a Charlie, con cierta dificultad a causa del vendaje del tobillo. La mayor parte del cementerio estaba tan verde y cuidada como cualquier parque, pero en aquel rincón reinaban la maleza y la tierra. Había dos lápidas pequeñas y sencillas, una junto a la otra, al lado del enrejado; un poste telefónico se erigía detrás de ellas como un árbol protector.

John dio un paso hacia las tumbas, pero se detuvo asaltado por la repentina sensación de que alguien lo observaba. Giró despacio sobre sus talones y entonces la vio. Estaba de pie bajo un árbol a pocos metros de él, donde la hierba crecía frondosa y verde.

Ella sonrió, extendió la mano y lo llamó a señas para que se acercara. Él se quedó donde estaba. Por un momento, el mundo pareció embotarse y notó que la mente se le adormecía. Sentía el rostro impávido, pero no conseguía recordar cómo moverlo. Miró de nuevo las lápidas y lo asaltó una tremenda nostalgia, tragó saliva y respiró acompasadamente hasta que consiguió moverse de nuevo. Volteó hacia la mujer que estaba bajo el árbol, quien seguía con el brazo extendido. Y fue hacia ella.

Una ráfaga de viento cálido soplaba sobre el cementerio mientras se alejaban juntos. Los árboles susurraban y las hojas volaban por encima de las tumbas; algunas se quedaron pegadas sobre ellas. Bajo el poste telefónico, la hierba ondeaba azotada por el viento, acariciando las dos lápidas juntas a la luz del atardecer. La primera pertenecía a Henry. En la otra decía:

MI QUERIDA HIJA

CHARLOTTE EMILY

1980-1983

En lo alto del poste telefónico, un cuervo graznó dos veces y alzó el vuelo con un rumor de alas.

Otros títulos que también te gustarán

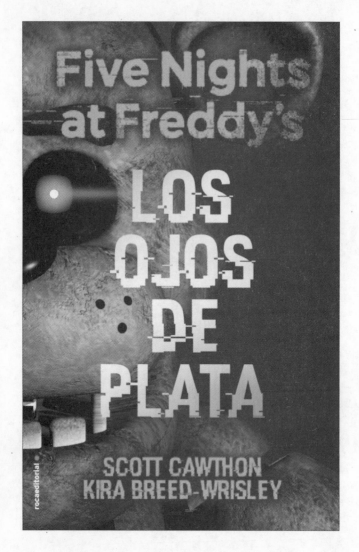

Los ojos de plata

Serie: Five Nights at Freddy´s. Volumen 1

Primera novela oficial de la serie basada en el videojuego
de terror que arrasa en el mundo entero.

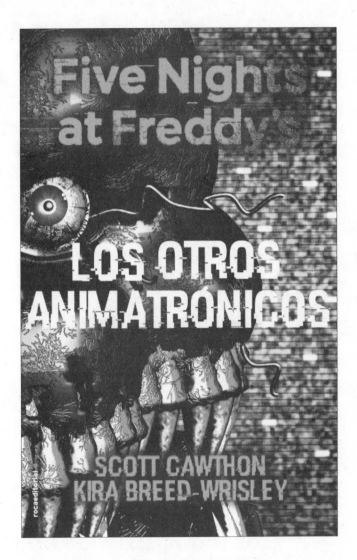

Los otros animatrónicos

Serie: Five Nights at Freddy´s. Volumen 2

Segunda novela oficial de la serie basada en el videojuego
de terror que arrasa en el mundo entero.